De Bank

LINDA DAVIES

DE BANK

Uitgeverij Luitingh ~ Sijthoff

Oorspronkelijke titel: *Nest of Vipers*
Vertaling: Hedi de Zanger
Omslagdia en -ontwerp: Nico Richter

CIP-GEGEVENS KONINKLIJKE BIBLIOTHEEK, DEN HAAG

Davies, Linda

De Bank/Linda Davies; [vert. uit het Engels door Hedi de Zanger]. –
Amsterdam: Luitingh-Sijthoff
Vert. van: Nest of Vipers. – London: Orion, 1994
ISBN 90-245-1264-6
NUGI 331
Trefw.: romans; vertaald.

Voor mijn ouders, Glyn en Grethe,
met dank voor al hun steun en liefde.

PROLOOG

'Ze is volmaakt.'
'Hoe weet je dat zo zeker?'
'Ze heeft de perfecte dekmantel. Niemand zal haar ooit verdenken. Ze is intelligent en discreet, en ze is ambitieus; deze uitdaging zal haar zeker aanspreken. Ze is heel idealistisch; als ze vond dat ze daar het recht toe had, zou ze de wet overtreden. En dan zou ze het waarschijnlijk nog leuk vinden ook.'
Bartrop begon geïnteresseerd te raken. 'Hoezo?'
'Ze straalt een soort beheerste kalmte uit.'
Bartrop fronste zijn wenkbrauwen. 'Vind je niet dat dat een kwaliteit is die ook z'n negatieve kanten heeft? Je schijnt te vergeten dat we het ons niet kunnen veroorloven om fouten te maken. Als hier ook maar iets van naar de pers uitlekt...'
'Dat zal niet gebeuren,' verzekerde Barrington hem. 'Ze zal aan onze kant staan, en trouwens, ik heb informatie over haar ingewonnen. Ze weet hoe ze dingen geheim moet houden. Ze roddelt net zo hard als alle andere vrouwen, maar niet over belangrijke zaken.'
'Je mag haar graag, hè?'
'Ja, het is moeilijk om haar niet aardig te vinden.'
'Je weet dat dit heel onplezierig voor haar zou kunnen worden. Als er dingen fout gaan, zullen we haar moeten laten vallen.'
'Ik vind dat ik haar dat duidelijk moet maken.'
Jij vertelt haar alleen maar wat ik beslis, dacht Bartrop. Maar hij zei: 'Vertel haar dat ze niet betrapt mag worden, maar leg haar uit dat ze er in haar eentje voor staat als het wel gebeurt. De vraag is of ze daar tegen kan. Ik wil niet dat ze bij de politie gaat zitten uithuilen.'
Barrington dacht een tijdje na. 'Ze zal het prima doen.'
Bartrop sprak langzaam en weloverwogen. 'Het zou haar sowieso geen goed doen als ze haar mond hierover opendeed.'
Het hoofd van de afdeling Narcotica van MI6 en de president van de Bank of England glimlachten stilletjes over deze samenzwering. Ze konden niet vermoeden dat Sarah Jensen, wanneer haar onrecht werd aangedaan, in staat was tot blinde woede; dat wanneer ze haar ooit zouden laten zakken, ze net als Samson alle steunpilaren om hen heen zou vernietigen.

I

Op haar zevenentwintigste leek Sarah een heel normaal leven te leiden, al was het dan op een ietwat exclusief niveau. Ze was een van de beste valutahandelaren van de City, het financiële hart van Londen. Ze woonde samen met haar broer en haar vriend in een groot huis in Chelsea, en ze was knap om te zien. Ze zag er goed uit, ze had geld en liefde. En angst. Het leven dat ze zo zorgvuldig had opgebouwd was broos. Net als haar kindertijd in New Orleans op een zonnige middag ineens afgelopen was door de dood van haar ouders, kon ook dit leven ineens ophouden. In een paar seconden. Een flitsende inslag van metaal op huid. De angst liet haar nooit in de steek. Hij zat diep verborgen onder verdraaide waarheden, ontkenningen en leugens, maar hij was altijd aanwezig. En de schaduwzijde ervan hing over alles wat ze deed; van de zorgeloze risico's die ze nam met de honderden miljoenen ponden op de valuta-afdeling en luchthartige, oppervlakkige verhoudingen, tot de geborgenheid bij haar vriend Eddie, haar whisky, haar uitbundige vrolijkheid en haar ongeremde plezier in het leven van dit moment. In zekere zin was haar kwetsbaarheid tegelijkertijd haar kracht. En zolang ze deze ongelijkwaardige onderdelen van haar karakter bijeen kon houden, was ze veilig.

Soms vroeg ze zich af of iemand iets in de gaten had, het geheel onder ogen kon zien. Maar niemand zag iets. Twee mensen - haar beste vrienden, Jacob en Mosami - vermoedden misschien een glimp, een schaduw, maar ze spraken er nooit over, ze keken zelden verder dan het beeld dat Sarah voor de buitenwereld geschapen had.

Ze glimlachte en schudde haar gedachten van zich af. Ze wendde zich weer tot haar schermen, pakte de telefoon en beëindigde een transactie, ze dekte haar positie af. Het duurde dertig seconden. Ze maakte een half miljoen pond winst.

Het geld gierde over de kabels, waarbij de herkomst verdween in een web van elektronische overboekingen die het wisselden, verborgen en opdeelden in handzame hoeveelheden, die weer zouden worden opgenomen om ergens anders gestort te worden, zodat het spoor zou zijn uitgewist. Antonio Fieri nam geen risico's. Dat was ook de reden waarom het hem was gelukt om tot de top van de mafia door te dringen zonder dat hij daarbij ooit in staat van beschuldiging was gesteld, laat staan ooit in de gevangenis was beland.

Hij was zevenenvijftig, een kleine man wiens gespierde lichaam opgeslokt was door vetkwabben. Zijn gezicht was bijna plat, met uitzondering van een stompe neus en verrassend volle lippen. Zijn haar was dun aan het worden, de grijze haren werden verborgen door maandelijkse bezoeken aan de kapper waar ze weer zwart werden geverfd. Zijn ogen, klein, rond en donkerbruin, hielden zijn omgeving continu in de gaten, maar meestal schitterden ze van pret. Hij had plezier in zijn werk.

Hij was de belangrijkste schatbewaarder van de mafia. Hij zorgde voor het witwassen van hun geld, droeg speciale verantwoordelijkheid voor drugsgelden, investeerde die en bedacht nieuwe en relatief zuivere manieren om er nog meer van te maken. Hij was niet boven het gebruik van geweld verheven; dat ging hem net zo gemakkelijk af als zijn zakelijke activiteiten op de financiële markten. Hij was gek op de handel om met geld nog meer geld te verdienen, en dit laatste systeem was werkelijk onovertroffen.

Hij legde de telefoon neer. Zijn vettige vingers lieten afdrukken na op het plastic. Hij berekende zijn winst en grijnsde tevreden. Zeven miljoen dollar in drie uur tijd. Gemakkelijk verdiend geld. En schoon. Veel schoner dan chantage, afpersing, drugs of moord. Alleen maar wat stemmen door de telefoon, wat cijfers op een scherm, een paar krabbels op velletjes papier. En nog snel ook. Er waren maar een paar seconden voor nodig om het geld rond de wereld te laten vliegen.

Fieri's gezicht brak open in een grote grijns toen hij zich voorstelde hoe de ponden, dollars, Duitse marken en yens door de hemel vlogen. Vierhonderd miljoen dollar. Hij vroeg zich af welke afstand hij daarmee kon overbruggen. Van Rome naar New York in briefjes van tien? Hij lachte, liet zich van zijn stoel glijden, en waggelde naar de koelkast in de hoek van zijn kantoor. Vierhonderd miljoen in een tijd van tien maanden. Hij schonk een glas champagne in en proostte op gemakkelijk te verdienen geld.

Als Fieri had geweten waar zijn papieren spoor naartoe leidde, zou de champagne hem bitter als gal gesmaakt hebben.

Op de zweterige afdeling valutahandel van een financieringsbank in het financiële centrum van Londen – de City – legde een jonge handelaar in buitenlandse valuta de telefoon neer en verzette zich tegen de neiging een vreugdekreet te slaken. Opnieuw drie miljoen dollar voor de al rijkelijk gevulde rekening. En een kwart daarvan was voor hem. Hij lachte stilletjes bij de gedachte dat het een beetje problematisch werd om heimelijk zoveel geld uit te geven.

Alweer een cocaïnevangst. Vijftig kilo, verborgen in de plateauzolen van een zending schoenen uit Italië. De lading was onderschept door de in dit geval samenwerkende Koninklijke Douanedienst en de MI6, en gevolgd naar een opslagplaats op een industriegebied ergens in het oosten van Midden-Engeland. De vrachtwagenchauffeur en het ontvangstcomité waren gearresteerd. De zending was in beslag genomen, om binnenkort te worden verbrand, en de koeriers werden op dit moment ondervraagd. Fiona Duncan, voorzitster van de raad van commissarissen van de Koninklijke Douanedienst, raffelde de details af. James Bartrop, van MI6, luisterde met een vage glimlach op zijn gezicht.

De vangst was slechts een klein succes. De stroom drugs bleef het land onverminderd binnen komen en de schakel die zojuist verbroken was, zou snel weer worden hersteld. Een succes van langere duur zou pas worden behaald als de drugs-netwerken bij hun basis werden aangevallen en overhoop werden gehaald. En dat was een van Bartrops belangrijkste werkzaamheden. MI6 speelde nu een grote internationale rol op dit gebied, waarbij werd samengewerkt met de FBI, de Amerikaanse Drug Enforcement Agency en de Britse en Amerikaanse douane.

Een groot gedeelte van de drugs in Groot-Brittannië komt binnen onder toezicht van een duister samenwerkingsverband tussen de Zuidamerikaanse drugsbaronnen en de mafia, waarbij de laatste werkt als tussenpersoon van de Zuidamerikanen. James Bartrop, de directeur van CNC, stond onder grote druk om deze samenwerking en alle bijbehorende netwerken te infiltreren, om op die manier de import van drugs in Groot-Brittannië te onderscheppen en in te dammen. Hij vermoedde dat de laatste zending, die door MI6 en de douane onderschept was, afkomstig was uit Colombia en verband hield met de mafia. Mogelijkerwijs, maar niet erg waarschijnlijk, zou dit tijdens de verhoren worden beaamd door de drugskoeriers. Bartrop wist dat ze hoogstwaarschijnlijk zouden volharden in een vastberaden stilzwijgen. Misschien zouden ze proberen strafvermindering te krijgen door een paar onbelangrijke namen te noemen uit de volgende schakel. Maar als zijn intuïtie juist was, zouden ze de oorsprong van de drugs nooit onthullen want als ze dat deden, tekenden ze hun eigen doodvonnis.

Wanneer ze zich niet bezighielden met het wegwerken van leden van rivaliserende bendes, ruimden de executieteams van de mafia en de Colombiaanse drugssyndicaten koelbloedig hun eigen mensen op als deze gevaar opleverden voor de veiligheid van hun eigen organisatie. Of het respect van een Colombiaanse drugsbaron iets is om trots op te zijn, daar valt over te twisten, maar Antonio Fieri was er trots op, en hij deed in wreedheid en sluwheid niet onder voor zijn Zuidamerikaanse partners.

Bartrop was zich tien jaar eerder, toen hij voor MI6 in Rome gestationeerd was, voor het eerst bewust geworden van het bestaan van Antonio Fieri. Fieri werd ervan verdacht een van de kopstukken van de Siciliaanse mafia te zijn, en het gerucht ging dat hij nationale en lokale politici omkocht om zich ervan te verzekeren dat de contracten van winstgevende bouwprojecten naar mafiabedrijven gingen. Maar er was nooit enig bewijs te vinden, het bleef bij verdenkingen. Het was Fieri altijd gelukt de verschillende autoriteiten die hem op het spoor kwamen te slim af te zijn.

Terwijl Bartrop opklom in de gelederen van 'Zes', of 'de Firma' zoals het door de werknemers genoemd werd, of 'de Vrienden' zoals buitenstaanders het noemden, was hij Fieri nooit uit het oog verloren. Hij was nu directeur van CNC, en volgens de rapporten van de geheime dienst was Fieri een van de belangrijkste mensen binnen de drugs-organisatie van de mafia. Als Bartrop zichzelf zoiets simpels als één doelwit zou toestaan, dan zou het Fieri zijn.

Bartrop stond op van achter zijn bureau, liep naar het raam van zijn kantoor, en keek naar de Theems die groezelig voorbij stroomde. Twee sleepboten passeerden elkaar. Bartrop zag hoe de mannen aan dek een hand naar elkaar opstaken. Hij zag hun monden bewegen, maar door de dikke glazen ramen kwam geen geluid naar binnen. Ze waren erin gezet op speciaal bevel van het ministerie van defensie. Glas met een dikte van bijna vier centimeter. Geluiddicht.

Bartrop kneep zijn ogen dicht tegen het zonlicht dat weerkaatste in de rivier. Het was een stralende dag in juni. Hij stond doodstil naar buiten te staren met zijn handpalmen tegen de ruit geleund.

Hij vormde een hoekig silhouet tegen het door de zon verlichte raam. Zijn altijd gespannen zenuwen zorgden ervoor dat er geen greintje vet op zijn botten zat. Hij droeg een goedgesneden, donker pak dat zijn slankheid benadrukte. Zijn lichaam zag eruit als dat van een twintigjarige. Alleen aan zijn gezicht kon je zijn werkelijke leeftijd aflezen. De huid was getaand door het roken van te veel sigaretten, en rondom zijn ogen en zijn mond zaten diepe plooien.

Hij had een buitengewoon levendig gezicht, speurend en expressief. Maar het was ook een gezicht dat plotseling kon veranderen in een koud en hard masker. Hij was een volmaakt acteur, waarbij hij waarschijnlijk kracht putte uit zijn eigen tweedeling in zijn karakter. Hij combineerde rustige overweging met een analytisch vermogen dat net zo snel werkte als een computer. Dit maakte hem tot een briljante geest, en het verklaarde zijn snelle carrière binnen MI6. Sommigen zeiden dat hij het ooit nog eens tot president-directeur zou brengen.

Hij was een zeer gerespecteerd persoon, maar er was ook een flink aantal lasteraars die zeiden dat hij misschien net een beetje té slim was. Hij hoorde dat soort kritiek wel eens, en lachte er geringschattend om. Zelfbeschouwing was geen onderwerp waar hij zich veel mee bezighield.

Hij wendde zich af van het raam, liep terug naar zijn bureau en belde Moira, zijn secretaresse, om te zeggen dat ze de onderdirecteur van CNC binnen kon laten komen. Een paar minuten later kwam Miles Forshaw binnen en ging tegenover Bartrop zitten, die opstond, naar het raam liep en daarna weer terug. Forshaw volgde hem met zijn ogen, en merkte de rusteloosheid op.

Bartrop ging weer zitten, liet zijn blik rusten op zijn waarnemer en vertelde hem over de cocaïnevangst en zijn vermoeden dat de zending afkomstig was van Fieri's onderneming.

'We zullen een andere manier moeten bedenken om Fieri te pakken te krijgen. De valkuil moet dieper... Als we hem niet op drugs kunnen grijpen, zullen we een ander zwak punt moeten vinden.' Hij stak zijn hand op toen Forshaw iets wilde zeggen. 'Ik weet 't, dat proberen we al, maar ik wil de mogelijkheden nog verder uitbreiden.' Bartrop zweeg even om een sigaret aan te steken. Forshaw nam het woord over.

'Gisteravond kwam er iets binnen.' Hij krabde aan zijn kin, en praatte op de langzame en bedachtzame manier waardoor Bartrop elke keer opnieuw geïrriteerd raakte. 'Een rapport van onze

Italiaanse afdeling. Je weet dat we die valutamakelaar, Giuseppe Calvadoro, al een tijdje in de gaten houden?' Bartrop knikte.

'Nou, er is een hoogst interessant stukje informatie boven water gekomen. We hebben er gisteren een paar hoveniers naar binnen laten gaan om een aantal verdorde planten te vervangen. Ze hebben zijn kantoor en zijn telefoon een halve dag afgeluisterd, en voor de volgende schoonmaakbeurt hadden ze de microfoontjes alweer weggehaald.'

Bartrop lachte; Calvadoro was een vooraanstaand en gerespecteerd lid van de Milanese gemeenschap, iemand die eigenlijk boven alle verdenking stond: de perfecte tussenpersoon voor een mafiabaas. Bartrop had geen enkel bewijs dat Calvadoro klanten uit het mafiamilieu had maar, wie zijn klanten ook waren, ze hadden kennelijk geheimen die goed bewaard moesten blijven. Tweemaal per dag gingen veiligheidsbeambten door Calvadoro's buitensporige kantoren op zoek naar afluisterapparatuur, waarbij ze zelfs de gewatteerde enveloppen in de post onderzochten op microfoontjes. Forshaw ging door met zijn verhaal.

'Hoe dan ook, Calvadoro heeft een aantal interessante telefoongesprekken gevoerd. Het eerste gesprek is met iemand die zijn naam niet noemt. Hij geeft Calvadoro alleen maar opdracht om dollars in te kopen tegen ponden. Zeshonderd miljoen dollar, verdeeld in vijfentwintigjes. Daarop belt Calvadoro drie verschillende effectenmakelaars hier in Londen, en geeft ze alle drie een opdracht voor tweehonderd miljoen, waarbij hij hun vertelt dat het in bundels van vijfentwintig verdeeld moet worden over de gebruikelijke rekeningen.'

Bartrop zat diep inademend te wachten op de climax. Forshaw leunde een beetje voorover, zijn rug nog steeds kaarsrecht.

'Mauro, het hoofd van de afdeling in Rome, denkt dat hij de stem van de anonieme beller herkend heeft.' Forshaw stopte even om zijn woorden te laten bezinken. 'Hij denkt dat het Fieri was.' Bartrop trok een wenkbrauw op als uiting van beschaafde interesse die Forshaw zoals altijd zonder resultaat had geprobeerd te evenaren.

'De stem wordt onderzocht. Maar het interessante is dat onze anonieme beller de omvang van zijn handel kennelijk wil verbergen. Het zou natuurlijk kunnen dat het om geld gaat dat afkomstig is van vierentwintig verschillende rekeningen, maar dat betwijfel ik. Ik vermoed dat het om dubieuze handel gaat. Op de valutamarkt valt zeshonderd miljoen nogal op. Vijfentwintig miljoen niet. Het enige dat in de verslagen terug te vinden zal zijn, is een serie transacties van vijfentwintig miljoen dollar zonder duidelijke samenhang.'

Bartrop ademde hoorbaar uit. 'Hoe laat is dit gebeurd?'

Forshaw glimlachte. 'Je raadt het goed, een half uur voordat de Bank of England aankondigde dat ze het rentetarief met één punt ging verlagen.'

'Dus er zit een lek bij een van de centrale banken, misschien zelfs wel bij onze eigen "Old Lady"?'

'Daar ziet het wel naar uit.' Forshaw steunde nadenkend met zijn kin op zijn handen. 'En Antonio Fieri zou de handelaar zijn die gebruik maakt van voorkennis?' De twee mannen glimlachten gelijktijdig. Bartrops ogen stonden ondoorgrondelijk terwijl hij een tijdje stil voor zich uit keek. Hij wendde zich tot Forshaw.

'Het is bijna ondenkbaar dat het lek, als dat er tenminste is, bij de Old Lady zit. Informatie over zulke gevoelige onderwerpen als bijvoorbeeld rentedalingen is alleen maar bekend bij de mensen aan de top. Ik ken Barrington, de president, al jaren. Hij mag dan misschien een stommeling zijn, maar hij is geen crimineel.'

In Moira's kantoor zoemde de intercom. De stem van de onzichtbare Bartrop vulde de ruimte. 'Zou je ervoor willen zorgen dat je de president van de Bank of England voor me aan de telefoon krijgt, Moira?'

De president was net onderweg naar zijn maandelijkse bijeenkomst met de minister van financiën. Hij liep in de gewelfde hal toen zijn secretaresse hem inhaalde. 'Hè, gelukkig meneer, ik heb u nog gevonden,' hijgde ze. 'Er is ene James Bartrop voor u aan de telefoon. Hij zegt dat het dringend is.' Anthony Barrington stond fronsend stil bij de naam 'Bartrop', draaide zich toen met tegenzin om en liep rustig terug naar zijn kantoor. Geen enkele medewerker van de bank haastte zich ooit ergens naartoe. De 'Old Lady of Threadneedle Street' was een oase van rust te midden van alle lawaai en onophoudelijke beweging in de City. Het getuigde niet van waardigheid om door de gangen te rennen. Dat moest maar overgelaten worden aan de medewerkers van Amerikaanse investeringsbanken in hun glazen en marmeren kantoren.

Barrington deed de deur van zijn kantoor achter zich dicht, ging achter zijn bureau zitten en wachtte tot zijn secretaresse hem doorverbond.

2

De volgende avond om zeven uur draaide Bartrops zwarte Rover de parkeerplaats achter de Bank of England op. Bartrop verdween door een deur van de parkeerplaats, en stapte in de lift naar het privé-appartement van de president van de bank. Hij werd gevolgd door Munro, zijn lijfwacht van de Koninklijke Militaire Politie, die tevens dienst deed als zijn chauffeur.

Barrington zat te wachten in zijn studeerkamer en vroeg zich af wat deze bijeenkomst te betekenen had. In ieder geval had hij Bartrop zover gekregen dat hij naar hem toe kwam. Die ochtend was hij geïrriteerd geweest over het voorstel van de ander dat hij maar naar het Century House moest komen. Normaal gesproken kwam de hele wereld naar de Bank en zoals Bartrop beslist wist, gold dat ook voor de directeur van MI6.

De deurbel onderbrak zijn gedachten. Hij wandelde naar de deur en gluurde door het kijkgaatje. Hij zag Bartrop een stukje van de deur vandaan staan, met achter hem een andere man. Lijfwacht, dacht Barrington terwijl hij de deur opende en Bartrop luid begroette. Hij hield de deur vragend geopend voor de lijfwacht die plechtig knikkend bedankte, maar zei dat hij buiten zou blijven staan. Hij leidde Bartrop naar de zitkamer en was blij dat hij niet degene was die naar binnen werd geleid.

Hij schonk drankjes in. De twee mannen zaten in met zachte stof beklede leunstoelen tegenover elkaar. Barrington zat ontspannen met zijn benen voor zich uitgestrekt, zijn rechterhand losjes over de leuning bungelend. In zijn linkerhand hield hij zijn tweede gin-tonic van die dag. Hij was tien jaar ouder dan Bartrop en dat was hem aan te zien. Hij had dun, zilvergrijs haar. Zijn niet meer zo duidelijk zichtbare kaaklijn en taille vormden het bewijs van te veel uitgebreide maaltijden en goede wijn. Maar in tegenstelling tot Bartrop vertoonde zijn huid nauwelijks rimpels, en er lag een tevreden uitdrukking op zijn gezicht. Hij had vriendelijk lachende ogen. Hij verwachtte geen verrassingen meer in het leven. Bartrop, die hem bestudeerde, voelde een beetje minachting. Hij zat zijdelings, met zijn benen onder zijn stoel getrokken, met een whisky in zijn handen te luisteren naar het geklets van Barrington. Na enige tijd werd zijn ongeduld waarschijnlijk zichtbaar, want Barrington deed er het zwijgen toe.

Bartrop goot zijn whisky naar binnen en leunde nauwelijks merkbaar voorover.

'Barrington, ik vroeg me af of je mij zou kunnen uitleggen welke procedure je gisteren gevolgd hebt toen je het rentetarief met een punt verlaagde.'

'Vrij eenvoudig,' zei Barrington terwijl hij opstond om de glazen nog eens bij te vullen. 'We wilden de economie een beetje oppeppen. De inflatie is onder controle. We houden het natuurlijk scherp in de gaten, maar op dit moment zijn er geen problemen. Geen ongunstige omstandigheden, behoefte aan rentedaling, dus de minister van financiën en ik zijn een daling van één punt overeengekomen, zo snel als mogelijk was. De markt was gistermiddag rustig, dus we besloten het op dat moment te doen.'

'Wie waren er van tevoren op de hoogte van die beslissing?'

Barrington was even stil. 'Alle belangrijke centrale banken behalve de Japanners, want die sliepen.' Barrington overhandigde Bartrop zijn glas. 'Waarom wil je dat weten?'

Bartrop zag een sprankje irritatie opvlammen in Barringtons ogen. Begrijpelijk, want het was een vraag die vol onvriendelijke suggesties zat, vooral wanneer hij gesteld werd door iemand van de geheime dienst. Bartrop prees zichzelf voor zijn opmerkzaamheid. Ja, het was irritatie en niets anders. Hoe dan ook, Barrington had veel te veel te verliezen en te weinig te winnen bij het doorspelen van vertrouwelijke informatie. Geld als motief was uitgesloten, want zijn toch al niet onaardige kapitaal was tijdens zijn succesvolle carrière als handelsbankier ruimschoots toegenomen. Wat bleef er dan over? Bartrop grijnsde langzaam. Je kon Barrington absoluut niet betichten van revolutionaire ideeën. Toen er voor het eerst gesproken werd over zijn aanstelling als president van de Bank of England, had de geheime dienst een lovend bewijs van goed gedrag voor hem geschreven. Als het lek bij een van de centrale banken zat, kon Bartrop er zeker van zijn dat het in ieder geval niet bij Barrington zat. Hij nam nog een slok van zijn whisky en vertelde Barrington over Antonio Fieri en zijn inmenging op de valutamarkt.

Barrington was het ermee eens dat Fieri's manier van handelen verdacht was. En hij had nog meer nieuws voor Bartrop. Een week geleden was hij gebeld door Jonathan Gilbey, hoofd van het accountantsbureau Price Waterhouse. Gilbey had hem op de hoogte gesteld van het feit dat een jonge werknemer van PW naar hem toe was gekomen met het vermoeden dat er iets vreemds aan de gang was op de afdeling speciale buitenlandse valutahandel van een grote Amerikaanse bank in de City. Speciale valutahandel, legde Barrington uit aan Bartrop, bestond uit het ter beschikking stellen van een bepaald gedeelte van het eigen kapitaal van een bank aan zijn eigen gespecialiseerde handelaren die dat geld dan gebruikten om 'posities in te nemen', dat wil zeggen, om op de financiële markten te gokken voor rekening en risico van de bank. Dit in tegenstelling tot de wat meer algemene valutahandel, waar banken voornamelijk handelen in opdracht van klanten – verzekeringsmaatschappijen, pensioenfondsen, industriële bedrijven en uiteraard andere banken – en volgens hun instructies valuta aankopen en verkopen. Speciale buitenlandse valutahandel was voor de betreffende bank veel riskanter, maar, indien succesvol, oneindig veel lucratiever.

Na deze uitgebreide uitleg ging Barrington verder met zijn verhaal. De werknemer van Price Waterhouse was een van degenen geweest die aan het accountantsverslag van de Inter-Continental Bank (bekend staand als de ICB) had gewerkt. Het was hem opgevallen dat de winsten van de SBV-afdeling, zoals die in de wandelgangen werd genoemd, binnen zeer korte tijd tot ongekende hoogten gestegen waren.

Toen Barrington het hoofd van de interne controle-afdeling van zijn bank, Marcus Aylyard, had gevraagd de maandelijkse winst- en verliesoverzichten van die SBV-afdeling van het afgelopen jaar te bekijken, werd duidelijk dat er belang gehecht moest worden aan de ontdekking van deze jonge medewerker. Aylyard merkte een patroon op. Er waren zeer grote winsten gemaakt onmiddellijk na inmenging van de centrale banken in de valutamarkt, of direct na het soort marktgevoelige handelingen als bijvoorbeeld veranderingen van het rentetarief. Tot op zekere hoogte was dat normaal. Inmenging van banken en veranderingen in het rentetarief waren beide oorzaak en gevolg van een levendige markt. Gedurende deze kortstondige periodes worden de grootste winsten en verliezen gemaakt door speculanten op de valutamarkt. Maar het waren de omvang, de consequentie en de plotselinge toename van de winst van de ICB die reden tot bezorgdheid gaven, omdat het de mogelijkheid versterkte dat er binnen de ICB iemand met voorkennis handelde. Als dat het geval was, dan kon die voorwetenschap alleen maar afkomstig zijn van het hoogste niveau. Bartrop en Barrington waren het daarover eens. Het zag ernaar uit dat er een lek zat in het hart van het financiële systeem.

Een lek dat een van de oudste leden van de mafia in verband leek te brengen met een ogenschijnlijk respectabele Londense bank.

Barrington begon zich zorgen te maken. Hij kon zich op zijn niveau eigenlijk geen moeilijkheden veroorloven. Bartrop voelde de adrenaline door zijn aderen stromen. Dit was het beste nieuws dat hij in weken had gehoord. Hij stond op. 'Ik moet nu gaan.' Hij stak zijn hand uit. 'Ik zou het op prijs stellen als je het ICB-probleem een paar dagen liet rusten. Ik heb een idee dat ons beider belang ten goede zou kunnen komen. Ik neem morgen of overmorgen contact met je op.'

Barrington schudde Bartrops hand en bracht hem naar de deur. Daarna ging hij weer in zijn stoel zitten en hij staarde bedachtzaam uit over de stad. Hij vond het moeilijk zich een mening te vormen over Bartrop. Hij had een levendige charme over zich en zijn gedachtensprongen waren interessant en amusant, maar elke keer opnieuw bezorgden ze hem een onbehaaglijk gevoel. Tijdens elk van de paar voorgaande gelegenheden dat de twee mannen elkaar hadden ontmoet, was Barrington zich bewust geweest van een intense vastberadenheid die Bartrop uitstraalde. Het werd hem niet duidelijk wat het precies was, maar dat deed niets af aan de kracht ervan. Vandaag vroeg hij zich opnieuw af wat deze briljante geest met hem voor had. Bartrop bezat een rijkelijke fantasie en de kracht om mensen te laten doen wat hij wilde. Ondanks zijn positie aan de top van de City was Barrington gewoonlijk niet zo cynisch, maar voor James Bartrop bleef hij uiterst behoedzaam.

Wat was dat voor idee waar de ander op doelde? Ongetwijfeld een briljant en sluw plan, waarbij zijn stilzwijgende medewerking gewenst werd. Nou, hij zou meewerken, zolang het binnen de grenzen van het redelijke bleef. Het was niet verstandig om 'de Vrienden' tegen te werken, en in dit geval hadden ze een gemeenschappelijk belang. Dat dacht hij tenminste, want als hij een vooruitziende blik had gehad, dan was hij een heel andere weg ingeslagen dan Bartrop op dit moment voor hem aan het uitstippelen was.

De volgende avond om halftwaalf troffen beide mannen elkaar weer nadat Barrington naar een officieel diner was geweest. Ze waren opnieuw in zijn flat en ze liepen naar dezelfde tegenover elkaar staande stoelen. Bartrop begon direct te praten, ogenschijnlijk zeer oprecht.

'Over ons gezamenlijke probleem – ik heb een idee dat ons allebei ten goede zou kunnen komen.'

Barrington gebaarde naar een stoel en luisterde terwijl hij zelf ook ging zitten.

'Het ziet ernaar uit dat er een verband bestaat tussen Fieri, achter wie ik aan zit, en de ICB, die onder jouw verantwoordelijkheid valt. Maar, verband of niet, je zult een onderzoek moeten instellen naar de ICB.' Hij pauzeerde even, Barrington knikte.

'Als ik het goed begrepen heb, gaan veel van de fraudes die in de City gepleegd worden in rook op zodra er een onderzoeksteam van buitenaf naar binnen wordt gestuurd.'

'Ja, dat kan gebeuren,' zei Barrington. 'Het is het mooist als je de oplichters op heterdaad kunt betrappen, dan heb je een krachtig bewijs en sta je er veel sterker voor in een rechtszaak. Belastend materiaal kan erg snel verdwijnen op het moment dat er onderzoekers naar binnen gaan.' Barrington begon warm te lopen voor het onderwerp, mede omdat hij zich gevleid voelde dat de andere partij begrip had voor zijn moeilijkheden. 'En dan bestaat er natuurlijk ook nog het probleem van de onzichtbare slachtoffers van fraudepraktijken. Zogenaamd gedistingeerde organisaties en individuen geven meestal niet makkelijk toe gedupeerd te zijn. Ze slikken liever hun verlies dan hun trots in. Daardoor is het vaak verschrikkelijk moeilijk om hen met een onderzoeksteam mee te laten werken.'

'Ja, dat kan ik me voorstellen,' zei Bartrop, en hij ging weer verder met zijn verhaal. 'Dus als ik het goed begrijp, zou het, met het oog op het op heterdaad betrappen van oplichters zonder ze af te schrikken, ideaal zijn als een van hun collega's tegelijkertijd als speurder werkte.' Hij pauzeerde even en bestudeerde Barringtons reactie nauwkeurig.

'Je bedoelt een spion?' reageerde Barrington scherp.

Bartrop glimlachte. 'Ja, dat is inderdaad wat ik bedoel. Maar binnen de firma is er niemand op de hoogte van de valutahandel, dus ik zou graag willen dat jij iemand zou aanbevelen.' Hij stopte even om de betekenis van zijn woorden te laten bezinken. Barrington hield zijn hoofd een beetje schuin, behoedzaam maar geïnteresseerd. Bartrop ging verder. 'Je zult iemand moeten vinden die èn een uitmuntend handelaar èn nieuwsgierig en onderzoekend is, maar die vooral absoluut te vertrouwen en discreet is.'

Barrington begon bulderend te lachen. 'Ten eerste noem je een vreemde combinatie. Handelaren zijn zo'n beetje de meest loslippige en onbetrouwbare mensen die ik ken. Liegen is een niet weg te denken onderdeel van hun werk, en de meesten hebben een aangeboren tactloosheid. En ten tweede vraag ik me af hoe je die perfecte spion, als ik die al voor je kan vinden, bij de ICB naar binnen gaat krijgen.'

Bartrop bekeek hem met een blik die duidelijk maakte dat hij die laatste opmerking zou negeren.

'Ten eerste' – hij legde spottend de nadruk op de tweede lettergreep alsof hij Barrington had betrapt op het aftellen op zijn vingers – 'ben ik er zeker van dat het je met jouw onberispelijke contacten in de City absoluut zal lukken een goede kandidaat te vinden, en ten tweede schijnen deze handelaren vaker van baan te veranderen dan ik van overhemd, dus het zal vast niet zo lang duren voor er een vacature ontstaat.'

Tot Barringtons grote spijt kon hij hier alleen maar mee instemmen.

'Waarom nemen we niet iemand die al bij de ICB zit?' opperde hij.

'Dat zou inderdaad het meest voor de hand liggen, maar we hebben er alleen geen idee van wie er te vertrouwen is en wie niet. Het is beter om iemand van buitenaf te nemen, denk je niet?'

Natuurlijk dènk ik wel, dacht Barrington, toen hij hoorde wat Bartrop impliceerde. Hij vroeg zich af waarom Bartrop het nodig vond zo nodeloos onvriendelijk te doen. Hij besloot zijn gezag te laten gelden en deze bijeenkomst af te breken.

'Het klinkt als een prima idee, Bartrop.' Hij stond op. 'Ik zal me ermee bezighouden.'

'Dat zou ik op prijs stellen, Barrington. En als je voor een lunch of diner zou kunnen zorgen met de meest geschikte kandidaten, dan zal ik ze aan de tand voelen of ze... ik vertrouw erop dat het op een discrete manier gebeurt.' Bartrop keek op zijn horloge. Het was twaalf uur. Hij stond op.

Barrington was even stil. 'Als we je spion gevonden hebben' – hij benadrukte het woord 'spion' omdat hij wist dat hij Bartrop daarmee ergerde – 'hoe gaan we dan te werk? Welke procedure volgen we?'

'Dat hangt van het type kandidaat af.' Hij stopte even en keek alsof hij ergens over piekerde. 'Eigenlijk ben ik blij dat je die vraag stelt, Barrington. Voor zover we in dit geval een procedure volgen, vraag ik me af of je dat zelf wilt doen. Misschien is het een goed idee om een stand-in te gebruiken.'

Barrington vroeg zich af of Bartrop expres vaktaal gebruikte om hem te irriteren. 'Een stand-in?'

'Misschien de vice-president of dat afdelingshoofd, hoe heet hij ook alweer, Aylyard?'

'Waarom zou ik iemand anders willen inschakelen?'

Bartrop haalde zijn schouders op. 'Algemeen gebruik... voor het geval er iets fout gaat.'

'Wat zou er fout kunnen gaan? Sta je me te vertellen dat je problemen verwacht?'

Bartrop lachte. 'Nee. Absoluut niet. Zoals ik zei, gewoon algemeen gebruik. We zijn geen helderzienden. Als er iets fout gaat, dat zit jij veilig. Dan krijgt iemand anders de klappen. Dat is alles.'

Barrington deed een stap in de richting van Bartrop. 'Laten we elkaar goed begrijpen, Bartrop. Als de kans bestaat dat dit fout gaat, kunnen we het plan beter direct vergeten. Dan zoek ik wel een andere manier om onderzoek te doen naar de ICB.'

Zorgvuldig zijn woorden kiezend, zei Bartrop: 'Ik kan de toekomst niet voorspellen, maar ik weet zeker dat er op dit moment geen enkele reden bestaat waarom wij zouden moeten twijfelen aan het welslagen van deze operatie. Als ik dacht dat het niet zou lukken of niet in de hand te houden zou zijn, had ik je er niet over benaderd.'

'En je zult toezicht blijven houden, hè? Je zult ervoor zorgen dat er niets fout gaat?'

Bartrop verborg zijn stijgende ongeduld achter een masker van hartelijkheid.

'Dat is mijn werk. Ik zal alles doen wat in mijn vermogen ligt.'

Barrington glimlachte. 'Goed. Dan is het in orde. Jij doet jouw werk en ik het mijne. En voor wat betreft de vice-president, tussen ons gezegd en gezwegen: in de wandelgangen wordt er van hem gezegd dat hij zijn baan niet aankan, dat het te zwaar voor hem is. Ik weet niet precies waar zijn grenzen liggen. En ik denk ook niet dat Aylyard hiervoor in aanmerking komt. Hij doet zijn werk prima, maar hij is niet bepaald makkelijk in de omgang met andere mensen.'

Bartrop liep in de richting van de deur. 'Goed, Barrington. Ik laat het verder aan jou over.'

De twee mannen schudden elkaars hand en namen afscheid.

Gevolgd door Munro nam Bartrop de lift naar beneden, naar de parkeerplaats, waar Munro voor hem stapte om het portier van de Rover te openen. Bartrop stapte in en ging achterin zitten. Munro reed snel door de verlaten straten van de City. Bartrop staarde in gedachten verzonken naar buiten. Volgens de regels zou hij in dit stadium de veiligheidsdienst, MI5, op de hoogte moeten stellen van zijn plannen, maar om moeilijkheden te voorkomen was het beter dat niet te doen. Liever niet meer mensen erbij betrekken dan noodzakelijk was. En hij wilde Fieri absoluut grijpen... en dit was trouwens geen zaak voor 'Vijf', zelfs niet eens voor 'Zes'. Het was een aangelegenheid van de City, geleid door de president van de Bank of England. Als er informatie uit naar voren kwam die hij kon gebruiken, dan was dat pure mazzel. Hij grijnsde naar zijn spiegelbeeld in het kogelvrije glas.

3

Sarah Jensen lag in een innige omhelzing met haar vriend Eddie in bed te genieten van zijn laatste dagen in Londen voor hij weer op reis ging, toen de telefoon ging. Ze stak een blote arm uit en greep de hoorn. Het was haar collega David en hij maakte zich ongerust.

'Sarah, luister nou, het is halfnegen, je bent al een uur te laat en Carter loopt je te zoeken. Ik weet niet wat er met hem is, maar het lijkt wel of hem iets dwarszit...'

Sarah begon te lachen. 'En, wat heb je tegen hem gezegd?'

'Ik heb gezegd dat je naar de dokter moest.'

'Heel goed,' zei Sarah. 'Je kunt er nooit voor negenen terecht en het onderzoek duurt een half uur, het is drie kwartier van Chelsea naar de City, dus je ziet me om kwart over tien.' Voordat hij nog iets kon zeggen, hing ze op en richtte ze haar aandacht weer op Eddie.

Om tien uur glipte Sarah eindelijk uit Eddies armen, en stapte ze uit bed. Eddie bekeek haar terwijl ze door de kamer liep. Ze was lang, slank, licht gespierd en welgevormd. Ze liep langzaam en ongedwongen en ze genoot van haar naaktheid. Ze nam een lange douche, waarbij ze met een hand haar lange bruine haar omhoog hield zodat het niet nat werd. Ze liet een spoor van plasjes water na toen ze gehuld in een dunne katoenen kimono door haar slaapkamer naar het dakterras liep. In juni, met de geurende rozen, palmen van bijna twee meter, gardenia en geraniums, vond ze het terras het mooist.

Ze treuzelde, liet haar huid drogen in de warme lucht en ging weer naar binnen, waar ze een lilakleurige linnen jurk en lichtbeige schoenen aantrok. Ze hing haar schoudertas om, gaf Eddie een zoen en liep glimlachend naar buiten. Op King's Road hield ze een taxi aan en om elf uur zat ze achter haar bureau bij Finlays.

Vijf minuten later stond John Carter, president van Finlays en Sarahs voormalig minnaar, voor haar neus.

'Alles in orde, hoop ik?' vroeg hij vriendelijk glimlachend.

'Ja hoor,' lachte Sarah hem toe. 'Gewoon zo'n regelmatig terugkerend onderzoek, je weet wel.'

Carter kleurde. David Reed die links van Sarah zat, had plotseling last van een stevige hoestbui. Sarah zond hem een dreigende blik toe.

'Ik vroeg me af,' zei Carter zonder aandacht aan Reed te besteden, 'of je zin hebt om morgen mee te gaan naar een lunch met een van onze klanten. Hij wil graag dat er een valutahandelaar meekomt,' voegde hij eraan toe.

Sarah keek in haar agenda. 'Woensdag de tiende.' Ze keek lachend op. 'Ja hoor John, dat is goed.'

Carter liep terug naar zijn kantoor en belde Barrington.

'Het is geregeld. We zien je morgen.'

'Prima geregeld. Heb je toevallig een curriculum vitae bij de hand van dit meisje Jensen?'

'Ik zal ze 't bij Personeelszaken even laten opzoeken, dan zorg ik dat het vanmiddag naar je gefaxt wordt.'

'Eigenlijk heb ik liever dat je het door een koerier laat bezorgen,' zei Barrington.

'Natuurlijk.' Carter werd in de war gebracht door deze geheimzinnigheid; hij vroeg zich af wat er aan de hand was.

Het was tien dagen geleden begonnen, toen Carters secretaresse hem op haar nasale toon - waarmee ze wilde aangeven dat zij, Kate Hubbard, van niemand onder de indruk raakte - meedeelde dat de president van de Bank of England voor hem aan de telefoon was. Carter pakte de telefoon en vroeg zich af of het een zakelijk of een privé-gesprek was. Hij kende Barrington al bijna twintig jaar - in Surrey waren ze buren geweest - en door de jaren heen hadden ze zowel op zakelijk als privé-gebied een sterke band ontwikkeld. Sinds Carter gescheiden was, nodigde Barringtons vrouw Irene hem geregeld uit om in het weekend bij hen te komen eten.

Maar dit was zakelijk. Na de gebruikelijke grapjes over en weer was Barrington over de valutamarkt begonnen, om uiteindelijk aan Carter te vragen hoe hij tegenover zijn eigen valutahandelaren stond. Carter had tegen Barrington gezegd dat er maar eentje de moeite waard was om over te praten, en hij had Sarah Jensen beschreven. Barrington had Carter toen overstelpt met vragen over Sarah. Hoe ze eruitzag en hoe goed ze was. Hij stelde voor dat ze binnenkort misschien een keer samen konden gaan lunchen. Barrington zei dat hij met name geïnteresseerd was in een gesprek met iemand die zich dagelijks bezighield met de valutahandel.

Carter had niet veel aandacht meer besteed aan het telefoontje.

Hij deed het af als een aanval van plotselinge hoogtevrees. De president van de Bank of England had waarschijnlijk genoeg van het gezelschap van andere hooggeplaatste personen, van wie de meeste nogal saai waren. Hij had zich zeker voorgenomen eens wat veldwerk te gaan doen, en wie kon hij daar nou beter bij gebruiken dan iemand die zich dagelijks bezighield met buitenlandse valuta? Barrington zou nog voor een verrassing komen te staan als hij Sarah Jensen ooit ontmoette, dacht Carter bij zichzelf.

Carter was het telefoontje verder helemaal vergeten en reageerde verrast toen Barrington die ochtend belde om te zeggen dat er plotseling ruimte in zijn agenda was ontstaan om hun afspraak na te komen. De president van de Bank van Roemenië had hun afspraak afgezegd – het had iets te maken met huiselijke problemen en hij had hem veel sterkte gewenst – mompelde Barrington. Dus misschien konden Carter en hij ergens gaan lunchen. En kon Carter die dame, hoe heette ze ook alweer, Jensen, dan ook meebrengen...

Dus Carter had het geregeld. Hij was benieuwd. Barrington wilde vast dat ze voor hem kwam werken, dacht hij toen hij nog even naar Sarahs curriculum vitae keek voordat hij het naar zijn secretaresse bracht die het ter attentie van de president bij de Bank of England zou laten bezorgen.

Dat kon hij dan wel vergeten, dacht Carter. De Bank kon haar nog niet de helft betalen van wat ze bij Finlays verdiende. Sinds Sarah vier jaar geleden bij hen was komen werken, hadden concurrerende banken regelmatig geprobeerd haar weg te kopen. Maar noch Carter, noch Jamie Rawlinson – het hoofd van haar afdeling – was van plan haar te laten gaan. Ze zouden haar net zoveel betalen als nodig was om haar te laten blijven.

Zij was zonder twijfel de beste van haar generatie. Ze had een instinctmatig gevoel voor de markt en een handigheid in het nemen van risico's. Ze was trots op haar successen, maar als ze verlies leed trok ze zich dat niet aan. Carter had het idee dat ze op haar eigen speciale manier ambitieus en gedreven was, maar dat ze geen waarde hechtte aan kantooraangelegenheden. In tegenstelling tot de meeste van haar collega's die publiekelijk trouw zwoeren aan het kantoor waar ze op dat moment werkten, maakte Sarah heel duidelijk dat ze alleen maar hard werkte zodat ze later nooit meer iets hoefde te doen. Ze was alleen echt geïnteresseerd in reizen en bergbeklimmen samen met haar broer Alex, en in haar nieuwe liefde – hoe heette hij ook alweer... Eddie, ja dat was 't – dacht Carter spijtig.

Zittend in zijn rustige kantoor gaf Carter zichzelf over aan de gedachten die hem bijna dagelijks achtervolgden, en waar hij zich niet van kon losmaken. Het was heel begrijpelijk dat Sarah met iemand van haar eigen leeftijd om wilde gaan, vertelde hij zichzelf. Hij had altijd vermoed dat ze in het begin met hem naar bed was gegaan omdat ze medelijden met hem had. Zijn vrouw had de scheiding aangevraagd. Ze zei dat ze hem nooit zag. Als hij niet op kantoor was, dan moest hij wel naar het een of andere saaie etentje waar zij allang niet meer mee naartoe ging. Dus Carter begon zijn beste handelaar, Sarah Jensen, mee te nemen naar zijn zakendiners. De klanten waren gek op haar. En het duurde niet lang voor hij het ook was. Hij stortte zijn hart bij haar uit; ze begreep de zakelijke en de persoonlijke kanten van zijn leven. En ze was mooi. Onweerstaanbaar.

Het duurde zes maanden. Ze gaf hem weer zelfvertrouwen en plezier in zijn leven. Hij had haar nooit verteld dat hij met haar wilde trouwen, maar hij wist zeker dat ze het had vermoed. Ze had hem heel voorzichtig duidelijk gemaakt dat zij niet de juiste vrouw voor hem was. Door zijn leeftijd en de vlijmscherpe aanvallen van zijn vrouw was hij niet meer zo ijdel, en hij begreep dat Sarah eigenlijk bedoelde dat hij niet de juiste persoon voor haar was. Bedroefd liet hij haar dus gaan.

Ze ontmoetten elkaar nog steeds; een keer per maand gingen ze samen eten. Hij kon het niet laten naar haar minnaars te vragen. Ze zei dat er een hele tijd niemand was geweest, totdat ze deze vriend van haar broer Alex had ontmoet. Dat was nu een jaar geleden. Carter had er vrede mee, voor zover dat mogelijk was tenminste.

Terwijl Carter zijn gedachten over zijn relatie met Sarah Jensen liet gaan, spoedde haar c.v. zich achter op een motorfiets door de City, onderweg naar Anthony Barrington.

Een half uur later, nadat het in de postkamer van de Bank of England door de controle was gegaan, belandde het met een plof in het postbakje op Barringtons bureau. Barrington scheurde de envelop open en begon aandachtig te lezen.

Sarah Louise Jensen had de Britse nationaliteit en was geboren in New Orleans in 1966, dus was ze nu zevenentwintig, rekende Barrington uit. Ze had op de *Hampstead School for Girls* gezeten en op *Trinity Cambridge*, waar ze de hoogste graad behaald had in wiskunde. Haar hobby's waren jazzmuziek, lezen, skiën, bergbeklimmen en reizen. Nadat ze was afgestudeerd, had ze eerst een jaar door de Verenigde Staten gereisd voordat ze bij Finlays was begonnen.

Barrington pakte de rapporten die door de personeelsafdeling van Finlays geschreven waren. Het eerste, dat bestond uit korte notities, beschreef haar zakelijke kwaliteiten. Uitmuntende staat van dienst. Doorlopend hoge winstmarges. Rustige, zakelijke handelsgeest. Vorig jaar zes miljoen pond verdiend voor haar afdeling. Minder goede reputatie voor wat betreft aanwezigheid. Vindt misschien dat ze door haar aandeel in de winst aanspraak kan maken op speciale rechten. Wanneer ze aangesproken wordt op haar onregelmatige werktijden geeft ze die fout toe. Barrington lachte toen hij de krabbel las die boven de laatste opmerking stond: *'Ze is in ieder geval eerlijk!'*.

Het laatste gedeelte bestond uit diverse administratieve details. Barringtons ogen gleden over bankrekeningen en afbetalingen van haar hypotheek en verzekeringen totdat zijn ogen bleven steken bij een bepaald bedrag. Haar salaris. Hij zag dat haar totale verdiensten vorig jaar waren opgelopen tot vierhonderdduizend pond – een garantiesalaris van honderdduizend en een bonus van driehonderdduizend. Zelfs naar maatstaven van de City was dat een spectaculair salaris. Het betekende niet alleen dat ze een van de best betaalde vrouwen was, maar ook een van de best betaalde valutahandelaren van de hele City.

Er was geen twijfel mogelijk, dacht Barrington. Als je naar Sarah Jensens zakelijke kwaliteiten keek, was ze perfect voor de baan. De vraag was nu alleen nog of ze ook de eigenschappen van een goede infiltrant bezat. En daar kon hij natuurlijk alleen maar achter komen als hij haar zag. Op welke eigenschappen Barrington moest letten, wist hij niet precies. Maar een ding wist hij wel: hij verheugde zich op de ontmoeting met Sarah Jensen.

Terwijl hij haar papieren terugstopte in de envelop vroeg hij zich af hoe ze eruit zou zien. Voordat hij de envelop verzegelde en in zijn kluis deed, was er nog een detail dat zijn aandacht trok. Het viel hem op dat haar tante en broer als naaste familie genoemd werden. Vreemd. Ze was pas zevenentwintig, haar ouders konden toch nog niet overleden zijn? Zouden ze met elkaar gebroken hebben? Dit zag er niet best uit. Hij belde zijn secretaresse en vroeg haar Carter voor hem te bellen.

Vijf minuten later spraken de beide mannen elkaar. Carter legde hem uit dat er geen sprake was van een breuk. Haar ouders waren omgekomen bij een auto-ongeluk toen Sarah acht was. 'Daar moet ze een behoorlijk litteken aan overgehouden hebben,' zei Barrington.

Carter bleef even stil. Een stroom herinneringen en niet gestelde vragen schoot door zijn hoofd. 'Allemaal veronderstellingen,' zei hij tegen zichzelf en verjoeg die gedachten. Het enige dat hij zei was: 'Ik denk dat ze er op haar eigen manier vrede mee heeft.' Barrington was gerustgesteld en sloot het gesprek af. Wat hem betrof was Sarah Jensen nog steeds de perfecte kandidaat.

4

Sarah Jensen vloekte zachtjes. Hoe kwam het toch dat de markt elke keer als zij eerder wilde vertrekken ongelooflijk druk werd? Ze staarde naar de rijen cijfers op haar scherm. Onder haar blik leken ze nog sneller te veranderen. Opnieuw vloekend zette ze het scherm uit. Fluitend en met een zilverkleurige flits verdween het beeld. Haar buurman, David Reed, keek verbaasd op toen ze haar schoudertas pakte.

'Sarah, je kunt nu nog niet gaan. Het is pas twee uur. En de markt is niet eens rustig.' Hij deed alsof hij zich vreselijk ergerde. Dit was een regelmatig terugkerend spel dat ze allebei met veel plezier speelden. Hij genoot van haar gespeelde opstandigheid en zij genoot van hun samenzwering.

'Ik zou niet weten waarom niet,' katte ze terug. 'Ik krijg een slecht humeur van de markt vandaag en als ik een slechte bui heb dan verlies ik geld. Dat weet je best.' Ze haalde haar schouders op alsof ze in haar lot berustte. 'Dus ik moet wel gaan.' Haar uitgestreken gezicht begon te trekken en ze draaide zich snel om. 'Als iemand me nodig heeft, moet je maar zeggen dat ik morgen terugbel.'

Verslagen door haar logica leunde David achterover. 'Vergeet je lunch met Carter niet morgen,' riep hij haar na.

Hij wist uit ervaring dat haar slechte buien soms een paar dagen duurden.

Het was druk in de supermarkt Waitrose aan King's Road. Er liepen moeders met kleine kinderen, bejaarden en armoedig uitziende artistieke types van wie Sarah altijd depressief werd. Alles bij elkaar boden deze klanten een totaal andere aanblik dan wat ze zou hebben gezien als ze zoals de meeste loonslaven na haar werkdag van negen tot vijf zou zijn gegaan, of haar eigenlijke werkdag van zeven tot vijf. Dit verdraagzame publiek van halfdrie stond haar beter aan. Als je je boodschappen na zessen deed, liep je altijd het risico dat je ondersteboven gereden werd door iemand in een streepjespak die zijn frustraties van een hele dag op kantoor uitleefde op het winkelwagentje.

Ze stond een tijdje bij de afdeling met voorverpakt vlees, bekeek het in plastic verpakte vlees aan alle kanten en zag hoe het bloed over het plastic schaaltje liep. Ze pakte de meest malse, donkerrode biefstuk. Daarna zocht ze de aardappels uit die ze wilde poffen, tomaten om te bakken, en wat broccoli en gemengde sla.

Daarna reed ze haar wagentje naar de zuivelafdeling waar ze slagroom en een half dozijn scharreleieren pakte. De tassen met inkopen van de supermarkt met zich meeslepend, liep ze naar Chelsea Farmers Market vlakbij King's Road om de rest van haar boodschappen te gaan doen.

Bij Neal's Yard, een winkel in natuurvoeding, kocht ze een zakje vanillestokjes en wandelde toen de drankwinkel binnen, waar ze moest bukken om de lage ingang door te kunnen gaan. De drankwinkel was niet meer dan een veredelde bouwkeet, maar men voerde een uitgebreid assortiment goede wijnen en er werkte vriendelijk personeel, ook al wisten ze niet altijd alles. Sarah nam uitgebreid de tijd om drie flessen rode wijn en twee flessen champagne uit te zoeken. Bepakt en bezakt vertrok ze daarna naar huis.

Alex en Eddie zaten met gekruiste benen op de grond over een grote, verkreukelde landkaart gebogen toen Sarah binnenkwam. Ze waren er zo in verdiept dat het eventjes duurde voor ze haar in de gaten hadden. Sarah stond stilletjes naar ze te kijken. Alex, haar jongere broer, dapper en lief. In haar ogen was hij argeloos; intelligent, maar volkomen wereldvreemd. Hij was voorbestemd om gelukkig te worden. De dood van hun ouders toen hij zes was, had hem veel minder aangegrepen dan haar. Hij was verdrietig, hij miste ze en hij was eenzaam en bang; hij onderging dus de te verwachten gevoelens. En hij had zijn grote zus en hun Engelse tante om voor hem te zorgen. Hij stelde groot vertrouwen in hen en na een paar jaar was hij weer een doodgewoon, gelukkig kind. Hij stopte al zijn energie in het buitenleven en raakte vooral geobsedeerd door bergen. Hij ging net als Sarah naar Cambridge, maar hij besteedde het overgrote deel van zijn tijd aan bergbeklimmen en studeerde af met een deelcertificaat. Het kon hem niet schelen. Zolang hij tijd en geld had om zich met bergbeklimmen bezig te houden, was hij gelukkig. Hijzelf zorgde voor de tijd en Sarah voor het geld. Negen maanden per jaar was Alex op pad en de overige maanden woonde hij bij Sarah. Het was voor hem de perfecte manier van leven en Sarah genoot van zijn geluk. Toen hij iets meer dan een jaar geleden in de Alpen aan het klimmen was, had hij Eddie ontmoet - een negenentwintigjarige Australiër. Samen bedwongen ze de bergen en later kwamen ze samen bij Sarah. Langzaam maar zeker ontwikkelde zich een vriendschap tussen Sarah en Eddie. Na vier maanden waren ze minnaars.

Eddie was net als Alex lang en slank, met het licht gespierde lijf van een bergbeklimmer. Eddie maakte documentaires voor de Australische televisie en tussen opdrachten in ging hij klimmen. Zoals de meeste van Sarahs mannen was hij donker. Anders dan de meeste van hen was hij lief en zorgzaam. Hij had een bijna sarcastisch gevoel voor humor, maar dat was het resultaat van verstandelijk vermogen en herkomst en niet van kwade wil, want hij had juist een liefdevol karakter. Het enige vervelende van hun relatie - bedacht Sarah toen ze op hem af liep om hem een zoen te geven - was dat ze elkaar zelden zagen door al het reizen en bergbeklimmen. En het was vreselijk om elke keer afscheid te moeten nemen, omdat ze hem dan miste en zich zorgen om hem maakte.

De twee mannen keken haar lachend aan toen ze op hen af liep. Eddie rechtte zijn rug, pakte haar hand en trok haar naar beneden voor een zoen.

'Dus het is je gelukt om weg te komen?'

Ze lachte en ging tussen hen in zitten. De bekertjes slagroom en flessen wijn rolden onopgemerkt uit de tassen.

'Laat nog eens zien waar jullie naartoe gaan.'

Alex wees een route door Bhutan aan.

'Dus jullie doen ongeveer zes weken over deze tocht, dan neuzen jullie een paar weken rond, dan gaan jullie naar Katmandu en daarna zwerven jullie nog een maand door het oerwoud?'

'Ja, zoiets,' zei Eddie.

Sarah sloeg haar armen om hen beiden heen en omhelsde ze stevig.

'Hoe kan ik nou drie maanden zonder jullie leven?' Ze zei het op luchtige toon, maar beide mannen beseften haar stille verdriet. Ze hadden het vaak genoeg gezien als ze haar achterlieten. Alex, en Eddie nu ook, wist dat er zich onder haar zelfverzekerde buitenkant een schrijnende kwetsbaarheid bevond. Sarah deed haar best dat te verbergen en zou het waarschijnlijk nooit toegeven, maar ze wisten alle drie dat het zo was. Alex probeerde het van zich af te zetten. Het bracht hem van de wijs, dat deed het altijd al. Ze was zijn grote zus, ze had altijd op hem gepast. Zij was degene die verondersteld werd sterk te zijn, maar soms leek ze zo onzeker dat hij het vervelend vond haar achter te moeten laten. Het was beter geworden sinds ze Eddie kende. Ze was veel rustiger geworden. Alex had het gevoel dat ze voor het eerst in jaren, misschien zelfs wel voor de allereerste keer, gelukkig was en zich geborgen voelde. Hij wierp een blik op haar. Nee, 'geborgen' was niet het goede woord. Hij dacht niet dat ze zich ooit geborgen zou voelen, dat zou ze zichzelf niet toestaan. Hij keek hoe ze samen met Eddie zat te lachen. Ze was in ieder geval gelukkig, dat wist hij zeker.

'Waarom ga je niet met ons mee?' zei Alex ineens.

'Ja, waarom niet,' zei Eddie.

Sarah glimlachte en liep met haar boodschappen naar de keuken. Deze keer nog niet, dacht ze toen ze de tassen uitpakte, maar binnenkort. Ze beloofde het zichzelf, heel binnenkort.

De wekker liep om zes uur af. Sarah rolde ernaartoe, zette hem af, rolde toen terug naar Eddie en hield hem stevig vast. Hij trok haar hard tegen zich aan, begroef zijn gezicht in haar haar en kuste haar hals, haar gezicht en haar ogen. Na een paar minuten schoof hij nauwelijks merkbaar een beetje bij haar vandaan en streek liefdevol wat haren uit haar gezicht.

'Ik meende wat ik gisteravond zei. Je zou naar ons toe kunnen komen. Het is een heel haalbaar plan en je weet hoe graag we je er allebei bij willen hebben.'

Sarah keek glimlachend in zijn serieuze ogen. 'Dat weet ik, en het gebeurt ook nog wel een keer, maar nu nog niet. Als ik nu mee zou gaan en al die vrijheid zou ruiken, dan zou ik nooit van mijn leven meer aan het werk kunnen gaan.'

'En is dat nou zo erg?'

'Ik kan nu nog niet stoppen,' antwoordde Sarah.

Eddie trok haar weer naar zich toe en begon haar weer te zoenen. Hij wist dat hij het op dit punt niet van haar kon winnen. Ze zou zeggen dat het om geld ging. Ze hoefde nog maar een jaar of twee te werken en dan zou ze genoeg geld hebben om te stoppen. Maar hij had het gevoel dat er meer achter zat. Hij vermoedde dat ze ondanks haar opstandige gedrag behoefte had aan een regelmatig leven, dat ze zich lekker voelde bij die dagelijkse routine en de vaste werktijden waar ze zo tegen ageerde. Hij nam aan dat het te maken had met de veiligheid en regelmaat waar alle weeskinderen naar verlangen. Gezien de tijd dat hij haar nu kende, was dat een redelijke verklaring, onvolledig, maar hij zat er niet ver naast.

Ze vertrokken om negen uur. Sarah stond in de deuropening en keek de taxi na. Haar evenwichtige houding was verdwenen. Ze draaide zich om, liep naar binnen en nam een lange hete douche.

Ze waren pas om vijf uur naar bed gegaan. Na flinke hoeveelheden biefstuk en ladingen 'crème brulée' hadden ze nog urenlang zitten drinken, praten en lachen, en lawaaierig backgammon gespeeld. Sarah en Eddie hadden waarschijnlijk niet meer dan een half uur geslapen.

Onvast stapte ze onder de douche vandaan, zwak van vermoeidheid en emotie. Ze wierp een blik in de spiegel terwijl ze zich afdroogde. Haar ogen zagen er flets en hol uit. Ze stond lange tijd naar haar spiegelbeeld te staren, toen glimlachte ze zwakjes en draaide zich om.

Ze waren weg. Ze kwamen weer terug. Daar moest ze op vertrouwen. Maar het was een afwezigheid vol onzekerheden en daardoor zat haar maag in een van angst verkrampte knoop en had ze tegelijkertijd een goed gevoel. Want al was ze altijd op de vlucht voor die onzekerheid, ze had het ook nodig; in een onbewust verlangen het te beheersen, werd ze ernaartoe getrokken. Het bracht haar meer van haar stuk dan wat dan ook, maar ze zocht het altijd op en liet het toe in haar leven.

Sarah ging door haar klerenkast en vroeg zich af wat ze aan moest trekken. Ze herinnerde zich de zakenlunch en koos een stijlvol maar eenvoudig, zwart linnen pakje waarvan ze vond dat het prima paste bij haar stemming. Het zwart onttrok de kleur aan haar toch al zo bleke gezicht. Ze ging naar de badkamer en bracht rouge en lippenstift aan, en huidkleurige crème om de donkere kringen onder haar ogen te verbergen. Als ze maar genoeg koffie dronk, zou het wel lukken om ze voor de gek te houden, dacht ze.

Anthony Barrington zat met John Carter in een van de privé-eetzaaltjes van Finlays te kletsen toen Sarah Jensen binnenwandelde. Hij bekeek haar terwijl ze op hen af kwam lopen. Ze was lang, met die schoenen meegerekend waarschijnlijk langer dan een meter tachtig. Ze liep zelfverzekerd. Hij vond dat ze eruitzag als een indrukwekkende krijgshaftige vrouw, maar dan wel een die haar best deed haar charme te verbergen. Ze was somber gekleed alsof ze naar een begrafenis moest, en met haar haren strak naar achteren gebonden zou ze er steriel uit moeten zien, of zelfs beangstigend, maar in zijn ogen was ze niets van dat alles.

Hij kwam tot de conclusie dat het aan haar gezicht lag. Haar mond en ogen, haar kin, wangen en wenkbrauwen; al haar gelaatstrekken straalden een overvloedige sensualiteit uit. De strengheid van haar haren en haar kleding lieten dat juist nog beter uitkomen. Maar toen ze voor hem stilstond, was hij verbaasd te zien dat er rimpels om haar ogen zaten; het waren kleine lijntjes, geen echt diepe rimpels, maar toch ongewoon voor haar leeftijd. Ze glimlachte toen ze haar hand naar hem uitstak, en de rimpeltjes leken te verdwijnen. Het was een trots gezicht. Haar ogen lichtten op, ze pakte zijn hand en begroette hem met een donkere stem, maar een fractie van een seconde was er even niets te zien geweest in haar gezicht, een totale afwezigheid van emotie. Het was weer snel verdwenen. Hij schudde haar hand en keek in haar lachende ogen, maar kon het idee dat ze geen oprechte interesse in hem had niet van zich afzetten.

Uit een ooghoek zag Barrington dat Carter hem bevreemd aan zat te kijken. Hij richtte zijn aandacht snel weer op zijn oude vriend en realiseerde zich dat deze tegen hem had zitten praten. Hij besloot dat hij het beste eerlijk kon zijn.

'Sorry jongen, ik werd even afgeleid door mevrouw Jensen. Je had me wel eens mogen voorbereiden.'

Carter wierp een wrange blik op Sarah. Het was niet de eerste keer dat dit gebeurde. 'Je hebt gelijk,' lachte Carter en draaide zich naar Sarah. 'Ik begrijp 't.'

Sarah lachte beleefd, alsof het een grapje was dat ze vaker had gehoord.

'Wat wil je drinken?' vroeg Carter aan Sarah.

'Een Bloody Mary.' Ze keek hem vriendelijk aan. Hij knikte, wendde zich toen snel tot Barrington die om hetzelfde vroeg, en ging in de weer met de cocktails. Zaterdagochtenden, Bloody Mary's. Lang geleden. Hij mixte de drankjes: het standaardrecept voor Barrington en voor hemzelf, extra tabasco voor Sarah die van pittig gekruid hield. Hij lachte in zichzelf en wierp de anderen een stralende blik toe. Barrington keek naar Sarah. Ze nam flinke slokken van haar cocktail, in plaats van eraan te nippen. Ze stond schuin naast hem door het raam te kijken naar alle lager gelegen daken. Ze bevonden zich op de bovenste verdieping van Finlays. Het was een modern kantoorgebouw en alle andere City-kantoren lagen ver onder hen, ook de Bank of England.

'Een schitterend uitzicht,' knikte Barrington. 'Het mooiste van de hele City.'

Sarah draaide zich om. 'Inderdaad. Ik sta hier graag. De gebouwen zien er hiervandaan zo anders uit, zo kwetsbaar. Geen drukte, geen veiligheidsbeambten, alleen maar meters blootliggende daken.' Ze grijnsde. 'Als ik een bank zou willen beroven, zou ik absoluut op het dak beginnen.'

Beide mannen barstten in lachen uit.

'Nou bedankt voor de tip,' zei Barrington. 'Als er ergens vanaf het dak wordt ingebroken, weten we wie we moeten hebben.'

'Nu ben je toch wat voorbarig, vriend. Je zou Sarah nooit te pakken krijgen,' zei Carter. De mannen lachten opnieuw. Sarah keek glimlachend naar buiten en stak een sigaret op.

De ober verscheen in de deuropening en knikte naar Carter. 'De lunch is klaar, meneer.'

'Dank je, Fred,' zei Carter. Hij gebaarde naar Sarah en Barrington dat ze konden gaan zitten. Hijzelf ging aan het hoofd van de tafel zitten, Barrington aan zijn rechter- en Sarah aan de linkerzijde. Fred bracht een warme salade van kippelevertjes binnen.

'Dus je hebt op Cambridge gezeten,' zei Barrington nadat hij een hap had doorgeslikt. Sarah knikte. Een fractie van een moment stond haar gezicht verveeld voordat ze glimlachte. '1985 tot '88. Trinity College. Wiskunde.'

'De hoogste graad,' voegde Carter eraan toe.

'Verschil moet er zijn,' lachte Barrington.

Sarah glimlachte beleefd.

'Alleen wiskunde?' vroeg Barrington.

'Ja, maar ik heb ook een paar filosofie-cursussen gevolgd.'

'Wat een vreemde combinatie.'

'Nee hoor,' zei Sarah, 'helemaal niet. Het is een combinatie van het emotionele en het rationele.'

'En dan nu de City?' Over de tafel leunend trok Barrington zijn wenkbrauwen op.

'Ja. Het lijkt misschien niet zo logisch.'

Het bleef even stil terwijl de beide mannen op uitleg wachtten. Ze haalde haar schouders op. 'Maar het ligt toch voor de hand?'

Barrington leek in verlegenheid gebracht. Hij hoestte. 'Ja, maar afgezien van het geld. Is er geen andere reden? Vind je de valutahandel niet leuk?'

Sarah barstte in lachen uit, maar hield zich snel in uit beleefdheid. '"Leuk" is niet direct het woord dat ik ervoor zou willen gebruiken. Bergbeklimmen, skiën en lezen, dat is leuk. Maar het is wel interessant werk. Ik gok graag, en vreemd genoeg is de valutamarkt een combinatie van oorzaak en gevolg, van het rationele en het emotionele. Op Zwarte Woensdag, of de nacht dat Gorbatsjov werd afgezet, speelden emoties net zo'n grote rol als de logica. De stemmingen en de psychologie van de markt, de pogingen de markt of op z'n minst andere handelaren te manipuleren. Ja, dat vind ik allemaal fascinerend. Het is een spannend spel.'

Barrington was een tijdje stil. Carter zag hoe hij Sarah aankeek. Barrington schrok op uit zijn gedachten. 'Een spel? Het heeft serieuze gevolgen.'

'Ik heb ook niet gezegd dat dat niet zo is. Er worden inderdaad vermogens verdiend en verloren, honderden miljoenen, miljarden aan overheidsgelden worden erdoor gejaagd, politieke carrières worden er vernietigd...'

'Je klinkt alsof dat niet jouw probleem is,' zei Barrington lichtelijk geïrriteerd.

'Dat klopt,' antwoordde Sarah. 'Althans niet in mijn functie als valutahandelaar. Het is mijn taak om geld te verdienen voor mijn baas. En niets anders dan dat. Zelf vind ik het inderdaad vervelend als het slecht gaat met de economie, en ook als mensen hun carrière vernietigd zien worden, maar dat is wat er met je kan gebeuren als je je met dit werk bezighoudt. Het kan mij ook overkomen. Als ik een paar fouten maak en een paar miljard pond verlies, zal John mij ontslaan en dan heeft hij nog gelijk ook.'

'Het ziet er niet naar uit dat je je daar zorgen over maakt,' zei Barrington.

'Waarom zou ik?' schokschouderde Sarah.

'Wat mij betreft is Sarah de beste valutahandelaar van de City,' zei Carter plotseling. 'Ze is de laatste die zich bezig hoeft te houden met een eventueel ontslag.'

Barrington leunde naar achteren. 'Dus zo goed is ze?' vroeg hij glimlachend.

'Ja, inderdaad,' antwoordde Carter.

Gangen kwamen en gingen. Fred serveerde schaaltjes chocolademousse. Tot Barringtons grote vreugde viel Sarah met smaak op haar toetje aan.

'Ik was verrast toen John me vertelde dat je geboren bent in New Orleans,' richtte hij zich weer tot haar. Tot zijn ontzetting zag hij dat ze even schrok bij het noemen van New Orleans, en hij herinnerde zich dat haar ouders daar om het leven waren gekomen. Hij vervloekte zichzelf. Hoe kon hij zo gevoelloos zijn. Gelukkig klaarde haar gezicht bijna direct weer op, zodat hij zich afvroeg of hij zich haar reactie misschien verbeeld had. Ze glimlachte toen ze hem antwoord gaf.

'Mijn moeder kwam uit New Orleans, haar voorouders waren vroege Franse kolonisten die zich in Nova Scotia gevestigd hadden. Mijn moeder was een knappe vrouw. Donkerder dan ik, zwart haar, donkerbruine ogen, kleiner, tengerder... Mijn vader ging op vakantie naar New Orleans, ontmoette mijn moeder en is nooit meer weggegaan.' Sarah spreidde haar handen. 'Dat is het verhaal.' Ze liet haar hoofd zakken, pakte haar glas op en nam een paar slokken rode wijn.

'Dat verklaart de zaak,' zei Barrington in een poging de stemming wat luchtiger te krijgen.

Sarah trok haar wenkbrauwen vragend op.

'Je huidkleur.' Barrington klonk net zo gewichtig als Hercule Poirot.

'De oorspronkelijke Franse, Spaanse en Cajun kolonisten sloten allemaal gemengde huwelijken, en waarschijnlijk ook nog met Italianen en negers,' legde Sarah uit. 'Dus we zijn iets donkerder uitgevallen dan de gewone Fransen.' Ze lachte alsof ze zich iets herinnerde. Het was de eerste keer dat haar gezicht oplichtte en Barrington keek met plezier naar de twinkeling in haar ogen.

De lunch was voorbij. Barrington knikte naar Carter en schudde Sarahs hand hartelijk. Glimlachend nam ze afscheid. Met plezier zag hij dat ze een beetje verbaasd keek en ze geen moeite deed dat te verbergen. Ze liet merken dat ze wist dat ze gekeurd was, en ook dat ze wist dat het geen enkele zin had om te vragen wat de werkelijke reden van deze lunch was geweest. Ze leek geduldig, alsof ze er toch wel achter zou komen, alsof ze vroeger of later overal achter kwam.

Een zeer bijzondere vrouw, dacht hij toen hij terugkeerde naar de Bank. In de stilte van zijn kantoor belde hij Bartrop.

'Ik denk dat ik je spionnetje heb gevonden.'

Bartrop negeerde de pesterij. 'Goed zo. Vertel me eens wat over hem.'

'Die hij is een zij met hersens, opmerkzaamheid, en schoonheid. Ze is zeer serieus en ook nog eens een van de beste valutahandelaren van de City.'

'Dat klinkt goed. Hoe heet ze?'

'Sarah Jensen.'

'Volledige naam?'

Bartrop hoorde wat papieren ritselen. 'Sarah Louise Jensen.'
'Ik neem aan dat ze de Britse nationaliteit bezit?'
'Ja, maar haar moeder was Amerikaanse, en...'
Bartrop viel hem in de rede: 'Haar moeder is dood?'
'Ja, en haar vader ook. Ze zijn omgekomen bij een auto-ongeluk toen ze acht was.'
Hierna begon Bartrop in hoog tempo vragen op Barrington af te vuren.
'Ze is niet direct gewoontjes te noemen, hè? New Orleans, een weeskind dat door een tante is opgevoed, Cajun afkomst. Het klinkt als een voorbereiding op een regelrechte ramp, Barrington.'
'Dat denk jij misschien, maar jij hebt haar niet ontmoet. Ze is normaler en aangepaster dan menig ander.'
'Goed, als jij het zegt, moet ik aannemen dat je gelijk hebt. Maar ik wil eerst even een paar dingen natrekken. Exotische vrouwen willen nog wel eens een bloedig spoor achter zich laten.'
'Ga je gang, licht haar maar door. Ik zal je een kopie van haar c.v. laten bezorgen, misschien helpt dat.'
'Graag, dan hebben we wat voer om mee aan het werk te gaan.' Tevreden over zijn afsluitende opmerking hing Bartrop op.

5

Bartrop belde Barrington de volgende avond terug.

'Dus je weet zeker dat zij 't moet worden?' vroeg hij.

'Ik wist het gisteren al zeker en vandaag dus nog steeds, tenzij een van je spionnen zo'n bloedig spoor als waar jij het gisteren over had heeft opgepikt.'

'Geen sporen. We hebben alle informatie nagetrokken. Er is niets over haar bekend. Ze lijkt een normale jonge vrouw te zijn. Ze werkt hard en lijkt ook hard te spelen, ze houdt van een borrel op z'n tijd, maar niet problematisch. Op Cambridge had ze veel vriendjes, maar ze lijkt het nu wat rustiger aan te doen. Je weet toch dat ze ook een tijdje met Carter is omgegaan, hè?'

'Natuurlijk weet ik dat,' loog Barrington. 'Hoezo?'

'Dat vroeg ik me zomaar af. Om kort te gaan Barrington, ze kan ermee door.'

'Hoe bedoel je "ze kan ermee door"?' bulderde Barrington. 'Ze is perfect.'

'Goed. Ze is perfect. Dus je bent blij dat je dit kunt voortzetten?'

'Jazeker.'

'Persoonlijk ook?'

'Luister Bartrop. We hebben het hier al over gehad. Je hebt me een aantal dingen beloofd. En daarbij komt dat ik je, nu ik Sarah Jensen heb ontmoet, met stelligheid kan verzekeren dat niemand anders - ook Marcus Aylyard niet - haar zal kunnen overtuigen. Ze is geen makkelijke. Ik denk niet dat ze erg onder de indruk zou zijn van Aylyard. En dat is nou juist wat we willen: indruk op haar maken, haar vertrouwen winnen en haar laten doen wat wij willen, of niet soms?'

'Precies.'

'Dan gebruik ik dus geen stand-in. Ik regel het zelf.'

'Prima. Dat is dan in orde, Barrington. Dan kunnen we ons nu bezig gaan houden met de indoctrinatie van mevrouw Jensen.'

Aan de andere kant van de lijn deinsde Barrington terug. Een vreselijk woord, 'indoctrinatie'. Bartrop ging verder. 'Het belangrijkste dat we te allen tijde in ons achterhoofd moeten houden, is dat we haar slechts gedeeltelijk kunnen indoctrineren. We zullen haar een prachtig verhaal moeten vertellen, we moeten haar overtuigen en aan ons binden, maar ze mag niets weten dat ons werk tegen Fieri in gevaar kan brengen. Voor zover het haar aangaat, is dit niets anders dan een gewone fraudezaak die zich in de City afspeelt. Als we haar later meer moeten vertellen, dan zien we wel hoe we dat doen. Laten we eerst maar eens kijken of ze wil happen. En als ze dan de baan krijgt, kunnen we zien hoe ze het doet, hoe goed ze is en hoe betrouwbaar, en daar vandaan kunnen we verder gaan.'

'Dat klinkt redelijk,' zei Barrington.

'Veel succes,' zei Bartrop, en de twee mannen braken het gesprek af.

Barrington trok een bureaula open en haalde een zakflacon whisky te voorschijn. Hij nam een snelle slok, belde Carter en zei dat hij Sarah Jensen de volgende ochtend om een uur of negen op de Bank wilde zien. Of Carter dat kon regelen, vroeg hij.

Toen Sarah binnenkwam, doorbrak het gerinkel van de telefoon de stilte in huis. Ze pakte de hoorn niet op. De enige mensen met wie ze wilde praten, bevonden zich ver van alle telefoons in een ontoegankelijk land.

John Carter sprak een boodschap in op de band van haar antwoordapparaat: of ze hem terug wilde bellen. Het was dringend. Sarah liep door het stille huis. Het was halfzes en ze was bekaf. Wat het ook was, het kon vast wel tot morgen wachten.

Ze pakte een fles whisky die ergens op de grond stond en nam hem mee naar de slaapkamer. Het bed zag er eenzaam en verlaten uit, het beddegoed lag er in een verfrommelde hoop op. Sarah pakte een video van *Cagney en Lacey* van de stapel en stopte hem in de videorecorder. Terwijl het deuntje van de intro begon, smeet Sarah haar kleren op de grond, trok een oude pyjama aan en kroop tussen de gekreukte lakens. Ze was net een flink glas whisky aan het inschenken toen de telefoon opnieuw ging. Ze greep de hoorn en snauwde 'Hallo'.

Het was John Carter weer. Hij vroeg verontschuldigend of hij stoorde en bood zijn excuses aan. Hij wilde haar niet lastig vallen maar hij moest haar even spreken.

'Geen probleem,' zei Sarah en zette het geluid van de video halverwege een zin van Cagney af.

'Je zag er moe uit tijdens de lunch gisteren.'

'O... sorry. Was ik vreselijk saai?'

Carter lachte. 'Absoluut niet. Barrington vond je uitermate charmant.'

'Werkelijk? Gelukkig maar.' Ze werd afgeleid door de bewegende beelden en zette de video uit. 'Nu we het er toch over hebben, ik heb nog niet eerder de kans gehad om aan je te vragen waarom je me aan hem hebt voorgesteld. Ik vond het allemaal een beetje vreemd.'

'Dat was het ook,' gaf Carter toe, 'maar het was zijn idee, niet het mijne. Hij zei dat hij met een valutahandelaar wilde spreken, dus toen dacht ik aan jou.' Hij was even stil. 'En nu wil hij op de Bank met je afspreken.'

Verbaasd vroeg Sarah: 'Wat is dit allemaal, John?'

'Ik heb echt geen idee. Misschien wil hij dat je voor hem komt werken.'

'Ik kan me niet voorstellen dat de president van de Bank of England zijn tijd besteedt aan het uitzoeken van nieuw personeel.'

'Daar heb je gelijk in. Maar luister Sarah, het enige dat ik kan doen, is zijn boodschap doorgeven. Hij zei dat hij je graag morgenochtend om negen uur op de Bank wilde ontmoeten.'

'Goed dan,' zei Sarah. 'Dan zie ik je daar morgen om negen uur.'

'Nee.' zei Carter, 'Ik ben er niet bij. Alleen jij en Barrington.'

Om negen uur stroomde de metrohalte Bankstation vol. De noordelijke en zuidelijke verbindingen kwamen daar samen, en spuugden een golf norse gezichten de straten op. Met de *Financial Times* of de *Sun* onder hun armen geklemd, slenterden ze naar Birley's waarvandaan ze hun muffins en bekers koffie in witte papieren zakken meenamen naar de liften van honderden financiële instellingen die allemaal naar ontbijt begonnen te ruiken.

Sarah Jensen kwam uit de ondergrondse en liep tien stappen over Threadneedle Street. Het felle zonlicht weerkaatste op de hoge witte gebouwen. Ze kneep haar ogen tot spleetjes en rende een korte trap op die aan de straat grensde, haar hakken op het gladde steen tikkend. Ze lachte naar de man met de zwarte hoed en het roze driekwart jasje die op wacht stond bij de deuren van de Bank of England. Deze kleur roze heette 'Houblon Pink', herinnerde ze zich, genoemd naar Sir John Houblon, de eerste president van de Bank toen deze in 1694 werd gesticht. Het was toen de kleur van de kostuums van zijn knechten, en die kleur was sinds die tijd in gebruik gebleven bij de portiers en butlers. Toen ze jaren geleden voor het eerst in de City kwam werken, had Sarah een rondleiding gekregen door de Bank of England. Ze had toen niet zoveel gezien omdat de meest interessante gedeeltes werden overgeslagen. De gedachte dat ze vandaag het kantoor van de president van de Bank te zien zou krijgen, wond haar op.

Sarah lachte naar de portier, liep door de hoge gewelfde ontvangsthal over de mozaïekvloer waarin eeuwenoude munten waren verwerkt en kwam bij de man die achter de informatiebalie zat. Ze noemde haar naam en voegde eraan toe dat ze een afspraak had met de president.

De man glimlachte; hij was al op de hoogte gebracht van haar komst. Hij pakte een telefoon, toetste een nummer in, wachtte en kondigde toen aan dat mevrouw Jensen onderweg was. Hij knikte naar een butler die beleefd 'Deze kant op, mevrouw' zei, en haar naar de Parlours bracht. Dat is het voornaamste en meest indrukwekkende gedeelte van de Bank, waar de president, de vice-president en de directeuren zich bevinden.

Uit gewoonte probeerde Sarah de weg te onthouden, maar dat mislukte al snel omdat ze werd afgeleid door haar eigen voetstappen die weerkaatsten op de mozaïekvloer, de grote schilderijen die overal hingen, de hoge plafonds met fraaie ornamenten, en de zwakke geluiden van achter de gesloten deuren.

De butler stopte voor een eikehouten deur en klopte beleefd. Een secretaresse opende de deur. Plechtig kondigde de butler de komst van Sarah aan en trok zich toen stilletjes terug. Beleefd glimlachend bracht de secretaresse Sarah naar het kantoor van de president.

Barrington stond met zijn rug naar haar toe door het raam naar de binnenplaats te kijken. Met zijn handen achter zijn rug gevouwen, leek hij na te denken over het rustige tafereel dat onder hem lag. De binnenplaats werd omgeven door de kantoren van hooggeplaatste functionarissen die de Bank of England bestuurden. Het gaf hun een trots gevoel dat ze bij elkaar naar binnen keken in plaats van naar de wereld om hen heen. Het werd gezien als een symbool van superioriteit. Het rumoer van de ondergrondse en de verachtelijke handelaren leek ver weg. De sfeer hier was geciviliseerd en verfijnd, net als de man die dit kantoor bezat.

Barrington draaide zich breed grijnzend om, liep naar Sarah en schudde haar hand. 'Dag Sarah. Prettig je weer te zien.' Hij gebaarde naar een stoel bij de wand, onder een schilderij van een zeezicht. 'Ga zitten.' Hij glimlachte, ging tegenover haar zitten en liet zijn ogen op haar rusten. Sarah had het gevoel dat ze net als twee dagen daarvoor gekeurd werd.

'Ten eerste wil ik je bedanken dat je op deze korte termijn hebt kunnen komen.' Hij stopte even met praten, sloeg met een elegant gebaar zijn ene been over het andere en leunde naar voren. Ze glimlachte naar hem en wachtte tot hij verder ging. Zijn zelfverzekerde glimlachende gezicht betrok even alsof hij zocht naar innerlijke kracht om door te gaan, maar het stond daarna weer net als altijd. 'Ik wil je attenderen op het feit dat je over hetgeen dat ik je wil gaan vertellen te allen tijde zult moeten zwijgen. Als je denkt dat je hier niet mee akkoord kunt gaan, zie ik me genoodzaakt nu direct met mijn verhaal te stoppen.' De glimlach was nu verdwenen en hij hield zijn blik strak op haar ogen gericht.

Sarah bleef even stil en probeerde haar nieuwsgierigheid te bedwingen. Ze antwoordde op dezelfde afgemeten toon. 'Natuurlijk, meneer. Ik beloof u strikte geheimhouding over hetgeen u mij wilt vertellen.'

Haar strak aankijkend begon hij te spreken. 'Zoals je weet, is er de laatste jaren een aantal schandalen geweest in de City. Dat heeft onze reputatie nogal wat schade berokkend.'

Sarah knikte. Zo had je Guinness, Blue Arrow, Barlow Clowes, Maxwell en BCCI, en dan nog een heleboel minder bekende gevallen. Vooral het schandaal bij de BCCI – de Bank of Credit and Commerce International, die ook wel bekend stond als de Internationale Bank van Criminelen en Oplichters – had de Bank of England in verlegenheid gebracht. Het was de grootste fraudezaak van de bankwereld geweest, en de Bank of England was in het Bingham Rapport hard aangevallen vanwege haar verregaande bemoeienissen in deze miljarden omvattende fraudezaak, en er was zelfs sprake geweest van sluiting van de bank.

Barrington fronste zijn wenkbrauwen. 'De regering staat onder steeds groter wordende druk om een wet tegen de werkzaamheden in de City uit te vaardigen, waardoor onze positie nog verder verzwakt zou worden en we niets aan het fraudeprobleem kunnen doen.'

Sarah begreep zijn positie. De City weigerde zich door buitenstaanders de wet voor te laten schrijven. Ze hadden liever een zelfbestuur met eigen mensen.

'Ik ben het er volkomen mee eens dat het bestaande systeem

niet in alle opzichten zo goed werkt als mogelijk zou zijn, bijvoorbeeld bij die fraude-onderzoeken die na jaren tientallen miljoenen ponden te hebben gekost niets opleveren...' De president van de bank wierp een boze blik op een onzichtbare vijand. 'Het is lachwekkend en vreselijk beschamend.'

'Guinness', dacht Sarah, en 'Blue Arrow'. Het geval Guinness stond bekend om wat eruitzag als een ongelijke behandeling van verdachten; sommige aanklachten waren om onbegrijpelijke en waardeloze redenen ingetrokken, met name in de ogen van degenen die wel gevangenisstraffen hadden gekregen. Blue Arrow betekende een ramp voor het Fraude Instituut. De zaak had twee jaar en zevenendertig miljoen pond aan belastinggeld nodig gehad voordat het tot een rechtszaak gekomen was. De lijst met aanklachten was lang en ingewikkeld, en de enkele veroordelingen die eruit voortgekomen waren, werden in hoger beroep tenietgedaan.

De vorige president van de Bank of England had indirect zeer zware kritiek te verduren gekregen over de uitvoering van zijn functie als belangrijkste man binnen de City, al was hij niet verantwoordelijk voor het gedrag van het Fraude Instituut en de afhandeling van de rechtszaak.

Toen Barrington zag dat het gesprek Sarah interesseerde, begon hij warm te lopen voor het onderwerp. 'We hebben in de City natuurlijk altijd al te maken gehad met fraude, maar er is een tijd geweest dat dit soort zaken op een discrete manier afgehandeld kon worden. De president van de bank werd dan op de hoogte gebracht van de overtreding, hij voerde binnenskamers een gesprek met de betrokkenen, die zich op hun beurt weer op een fatsoenlijke manier konden terugtrekken. Dat was eigenlijk heel slim. De City oefende toezicht uit op zichzelf, de fraudes werden opgehelderd en onze reputatie liep geen gevaar op. Een soort zelfbestuur dus. En veel effectiever dan het buiten hangen van de vuile was, vind je niet?'

'Het heeft inderdaad z'n voordelen,' zei Sarah, 'zolang het zelfbestuur tenminste niet corrupt is.'

Barrington wierp haar een felle blik toe. 'Er moet toch iemand voor God spelen!'

'Ik dacht dat we daar rechtbanken voor hadden.'

'Strikt genomen wel,' zei Barrington licht geïrriteerd, 'maar wat ik wil zeggen, is dat het systeem in zeer uitzonderlijke gevallen niet werkt.' Sarah hield zich in en wachtte tot hij doorging.

Hij haalde zijn schouders op. 'Je snapt dat we ons geen grote schandalen meer kunnen veroorloven. De corruptie zal niet verdwijnen, maar we zullen een nieuwe manier moeten vinden om ermee om te gaan zonder dat we daarbij te zwaar vertrouwen op het werk van het Fraude Instituut. Natuurlijk zal het FI een belangrijke rol blijven spelen, met name in zeer ingewikkelde fraudezaken. En na de publikatie van het Bingham Rapport hebben we nog een extra opsporingsteam ingeschakeld dat goed werk levert, maar ik heb nog steeds de indruk dat wanneer de opsporingsteams met loeiende sirenes aankomen veel van de fraudezaken in rook opgaan.'

Sarah knikte. 'Dus wat u zegt, en verbetert u me alstublieft als ik het fout heb, is dat er corruptie bestaat die naderhand niet meer te traceren valt, dat je onopgemerkt ter plekke moet zijn en dat je de verdachten op heterdaad moet betrappen omdat je anders alleen maar indirect bewijsmateriaal bezit.'

'Precies,' zei Barrington, en hij leunde triomfantelijk lachend naar voren. 'Dat is precies wat ik bedoel. En ik zou graag willen dat je me met dit probleem hielp.'

Sarah voelde haar hart opgewonden kloppen. De vermoeidheid van de afgelopen dagen was vergeten. Aandachtig luisterend leunde ze naar voren.

'Je kent de Inter-Continental Bank?'

'Wie niet?'

Barrington glimlachte. 'Inderdaad. Ze hebben een behoorlijke reputatie. Sluw, zeer winstgevend en opzichtig. Je weet wel: hard werken, hard spelen, maar er zit een luchtje aan.' Hij kneep zijn blauwe ogen tot spleetjes. 'Vooral aan de buitenlandse valuta-afdeling. De cijfers zien er te mooi uit om waar te zijn, en er gaan geruchten.' Hij stopte, keek haar aan en besloot om door te gaan.

'Ze zijn op zoek naar een nieuwe handelaar voor deze afdeling. Ik denk dat je erg geschikt zou zijn voor de baan, als je hem tenminste wilt.'

Barrington glimlachte. Sarah zat doodstil, haar benen om de stoelpoten gekruld en haar handen gevouwen. Ze staarde langs Barrington naar de binnenplaats. Een golf van opwinding ging door haar heen. Ze had altijd al bij ICB willen werken; als je ICB op je curriculum vitae had staan, had je het gemaakt. Als je daar kon overleven, dan kon je het overal. Het was het summum van de City – keihard en meedogenloos, maar ze betaalden goed. Bloedgeld, dacht Sarah.

Ze lachte naar Barrington. 'Ik zou die baan dolgraag willen hebben. Maar u kunt me beter eerst vertellen wat ik zou moeten doen.'

'Zorg eerst maar dat je de baan krijgt. Ik zal ervoor zorgen dat je vanmiddag benaderd wordt door een headhunter die een sollicitatiegesprek voor je regelt. Met jouw staat van dienst zal het je geen moeite kosten indruk op ze te maken. En als je die baan dan krijgt, waarvan ik overtuigd ben, kijk dan eens goed om je heen. Je doet gewoon je werk, maar je houdt je ogen en oren goed open. Als je ook maar iets ongewoons ziet aan het handelsgedrag, dan kom je mij verslag uitbrengen. Als dan blijkt dat ze op de een of andere manier de wet overtreden, handel ik het af.'

'Hoe?' vroeg Sarah.

'Heel simpel. Ik zal ze laten weten dat indien ze zich niet stilletjes terugtrekken en uit de City verdwijnen, ik ervoor zal zorgen dat ze voor de rechtbank gesleept worden. En als ze verstandig zijn, nemen ze dat aanbod aan, denk je niet?'

'Ja, dat zal wel, als ze tenminste schuldig zijn, en wij dat kunnen bewijzen.'

'Vergeet niet dat we met mijn plan de binnenkant van een rechtszaal nooit te zien krijgen; we hoeven geen onomstreden bewijsmateriaal te hebben, als het maar genoeg is om mij ervan te overtuigen dat ze zich schuldig maken aan een misdrijf. Al het bewijs lijkt erop te duiden dat er bij ICB zware vergrijpen plaatsvinden. Het enige wat jij moet doen, is er achter komen wie nou precies welke misstappen begaat.'

'U formuleert het nogal eenvoudig,' zei Sarah.

Barrington lachte. 'Sorry. Ik denk dat het helemaal niet zo makkelijk zal zijn, maar ik denk dat je wel iets zult kunnen vinden als je voorzichtig bent, er de tijd voor neemt en goed observeert. Maar natuurlijk is het voor ons allebei een experiment; we moeten maar kijken hoe het gaat, gaandeweg kunnen we de regels bijstellen...'

Sarah leunde achterover en was even stil. 'Bestaan er geen mensen die speciaal opgeleid zijn voor dit soort werk? Ik bedoel, ik weet erg weinig van dit soort dingen af.'

'Dat is het nou juist,' zei Barrington. 'We kunnen geen professionele onderzoekers inzetten. Ze zouden de prooi afschrikken. En, zoals ik al zei, wat we nodig hebben, is een handelaar, een collega die ons uit de eerste hand op de hoogte kan houden. Iemand die het werk kent, iemand die weet wat normaal is of verdacht, en iemand die dat rustig kan doen zonder achterdocht te wekken.' Hij boog zich weer naar haar toe.

'We hebben rondgekeken, Sarah. En jij bent perfect.'

'We? Wie zijn we?' vroeg ze scherp.

Barrington vervloekte zichzelf. Hij glimlachte. 'John Carter natuurlijk. Hij is degene die je aanbevolen heeft.'

'O,' zei Sarah, 'natuurlijk, John. Dus hij weet waar het om gaat?'

'Nou nee. Niet helemaal. Een beetje maar. Maar ik zou je willen vragen om het hier met hem niet over te hebben. Ik heb hem hetzelfde gevraagd en hij zou zich opgelaten kunnen voelen als jij erover begon.'

'Natuurlijk,' zei Sarah een beetje geïrriteerd. 'Als u me vraagt dit geheim te houden, dan zal ik dat doen.' Ze trok haar wenkbrauwen op. 'Maar vertelt u me eens, waarom bent u ICB gaan verdenken, en waarom hebt u besloten om het onderzoek op deze manier plaats te laten vinden?'

Barrington verdrong een diepe zucht. Ze maakte het hem niet gemakkelijk.

'Een van de accountants werd achterdochtig en heeft dat bij zijn bazen gemeld. De voorzitter is toen naar me toe gekomen,' legde hij op luchtige toon uit. 'En toen was het een kwestie van beslissen wat de beste manier zou zijn om dit te onderzoeken. Ik heb er een paar weken over nagedacht, en heb toen gekozen voor dit experiment. Toen moest ik de juiste persoon gaan zoeken, en dat is waar John Carter en jij in het verhaal gingen passen.'

Sarah bleef een tijdje stil op haar stoel zitten. Barrington wachtte af. Eindelijk begon ze te praten.

'Het klinkt interessant, intrigerend. Ik wil wel een poging wagen, maar vertelt u me eens, wie zijn de verdachten, en waar verdenkt u hen precies van?'

Opgetogen lachte Barrington haar toe. 'Je weet nog dat ik net zei dat de winsten van de afdeling buitenlandse valutahandel er te mooi uitzien om waar te kunnen zijn?' Sarah knikte.

'Nou, die winsten begonnen te klimmen op het moment dat er een man genaamd Dante Scarpirato binnenkwam. En het lijkt erop dat hij òf een genie òf een crimineel is.'

'En als hij een crimineel is, hoe denkt u dan dat hij zijn geld verdient?'

Barrington lachte en haalde zijn schouders op. 'Het is moeilijk te begrijpen hoe een crimineel werkt. Hun misdaden zitten vaak ingenieuzer in elkaar dan een kwartshorloge. Ik heb geen idee wat het zou kunnen zijn. Ik kan een paar vage vermoedens opperen, maar dan stuur ik je misschien in de verkeerde richting...'

'Geweldig. Ik heb nu dus een vrijbrief om te gaan denken als een misdadiger.'

Barrington keek haar geschokt aan. 'Maakt u zich geen zorgen,' lachte Sarah. 'Ik maak maar een grapje.' Snel ging ze verder. 'Die Dante Scarpirato, kent u hem?'

'Ik heb hem één keer ontmoet,' zei Barrington met afkeer. 'Hij is erg met zichzelf ingenomen, vreselijk arrogant, gladjes, je weet wel, zo'n type dat zich alleen maar in de duurste clubs en restaurants laat zien en altijd gebruind is. Ze zeggen dat hij absoluut meedogenloos is; hij gedraagt zich alsof iedereen een vijand is. En hij kan dat maken omdat hij zoveel geld verdient. Het is geen vriendelijk persoon.' Barrington zweeg en keek Sarah vervolgens opmerkzaam aan. 'Hoewel me verteld is dat hij vrouwen meestal voor zich weet in te nemen.'

Sarah lachte. 'Maakt u zich geen zorgen, ik kan goed op mezelf passen.'

'Dat geloof ik graag.' Hij maakte aanstalten om op te staan, en alsof hem halverwege iets te binnen schoot, ging hij weer zitten. Toen hij sprak, scheen het Sarah toe dat hij zich ongemakkelijk voelde.

'O ja, dat doet me aan het volgende denken. Na wat ik je nu ga zeggen, zou je kunnen besluiten hier niet aan te willen beginnen. Als dat zo is, zal ik dat volledig begrijpen, dus ik wil graag dat je eerlijk tegen me bent.'

Sarah hield haar hoofd schuin en keek hem zwijgend aan.

'Deze onderneming is volledig voor eigen risico. Je zou het nodig kunnen vinden om dicht bij het vuur te gaan zitten om aan je informatie te komen, als je begrijpt wat ik bedoel. Wat mij betreft is dat prima, want deze informatie is erg belangrijk voor ons. Het is wel wat risico's waard, als je die durft te nemen. Ik hoef niet precies te weten wat je doet en hoe je het doet als je deze baan krijgt. De manier waarop je te werk gaat, is jouw zaak. Ik moet je evenwel waarschuwen dat ik je, wanneer je betrapt wordt, van achter de schermen alle mogelijke hulp zal geven, maar officieel zal ik niets voor je kunnen doen. Je werk is geheim, en dat zal zo moeten blijven. Je zult er gewoon voor moeten zorgen dat je niet gepakt wordt.' Zijn gezicht was een beetje rood geworden, maar dat was nauwelijks zichtbaar. Hij bracht het verhaal goed, het vernisje van zelfverzekerdheid was nog steeds intact.

Dicht bij het vuur. Niet betrapt worden. Is dat niet altijd zo in de City, en overal trouwens, dacht Sarah. Ze wilde dat hardop zeggen, maar hield bij nader inzien toch maar haar mond. Dit was een grapje dat de president van de bank waarschijnlijk niet zou kunnen waarderen. Ze bleef stil en dwong zichzelf na te denken over wat hij had gezegd. Na enige tijd gaf ze antwoord.

'Zoals ik al zei, u hoeft zich over mij geen zorgen te maken. Ik kan goed op mezelf passen. Ik begrijp de regels.' En ze voegde eraan toe: 'Zolang ze tenminste niet veranderen tijdens het spel.'

Hij wist niet zeker waarom hij die laatste opmerking een beetje onheilspellend vond klinken. Het was gewoon een losse toevoeging, volkomen onschuldig. Hij had James Bartrop te vaak gezien; die achterdochtigheid was besmettelijk.

'Goed, dan denk ik dat we het hier maar bij moeten laten.' Barrington keek even onzeker, en herinnerde het zich toen. 'O ja, het dossier.' Hij pakte een bruingele map waar ICB op stond uit zijn bureaula en schoof die naar Sarah. 'Je moet hier maar eens naar kijken. Er zitten wat jaarverslagen en knipsels in, en een intern verslag van onze Raad van Toezicht. Het laat zien hoe de winsten van de afdeling valutahandel van ICB het afgelopen jaar omhoog geschoten zijn sinds de komst van Dante Scarpirato.' Hij stond op, het onderhoud was afgelopen. 'Goed Sarah, veel succes bij ICB. Houd me op de hoogte.'

Hij krabbelde iets op een stukje papier. 'Hier heb je mijn rechtstreekse telefoonnummer bij de Bank, en het nummer van mijn appartement, voor het geval je me dringend nodig hebt.' Hij gaf Sarah het papiertje, schudde haar hand en nam afscheid.

Sarah wandelde door de weergalmende gangen naar buiten, de bedrijvige straten op. Er was iets dat haar niet helemaal beviel. Ze had het gevoel dat Barrington iets voor haar verzweeg. Het ging waarschijnlijk alleen maar om zijn vermoedens omtrent de fraude, besloot ze. Als hij alleen maar vage vermoedens had, was het inderdaad logisch dat hij ze niet aan haar vertelde om haar niet op het verkeerde been te zetten. Ze zou dan misschien valse sporen gaan volgen en de werkelijke misdaad over het hoofd zien.

De opwinding over haar taak verdreef haar zorgen. Haar besluit stond al vast. Barrington had precies haar zwakke plek geraakt: ze was gek op geheimen en spanning. Het geheimzinnige van dit alles en de zwijgplicht oefenden een sterke kracht op haar uit. In veel opzichten had de president van de Bank geen betere kandidaat kunnen uitzoeken.

Sarah had beleefd kunnen bedanken, hun gesprek kunnen vergeten en naar haar plek bij Finlays terug kunnen gaan. Maar dat deed ze niet en het gevolg was dat haar leven, en dat van vele anderen, onherroepelijk zou veranderen.

6

Sarah wierp een blik op haar horloge. Het was tien uur. Het was een stuk rustiger geworden in de buurt van de metrohalte Bankstation, nu de meeste mensen aan hun werk waren begonnen, maar er hing nog steeds een drukke, gehaaste sfeer. Threadneedle Street, Prince's Street, Cornhill, King William Street, Queen Victoria Street en Poultry kwamen allemaal samen bij Bankstation, dat het geografische en functionele hart van de City was. Het was Sarah nog nooit gelukt om door die drukke, winderige straten te lopen zonder een opgewonden gevoel. Het leek wel of ze daar altijd sneller ging lopen en bewuster om zich heen keek. En op dit moment voelde ze zich helemaal alsof ze in het middelpunt stond. De droom die ze altijd had gehad, was waarheid geworden: ze was benaderd door de belangrijkste man van de City, ze ging werken voor de president van de Bank of England. Niemand zou het weten, maar dat kon Sarah niet schelen. Ze had Barrington ontmoet en ze was tot een overeenkomst met hem gekomen, dat vond ze werkelijk genoeg.

Ze sloeg van Threadneedle Street Old Broad Street in en wandelde de laatste paar honderd meter naar Finlays. Binnen zwaaide ze met haar pasje naar de beveiligingsbeambten en nam ze de bespiegelde lift naar de valuta-verdieping. Ze haalde haar pasje door de beveiligingscontrole, en de brede schuifdeuren openden de weg naar een grote, overbevolkte open ruimte die eruitzag alsof er een rommelmarkt in geavanceerde technische apparatuur werd gehouden.

Het eerste wat haar opviel, was het lawaai, daarna de chaos die er heerste. Driehonderd handelaren, verkopers en assistenten zaten boven op elkaar als kippen in een legbatterij. Ze zaten samengepakt rond een wirwar van bureaus die de ruimte als een traliewerk vulden. Sommige mensen hingen maar een beetje rond, totdat ze als door de bliksem getroffen ineens hun telefoon grepen, opsprongen, schreeuwden en drukke gebaren maakten voordat ze seconden later weer in hun tijdelijke apathie vervielen. Sarah liep door de drukte. Links en rechts waren er een paar herkenningspunten: een vlag, een pornokalender, maar niets persoonlijks of vriendelijks, geen planten, luxe fauteuils of mooie kleden. Beeldschermen die hoog op elkaar gestapeld stonden, vochten op de te kleine bureaus om een plekje met koffiebekers, telefoons en rekenmachines. Stapels documenten, jaarverslagen en obligatieprospectussen balanceerden gevaarlijk op heuphoogte. De vloer was verhoogd om de vele kilometers kabel van en naar de computerterminals te kunnen verwerken. Het plafond was verlaagd om ruimte te maken voor de uitermate goed werkende airconditioner die nodig was om de massa oververhitte machines en handelaren af te koelen. In de claustrofobische ruimte die er overbleef, zaten de mensen bovenop elkaar geperst.

Sarah vervolgde haar weg langs allerlei luidruchtige begroetingen. 'Hé, heb je een afspraakje vanavond, Sarah?' Ze had vanmorgen, voor Barrington, iets meer aandacht aan haar kleding besteed dan ze normaal gesproken deed. Ze moest lachen. De handelaren hadden altijd alles in de gaten, alleen zaten ze er deze keer een paar uur naast. Het waren mensen die de mode op de voet volgden, en ze konden van alles aflezen aan het model van een jurk, of aan de lengte van een rok.

Sarah hield haar privé-leven bewust geheim, wat hun alleen nog maar meer aanleiding gaf om ernaar te raden. Af en toe verzon ze iets om ze gelukkig te maken, maar oplettende mensen als het waren, geloofden ze haar zelden. Ze had iets mysterieus over zich, en ook al vonden de handelaren het onmogelijk haar te doorgronden, ze staakten hun pogingen niet.

Zich verschuilend achter haar gelach ging Sarah op haar plaats zitten, zette haar computers aan en ging de wereld binnen waar verhalen verteld worden aan de hand van cijfertjes. Fluitend en piepend startten de apparaten, en nerveus ratelend begonnen ze aan hun werk. De bewegende groene schermen wierpen een enge gloed op de bleke gezichten die zelden het daglicht zagen. Sarah las de mededelingen die over de onderkant van haar Bloombergscherm rolden:

> 'Europese plantaardige olie wordt beheerst door onzeker Chicago.'
> 'Boxing-Eubank ziet in Benn geen waardige tegenstander.'
> 'Volgens Wiesenthal brengt nalatigheid in wereldpolitiek Joegoslavië harde klappen toe.'

Hetzelfde oude liedje. Geen nieuws.

Om twee uur brulde David Reed naar Sarah die nog geen meter van hem vandaan zat: 'Sarah Jensen. Headhunter. Lijn één.' Verschillende hoofden draaiden zich om, lachten en gingen mee zitten luisteren.

'Gaan jullie nou alsjeblieft eens wat nuttigs doen,' zuchtte Sarah. Ze tikte lijn één in. 'Hallo.'

'Sarah, je spreekt met Sue Banks.'

'Hoi Sue.' Sarah lachte. Alle handelaren kenden alle headhunters, alsmede de pseudoniemen die ze soms gebruikten in een vergeefse poging om vertrouwelijkheid te waarborgen. Handelaren leken nooit genoeg te kunnen krijgen van het spel hun werkelijke identiteit te achterhalen. Sarah werd bijna elke week wel een keer gebeld door een headhunter die haar bij Finlays weg probeerde te krijgen, en dat was iets waar haar collega's elke keer opnieuw grappen over maakten. Dus ook deze keer luisterden ze wel mee, maar niet al te aandachtig. Ze meenden dat ze alles al een keer gehoord hadden. Sarah richtte haar aandacht weer op Sue Banks.

Sue had Placements Unlimited opgericht, waarschijnlijk het meest prestigieuze herplaatsingskantoor van de City. Sue was een een meter tweeëntachtig lange blonde vrouw, vol zelfvertrouwen en charme. De twee vrouwen hadden elkaar drie jaar geleden ontmoet, toen Sue voor de eerste keer probeerde Sarah weg te halen bij Finlays. Ze konden het direct goed met elkaar vinden en ze koesterden een grote zakelijke en persoonlijke bewondering voor elkaar.

'Luister Sarah. Ik weet dat je niet wilt verkassen, maar je moet me even uit laten praten,' zei Sue voordat Sarah nog maar een woord gezegd had. 'Het heeft geen zin om bescheiden te doen en ik hoef je ook niet te zien om je in te lichten, dus ik zal je de formaliteiten besparen. ICB's speciale buitenlandse valuta-afdeling. Een lot uit de loterij. Je weet dat ze tot de best betalende bedrijven van de City behoren. Je kunt je eigen prijs noemen. Het is tijd voor een verandering, Sarah. Vier jaar bij Finlays. Je wordt roestig.'

Sarah onderbrak haar lachend. 'Goed Sue. Je hoeft me geen preek te geven. Maar vertel eens wat meer.'

'Nou, dat was het eigenlijk wel. Voor zover ik kan zien, is het hoofd van de afdeling het enige minpuntje.'

'O, je bedoelt mijn potentiële baas?'

'Ja, als je hem zo wilt noemen. Dante Scarpirato. Een interessant type, Sarah. Ik krijg het Spaans benauwd van die vent...' Sarah hoorde stemmen op de achtergrond en stelde zich voor dat Sues secretaresse net binnengekomen was met een stapel berichten. 'Sorry, Sarah, ik moet ophangen. Het schikt Scarpirato morgenavond om zeven uur. Red je dat?'

Sarah glimlachte verwachtingsvol. 'Ja, dat lukt wel.'

Sarah kwam om zes uur thuis. Ze deed de deur achter zich op slot, liep naar haar slaapkamer, gooide haar kleren van zich af alsof ze in brand stonden en wikkelde zichzelf in een oude badstoffen ochtendjas die ze losjes dichtknoopte. Starend in de badkamerspiegel deed ze haar contactlenzen uit en zette een bril op waarvan ze de vettige glazen schoonwreef met een stukje badjas. Ze liep op blote voeten naar de woonkamer, schonk een half glas whisky in, vulde het tot de rand aan met water en ging toen op de bank liggen. De telefoon lag naast haar op het met de hand gemaakte houten Marokkaanse tafeltje dat ze een paar jaar geleden in Marrakech had gekocht. Ze zette het antwoordapparaat aan en het geluid af zodat ze niet kon worden gestoord en er geen ongenode stemmen zouden binnenkomen.

De zware aktentas lag op de grond naast de bank. Sarah deed hem van slot en pakte het dossier over ICB. Het was bijna vijf centimeter dik en gevuld met tijdschrift- en kranteknipsels, jaarverslagen van 1991 en 1992, en het interne rapport van de Bank of England.

Sarah bladerde door de jaarverslagen, maar zoals ze al verwacht had, las ze niets nieuws. ICB was een Amerikaanse investeringsbank, met tien vestigingen in de belangrijkste financiële centra van de wereld. Ze hielden zich met dezelfde activiteiten bezig als alle internationale banken: bedrijfsfinanciering, fondsmanagement en particuliere klanten. Al deze werkzaamheden stonden in hoog aanzien en waren winstgevend, maar het waren de activiteiten op de valutamarkt waardoor ICB de meeste bekendheid had gekregen.

ICB was een van de grootste handelaren in activa van de wereld. Aandelen, obligaties, valuta, en een bonte verzameling daarvan afgeleide produkten als ruilingen van schulden, opties, enzovoort. Wereldwijd had het bedrijf vierduizend mensen in dienst, waarvan zevenhonderd in Londen. Sarah liet de jaarverslagen op de grond glijden. Ze was meer geïnteresseerd in het interne rapport van de Bank of England, dat informatie bevatte die je nooit in een openbaar verslag tegen zou komen.

De statistieken van ICB in het verslag van de Bank zagen er inderdaad verdacht uit. In 1992 bedroeg de nettowinst driehonderd miljoen pond. De afdeling speciale buitenlandse valutahandel – gevoerd door Dante Scarpirato en drie medewerkers – was een beginkapitaal van achtentwintig miljoen ter beschikking gesteld en daarmee hadden ze vijfenveertig miljoen pond winst gemaakt. Dat was spectaculair.

Sarah, die toch echt wel gewend was aan de enorme bedragen die omgaan in de City, was perplex. Finlays, die op dezelfde afdeling vijf mensen aan het werk had, gaf een beginkapitaal van vijftien miljoen en had daarmee in 1992 een winst gemaakt van achttien miljoen pond, en dat werd gezien als een indrukwekkende prestatie.

Het volgende intrigerende punt in ICB's winsten op de valutamarkt, was het directe verband met Dante Scarpirato. In 1991 – het jaar voor zijn aanstelling – bedroeg de winst negen miljoen pond. Toen Scarpirato in 1992 kwam, schoot de winst omhoog naar vijfenveertig miljoen pond. Barrington had gelijk. Scarpirato was òf een genie, òf een crimineel.

Om negen uur was Sarah klaar met lezen. Stijf stond ze op van de bank, veegde de papieren die over de grond verspreid lagen bij elkaar, stopte ze in een plastic tas en legde ze achter slot en grendel in een la. Daarna liep ze naar de keuken om de inhoud van de koelkast te onderzoeken. Er stonden nog wat restjes van het eten met Eddie en Alex. Ze telde terug. Ze waren nu al drie dagen weg. Ze werd overspoeld door een golf van eenzaamheid.

Ze haalde diep adem om tot zichzelf te komen en pakte toen tomaten, uien en knoflook uit de koelkast. Ze stortte zich met een scherp keukenmes op de uien en de knoflook en stond daarna enige tijd in gedachten verzonken naar de bijna een meter lange rij met kruiden gevulde potjes te kijken op de plank boven haar hoofd. Een half uur later installeerde ze zich met een groot bord pasta met een perfecte tomatensaus voor de televisie.

Als kind had ze al leren koken. Het was altijd beter dan dat wat haar tante haar in een van haar zeldzame creatieve buien voorzette. Ze lachte om de herinnering. Isla gaf nu les aan een universiteit in de Verenigde Staten. Ze woonde daar op de campus, waar iemand anders voor haar kookte. Misschien zou er nu eindelijk eens wat vlees op haar botten zitten, als ze tenminste niet vergat te eten.

Sarah schudde haar hoofd, alsof ze de herinneringen van zich wilde afschudden en zette de tv nog net op tijd aan om te horen hoe Nicholas Witchell haar welterusten wenste. Ze schakelde over naar ITV voor het journaal van tien uur waar de imposante Trevor MacDonald zou melden of er nog nieuws onder de zon was. Dat was er niet. Ze belde het kantoor van ICB in Tokio om te vragen hoe de markt zich hield. Alles was rustig, ze beloofden haar te bellen als er iets gebeurde.

Luid gapend ging Sarah naar de badkamer. De knipsels over ICB hadden inkt op haar handen achtergelaten. Fanatiek boende ze die eraf met vanillezeep, waste haar gezicht met koud water en bracht een laag van de allernieuwste wondercrème aan. Ze liet haar ochtendjas in de slaapkamer op de grond vallen, zette de wekker en dook haar bed in. Denkend aan Alex en Eddie viel ze in slaap.

Sarah werd om zes uur wakker, en voor de derde achtereenvolgende dag ging ze door haar klerenkast en kleedde ze zich met extra zorg. Deze keer in een eenvoudig donkerblauw linnen pakje met goudkleurige knopen en een helderwitte blouse. Perfecte kledij voor een sollicitatiegesprek. Tegen zeven uur 's avonds zat het vol kreukels van een lange werkdag.

De kantoren van ICB waren gevestigd aan Lower Thames Street, in een gebouw dat geheel uit blauwig glas leek te bestaan. Het torende kwaadaardig glanzend hoog boven de rivier uit. De inrichting was strak en modern. In het midden van het gebouw bevond zich een grote vierkante ruimte. Met uitzondering van het bureau van de receptioniste, twee banken, en een aantal hoekige metalen beelden die Sarah aan leken te staren, was dit atrium helemaal leeg. Een kribbige receptioniste verwees haar naar de derde verdieping.

Dante Scarpirato zat gekleed in een donker pak in een donker kantoor op een uitgestorven verdieping. Hij stond op terwijl ze op hem af liep. Hij stond kaarsrecht, met beide benen stevig op de grond en straalde iets bezitterigs uit. Hij was slank en goedgebouwd. Sarah vermoedde dat hij precies het juiste gewicht had voor zijn lengte. Ook zijn pak was perfect, net als de witte boorden die een klein stukje onder zijn mouwen vandaan kwamen, en de donkere, glanzend gepoetste schoenen. Er was geen enkel teken van de vermoeidheid of wanorde die de meeste handelaren na een twaalfurige werkdag uitstralen. Alles aan hem leek berekend en onder controle. Hij stapte op haar af en schudde haar hand. Ze merkte op dat ze even groot waren, hun ogen ontmoetten elkaar op gelijke hoogte.

'Neem plaats.'

Sarah ging tegenover hem zitten.

Zonder een lach op zijn gezicht staarde hij Sarah ondoorgrondelijk aan.

Na een verontrustende stilte vroeg hij: 'Vertelt u eens, waarom wilt u bij ICB werken?' Hij keek naar de rij flikkerende schermen die voor hem stonden, zodat Sarah tegen zijn profiel zat te praten. Af en toe toetste hij een commando in of riep hij een ander beeld op. Hij leek zich niet bewust van haar aanwezigheid, en stelde haar alleen maar vragen als het tussen de handelingen door niet anders kon.

Sarah kende de techniek: onverschilligheid voorwenden, de ander in een onderdanige positie dwingen, de ander laten vragen om aandacht. Het was een egotrip, saai en voorspelbaar. Ze had meer van deze man verwacht, maar ze moest toegeven dat hij het spelletje goed speelde en dat ze inderdaad behoefte had aan zijn aandacht. Nadat deze behandeling ongeveer vijf minuten had geduurd, begon ze zenuwachtig te worden, na tien minuten begon ze zich te ergeren.

'Sorry dat ik het vraag hoor, maar neemt u die apparaten een sollicitatiegesprek af, of mij?'

Scarpirato draaide zich met een ruk om, en keek haar voor het eerst recht aan.

'Hoe belangrijk is geld voor je?' De vraag bracht Sarah uit balans. Ten eerste omdat hij met die vraag haar voorgaande opmerking regelrecht van tafel veegde, ten tweede omdat hij de enige vraag stelde die iedereen in de City bezighoudt maar die nooit gesteld wordt.

Alleen de onnozele mensen werken in de City voor iets anders dan het geld. Iedereen verpakt zijn motivatie in mooie woorden als 'uitdaging', 'spanning' en 'ervaring', wat allemaal waar is, maar ook allemaal onbelangrijk. Het was taboe om het belang van geld naar voren te brengen. Deze vraag was bijna schunnig te noemen.

Sarah nam de tijd. Ze bestudeerde Scarpirato's gezicht voor ze antwoord gaf. Het was geen knap gezicht in de traditionele zin, maar wel fascinerend. Hij had een diep gebruinde huid, en een donkere gloed van baardstoppels was zichtbaar. Hij had een hoog voorhoofd dat overliep in een terugtrekkende haargrens van donker, krullend haar. In het gedimde licht leken zijn lippen bijna blauw. Hoewel hij een grote, rechte neus had waren het zijn ogen die boeiden.

In het verstilde lichaam aan de andere kant van het bureau was geen levensteken te zien; alle kracht van Dante Scarpirato zat samengepakt in zijn ogen, zo sterk zelfs dat je je voor kon stellen dat hij zou sterven als hij ze dichtdeed. Ze waren groot, rond en glanzend bruin. De pupillen waren eveneens groot en het hoornvlies vulde bijna het hele oog. De witte rand was een smal, fonkelend cirkeltje. Het waren minachtende ogen, afgemat en verveeld, die plotseling en schokkend oplichtten met een sprankje waanzin dat zo snel weer verdwenen was dat Sarah zich afvroeg of ze zich verbeeld had dat ze dat had gezien. Bruusk staakte ze haar overpeinzingen en concentreerde ze zich op haar antwoord. Het had geen zin om zich te verschuilen achter een doorbroken taboe.

'Geld is mijn grootste drijfveer.'

Een zwakke glimlach krulde om zijn lippen. Het was de enige reactie die hij haar liet zien.

'Mooi. Het is de enige reden om deze baan te willen hebben.'

Nee, dat is het niet, dacht Sarah.

Scarpirato stond op. 'Ik moet gaan.'

Sarah wierp een blik op haar horloge: halfacht. Het was het kortste sollicitatiegesprek dat ze ooit had gehad.

Scarpirato begeleidde haar naar de lift. Hij liep naast haar; heup, schouder en hoofd op gelijke hoogte. Ze keek naar zijn polsen die uit zijn mouwen te voorschijn kwamen toen hij naar de knop van de lift reikte. Ze waren smal, bijna vrouwelijk, afgezien van de vele zwarte haren die erop zaten. Over zijn handen liepen dunne aders. Hij had lange, ranke vingers met afgebeten nagels. De lift kwam eraan. Sarah ging in haar eentje naar beneden.

7

Sarah stond een tijdje tevergeefs op Lower Thames Street naar een taxi uit te kijken. Na vijf minuten wandelde ze via Suffolk Lane naar Cannon Street om het daar te proberen. Het was vrijdagavond. Een eeuwigheid lang leken alle taxi's vol te zitten met mensen uit de City die naar huis gingen, of naar bars, bioscopen, theaters, of de restaurants op West End. Eindelijk zag ze een taxi met een verlicht, oranje bordje FOR HIRE, en verwoed zwaaiend hield ze hem aan. Opgelucht sprong ze erin.

'South Audley Street, alstublieft. Mayfair.' Ze liet zich onderuit zakken, deed haar ogen dicht en doezelde weg.

De taxi zette haar halverwege South Audley Street af. Sarah liep in het avondzonnetje te genieten van de warmte op haar gezicht. Ze hield van deze buurt met zijn verborgen straatjes, de schat aan antiekzaakjes, de imposante herenhuizen en de geheimzinnigheid achter alle gordijnen. Het was er stil nu de werkdag afgelopen was. De kantoorbeambten waren naar huis of naar de kroegen die in de buurt van Piccadilly zaten, en voor de met juwelen behangen, opgedirkte vrouwen was het nog te vroeg om te verschijnen. Zij kwamen pas vanaf een uur of negen uit hun schuilplaatsen om op de achterbanken van dure auto's plaats te nemen die binnen een paar seconden weg zoefden.

Sarah bleef bewonderend staan voor de etalage van een delicatessenwinkel waar de rijen salami als stalactieten aan het plafond hingen. De geur van vers gebrande koffie dreef naar buiten en lokte haar naar binnen. Rijen vol Italiaanse lekkernijen. Ze kocht twee kokers Baci, een heerlijk mengsel van chocola en noten uit Perugia, en een halve kilo glanzende koffiebonen. Uitgerust met haar pakjes, sloeg ze rechtsaf Mount Street in en een paar honderd meter verder weer rechtsaf naar Hay's Mews. Ze stopte voor een grote tot woonhuis omgebouwde stal, waarvan de glanzende witte muren waren begroeid met klimrozen. Ze belde aan en wachtte. Ze merkte dat er naar haar gekeken werd en toen vloog de deur open.

Sarahs beste vriendin, Mosami Matsumoto, een collega valutahandelaar die in de City bij Yamaichi werkte, stond op blote voeten in een witte linnen jurk breed lachend in de deuropening.

Sarah kende Mosami al sinds Cambridge. Ze zaten in hetzelfde jaar op Trinity. Ze waren allebei aantrekkelijk, intelligent en hartelijk, maar de sluimerende eenzaamheid die zich op de een of andere manier niets aantrok van het drukke studentenleven had hen samengebracht. Ze herkenden de stille vastberadenheid, de onafhankelijkheid, en vooral de wil om te ontsnappen in elkaar. Het was duidelijk waar Mosami aan wilde ontsnappen: aan het getrouwde leven van een traditionele huisvrouw uit Tokio; aan het lot dat men - ondanks haar opleiding in Cambridge - in Japan voor haar had uitgestippeld. Haar studie was bedoeld om een leemte op te vullen, om de drang naar vrijheid te laten verdwijnen; alsof ze moest herstellen van een ziekte. Sarah had daarentegen geen duidelijk lot of een achtergrond waarvan ze zich los probeerde te maken, maar Mosami herkende de vluchtsignalen: sterke ambitie, rusteloosheid, een gebrek aan kalmte, aansluiting zoekend, de neiging om risico's te nemen en zichzelf te bezeren, zolang dat bezeren tenminste vooruitgang betekende. Ze lieten zich volledig gaan in een overdaad aan werk, mannen, en van tijd tot tijd een reis; in al deze dingen stortten ze zich met een ongewone hevigheid, waarbij ze verdwenen, zich schuilhielden en pas weken later weer boven water kwamen. Nu ze vijf jaar later allebei carrière hadden gemaakt in de City straalden ze een zekere rust uit, maar dat was misschien gezichtsbedrog. Waarschijnlijk was die rust het gevolg van vermoeidheid, van gebrek aan ontdekkingen en nieuwe uitdagingen. Het gevaar oefende nog steeds een grote aantrekkingskracht uit op beide vrouwen, en ze letten goed op of de ander er weer tekenen van vertoonde dat die aantrekkingskracht opnieuw de kop opstak. Ze belden elke dag en gewoonlijk zagen ze elkaar een keer in de week. Dit weekend zou een klein feest worden; ze hadden afgesproken om twee dagen samen door te brengen waarin ze zichzelf zouden verwennen met eten, wijn en winkelen.

Ze kusten elkaar hartelijk. Sarah overhandigde haar een van de kokers Baci.

'Alsjeblieft, zoetekauw.'

Mosami trok de koker open en schudde er een paar chocolaatjes uit.

'Heerlijk. M'n lievelingssnoep.' Ze duwde er een in Sarahs hand. 'Hier, neem er zelf ook een. Je ziet er weer een beetje magertjes uit, lieverd.'

'O god,' gaapte Sarah. 'Waarom maakt iedereen zich toch zo druk over mijn gewicht?'

Mosami keek haar dreigend aan. 'Dat weet je verdomd goed. En nu houd je je mond en eet je dat op.'

Lachend liepen de twee vrouwen naar de keuken, waar Mosami een fles wijn opentrok.

'En, hoe staat het leven?' vroeg Mosami terwijl ze Sarah een glas wijn gaf. Sarah nam een slok en liep naar de woonkamer. Mosami volgde met haar glas en de fles.

'Nou, het is een beetje vreemd zonder Eddie en Alex.' Sarah haalde haar schouders op. 'Ik moet er weer aan wennen. Soms vraag ik me af waar ik het voor doe. Misschien moet ik het volgende keer beter aanpakken, en een accountant uitzoeken of zo.'

'Beter!' snoof Mosami. 'Denk je dat dat beter zou zijn? Je zou binnen vijf minuten gek worden. Dat weet je best.'

'Ja. Waarschijnlijk wel. Maar toch...'

'Ik weet 't, lieverd. Het is moeilijk, maar vergeet het nou maar even. Dit wordt een heerlijk, ontspannend, manloos weekend. Ik heb allemaal plannetjes.'

Sarah glimlachte. 'Je bent een schat.'

'Weet ik.' Mosami deed haar best het gesprek een wat vrolijker wending te geven. 'En, wat heb je verder nog voor nieuws?'

Sarah aarzelde. 'Nou, eh... ik denk erover om van baan te veranderen.' Ze wachtte op Mosami's reactie.

'Waarom?'

'Vier jaar. Tijd voor verandering, weet je wel.'

'En dat is een reden?'

'Reden genoeg.'

Maak mij wat wijs, dacht Mosami terwijl ze opstond om nog een glas wijn in te schenken.

Het weekend vloog voorbij in een waas van zelfverwennerij. Sarah ging op zondagavond terug naar haar eigen huis. Ze liep door de stille kamers en ging bij haar antwoordapparaat zitten. Ze luisterde het bandje af in de hoop dat er nieuws zou zijn van Eddie en Alex. Er was geen berichtje van ze. Het enige belangrijke was het verzoek van Sue Banks die vroeg om haar terug te bellen.

Sarah zocht het nummer op in haar agenda en belde.

'Hoi Sue, met Sarah.'

'O, hallo Sarah, hoe is het met je?'

'Goed. Ik heb een lekker lui weekend achter de rug. Hoe is het met jou?'

'Ik zie op tegen maandagochtend, zoals gewoonlijk.'

'Je bent niet de enige.'
'Luister. ICB.'
'Mmm.'
'Wat bedoel je met mmm?'
'Nou, ik neem aan dat ik "o nee, ik heb 't verknald. Die kans kan ik wel vergeten" bedoel.'
'Hoezo?'
'Nou, Dante Scarpirato heeft me dertig minuten de tijd gegeven en me toen de deur uit gewerkt. Daarom.'
Sue lachte. 'Luister Sarah, als hij je niet aardig had gevonden, had hij je er al na vijf minuten uit gegooid. Hij wist al wie hij voor zich had. Hij vertrouwt me. Hij weet hoe goed je bent. Hij wilde alleen nog zien of hij je aardig vond. En dat doet hij.' Triomfantelijk hield ze haar mond.
'Vreemde manier om dat te laten blijken,' sputterde Sarah tegen.
'Zeg, stel je eens niet zo aan. Niet iedereen hoeft meteen voor je te kruipen.'
'Aanstellen. Ik denk toch niet...'
Sue viel haar in de rede. 'Luister. Scarpirato heeft me net gebeld. Hij is op dit moment thuis. Hij wil dat je contact met hem opneemt zodat jullie kunnen afspreken wanneer je de andere werknemers kunt ontmoeten.'
'Is dat niet een beetje ongewoon?' vroeg Sarah. 'Dat ik contact met hem op moet nemen, bedoel ik. Een beetje informeel.'
'Kom op nou Sarah, ik hoef je handje toch niet vast te houden?'
Sarah lachte. 'Nee, ik neem aan van niet. Wat is zijn telefoonnummer?' Sue dreunde het op. Sarah nam afscheid en belde meteen. Ze zag dat het een nummer in Chelsea was; het begon met dezelfde cijfers als haar eigen nummer. Dus ze waren buren.
'Dante, je spreekt met Sarah Jensen.'
'Goedenavond, Sarah.'
De stem klonk hard en gelijkmatig, bijna nog onbuigzamer dan bij hun ontmoeting, en er klonk een vleugje spot in door. Ze negeerde het en in de stilte die er volgde, peuterde ze wat vuil onder haar nagels vandaan.
'Kun je morgenavond om halfzeven op mijn kantoor zijn?'
'Dat zal wel lukken.'
'Uitstekend, tot dan.' Daarmee hing hij op.
Het korte gesprek liet Sarah verstoord achter. Er klonk een kil-

te door in deze bondigheid, een gebrek aan ontzag voor de etiquette van een gesprek. Veel handelaren waren zo, maar dit was geen botheid, of gebrek aan gespreksstof. Het leek vreemd genoeg alsof hij lak had aan formaliteiten.

De volgende dag zat Sarah lukraak wat te handelen, wensend dat ze kon vertrekken, wachtend tot het zes uur zou zijn. Toen het eindelijk zover was, haastte ze zich van haar afdeling naar het ICB-kantoor.

Hetzelfde donkere kantoor, een ander onberispelijk pak. En ditmaal het volledige team. Scarpirato knikte naar de twee mannen die op de met stof beklede stoelen bij zijn bureau hingen.

'Sarah Jensen, mag ik je voorstellen aan Matthew Arnott en Simon Wilson.'

Wilson sprong op en schudde vriendelijk lachend haar hand. Arnott treuzelde, stond half op, pakte haar hand kort vast, liet zich weer terugvallen op zijn stoel en keek langs haar heen. Scarpirato pakte een stoel van achter zijn bureau vandaan en ging tussen Arnott en Wilson zitten. Sarah ging op de lege stoel tegenover hen zitten. Ze legde haar schoudertas neer, knoopte haar jasje los, pakte een pakje sigaretten en stak er nonchalant een op. 'Geen bezwaar?'

Scarpirato schudde zijn hoofd en schoof een asbak naar haar toe.

'Ik lust er ook wel een,' zei Arnott. Hij verliet het kantoor even om een pakje van zijn eigen bureau te pakken en stak er ook een op toen hij terugkwam. Wolkjes sigaretterook dreven naar het plafond en vermengden zich met de geur van pasgerookte sigaren.

Sarah trok aan haar sigaret en bestudeerde de twee nieuwkomers onopvallend. Arnott zag eruit als een fotomodel van een glossy mannenmode-tijdschrift. Hij was een knappe Amerikaan van achter in de twintig. Een hoekige kaaklijn, blauwe ogen en steil, kortgeknipt, goed in model geföhnd haar. Het viel Sarah op dat hij zijn accent ook bijgeschaafd had. Zijn New Jersey-dialect was omgevormd tot de lijzige manier van praten van Boston, maar het kwam af en toe naar boven door afwijkend woordgebruik. Het totaalbeeld zou volmaakt zijn geweest, misschien zelfs opzienbarend, als zijn ogen en de trek rond zijn mond anders waren geweest. Zijn ogen waren hard en cynisch, en ze spotten met de rest van de wereld. Zijn mond was minachtend samengeknepen. Niet bepaald de meest innemende persoon die Sarah ooit had ontmoet. En ook niet bepaald iemand die haar snel in dienst zou nemen.

Simon Wilson leek daarentegen aardig en erop gebrand mensen een plezier te doen. Sarah schatte dat hij iets jonger was, een jaar of vierentwintig, dat hij pas een paar jaar in de City werkte en dat hij tot nu toe de neiging onderdrukt had om net zo blasé en zelfingenomen te kijken als de meeste van zijn vakgenoten. Hij had rossig haar en sproeten, en anders dan de anderen was hij gekleed in een gekreukt confectiepak. Hij ving haar blik op en glimlachte naar haar terwijl ze hem bestudeerde. Ze beantwoordde zijn glimlach en keek toen afwachtend naar Scarpirato. Hij bekeek haar zwijgend, zonder aanstalten te maken iets te zeggen. Hij draaide zich om naar Arnott. De twee mannen wisselden een blik, toen leunde Arnott naar voren en vroeg: 'En, wat denk je van *kabel* (dollar/pond)?'

Sarah glimlachte licht geamuseerd.

'Over welke periode hebben we het? De eerstkomende vijf minuten, vierentwintig uur, een week, een jaar?'

'Vijf minuten.'

'Ik heb geen idee,' zei Sarah breed grijnzend. 'Om vijf over zes heb ik voor het laatst gekeken en toen was het 1,4930-40. Ik weet niet wat de markt de afgelopen vijfenveertig minuten heeft gedaan en het is niet mijn gewoonte om dat soort cijfers te gokken. Maar ik denk dat de dollar zich langzaam maar zeker aan het versterken is.'

Arnott haalde zijn Reuter-zakcomputer te voorschijn, een klein apparaatje van zeveneneenhalf bij vijf centimeter, dat vierentwintig uur per dag de belangrijkste financiële wijzigingen en nieuwtjes doorgeeft. Hij toetste een commando in en tuurde naar het piepkleine schermpje.

'1,4910-20. Dat is inderdaad iets sterker,' zei hij langzaam. Hij gooide het over een andere boeg: 'En, waarom ga je weg bij Finlays?'

'Wie zegt dat ik daar wegga?'

'Je zit toch hier, of niet?'

'Ik zit hier zodat jullie iets meer te weten kunnen komen over mij, en ik over jullie.'

Arnott wierp een boze blik op Sarah. Ze staarde onaangedaan terug. Er hing een gespannen stilte. Wilson verbrak hem glimlachend: 'Je werkt met David Reed, hè?'

'Ja, ik zit naast hem. Is hij een vriend van je?'

'We spelen samen rugby,' lachte Wilson. 'Dat proberen we tenminste. Hij is meestal geblesseerd.'

'Vertel mij wat. Het lijkt wel of er altijd wel iets in het gips zit bij hem.'

'Lastig voor je,' zei Arnott.

Sarah keek hem een paar seconden aan zonder iets te zeggen en wendde zich toen af. Ze ving Scarpirato's blik op. Hij had een sigaar uit zijn zak gepakt die hij zorgvuldig aan zat te steken, waarbij hij tussen de trekjes door naar haar keek. Hij zat achterover geleund in zijn stoel en hield haar blik vast. Hij leek een onpartijdige toeschouwer die zich uitstekend vermaakte.

Sarah keek nijdig een andere kant op. Ze voelde zich het speeltje van de avond. Voor zover ze kon zien, was dat de enige reden dat ze op deze bijeenkomst was. Wilson vond haar aardig, Arnott kon haar niet uitstaan. Ze had geen flauw idee wat Scarpirato van haar vond en het kon haar op dit moment geen barst schelen. Ze keek op haar horloge en zei toen rustig en onverstoorbaar: 'Luister, dit alles is zeer plezierig maar ik moet over vijftien minuten ergens zijn, dus als jullie het niet erg vinden...'

Scarpirato's flauwe grijns verdween achter een kortstondig verraste blik. Met een ruk ging hij rechtop zitten.

'Natuurlijk. Excuses dat we je op deze korte termijn hebben laten komen.' Hij stond op. Arnott zei niets en keek haar na toen ze het kantoor uitliep. Wilson liep met haar mee naar de deur.

'Tot ziens. Leuk je ontmoet te hebben.' Hij schudde haar hand.

Sarah lachte naar hem. 'Insgelijks.' Scarpirato en zij liepen naast elkaar over de valuta-afdeling naar de lift. Geen van beiden sprak een woord. Toen de liftdeuren opengingen schudde hij haar hand.

'Dank voor je komst. We houden je op de hoogte.' Terwijl de deuren zich sloten draaide hij zich met een vage grijns om en liep weg.

'Krijg allemaal de klere!' foeterde Sarah, in haar eentje in de lift.

8

Sarah liep Lower Thames Street op, wachtte op een gaatje tussen het voorbijschietende verkeer en rende toen naar de overkant. Ze liep in de richting van Cannon Street, stapte een telefooncel vlak bij Bush Lane binnen, pakte de hoorn op en toetste een nummer in. Nadat de telefoon een paar keer was overgegaan, klonk er een licht trillende stem aan de andere kant.

Vijf minuten later hing Jacob Goldsmith, Sarahs oudste en dierbaarste vriend - eigenlijk een soort mentor - glimlachend op. Hij tilde zijn kat op en streelde de zachte, zwarte vacht.

'Het werd weer eens tijd dat ze op bezoek kwam, hè?'

Ruby nestelde zich in zijn armen, haar ogen dichtknijpend van plezier toen hij haar aaide om ze vervolgens verontwaardigd wijd open te sperren toen ze weer werd neergezet. Woest zwaaiend met haar staart keek ze hoe hij zijn schoenen aantrok, zijn portemonnee en sleutels van het tafeltje in de hal pakte, en de deur zachtjes achter zich dichttrok. Met een paar luide klikken vergrendelde hij de deur met drie zware sloten die ingebouwd zaten in een metalen plaat in de deur. Met allerlei recepten in zijn hoofd stak hij voorzichtig de straat over naar de supermarkt aan Golders Green Road.

Jacob Goldsmith was drieënzeventig jaar. Hij bezat de scherpzinnige wijsheid van iemand die veel meegemaakt heeft. Hij was beminnelijk en charmant tegen degenen van wie hij hield - van wie Sarah de belangrijkste was. Hij was altijd al vriendelijk en zachtaardig geweest, maar zijn huidige leeftijd voegde daar nog een bepaalde helderheid en zorgzaamheid aan toe, waarmee hij de mensen om zich heen omringde. Je kon hem niet gewoon 'aardig' noemen, want hij was veel meer dan dat. Daarbij kwam dat deze omschrijving slecht bij hem paste; hij was er veel te slim en bijdehand voor, en af en toe gedroeg hij zich nog een tikkeltje opstandig. Hij was nog steeds levendig en fit. Wanneer hij zich kleedde voor een bijeenkomst met zijn vroegere zakenpartners kon hij gemakkelijk doorgaan voor iemand van een jaar of zestig. Maar hij ontmoette hen niet vaak meer; twintig jaar geleden was hij met pensioen gegaan en zijn leven zag er tegenwoordig heel anders uit. Vooruitlopend op zijn pensionering was hij drieëntwintig jaar geleden verhuisd van East End naar het huis waar hij nu woonde in Golders Green. Sarahs tante Isla, een hoogleraar in de chemie aan de Universiteit van Londen, was zijn buurvrouw.

Een jaar nadat Jacob er was komen wonen, kwamen Sarah en haar kleine broertje Alex uit Amerika en trokken ze in bij Isla, hun vaders zus. Op het moment dat hun ouders omkwamen bij het auto-ongeluk was Sarah acht, en Alex zes. Toen alle zekerheden van zijn kindertijd ineens werden weggevaagd, stortte Alex' wereldje in. Sarah werd van de ene op de andere dag volwassen en nam de zorg voor hem op zich. Ze gingen van Isla houden, maar de leegte die hun ouders achterlieten kon ze niet vullen.

Isla was een schitterende vrouw die haar tijd vooruit was. In veel opzichten was ze een groot voorbeeld voor Sarah, maar ze was absoluut niet huiselijk. Alex en Sarah waren vaak op zichzelf aangewezen. Isla raakte regelmatig verdiept in haar onderzoek dat ze in een stoffige kamer boven in het huis uitvoerde. Etenstijden braken aan en gingen weer voorbij. Jacob was meestal buiten in zijn tuin bezig met zijn planten; een vriendelijke buurman. Tien jaar eerder was zijn vrouw overleden, hij had zelf geen kinderen en in de loop der jaren vormden de drie een gelukkig en harmonisch stel. Hij kookte regelmatig voor hen, Isla ging op hem rekenen en op die manier kwam er een onofficiële taakverdeling tot stand. Isla hielp de kinderen met hun huiswerk en gaf hen extra lessen in hun lievelingsvak; dat van Sarah was wiskunde, dat van Alex geologie. Jacob gaf hen te eten en hield ze bezig.

Hij leek te beschikken over een eindeloze voorraad verhalen: van zijn dagen met het cavalerie-korps in de Tweede Wereldoorlog, naar zijn reizen van na de oorlog, en weer terug naar zijn carrière in Londen, waar hij expert werd in het bouwen van brandkasten. En het kraken ervan.

Vooral Sarah was gefascineerd door dit gedeelte van Jacobs leven. Hij genoot van haar aandacht en bewaarde zijn meest bizarre verhalen speciaal voor haar. Na lang aandringen leerde hij haar hoe ze sloten open kon breken en kluizen kon kraken. Op haar negende kon ze haar eigen huis binnenkomen zonder sleutels en kreeg ze de kluizen van Jacob en Isla zonder moeite open. Ze deed het alleen maar voor de lol. Ze had geen enkele belangstelling voor wat erin lag, ze legde er zelfs alleen maar dingen bij. Elke keer als Jacob zijn kluis opende – wat misschien een keer in de paar maanden gebeurde – vond hij een stapeltje kleine briefjes van Sarah voor hem.

Hun ongebruikelijke opvoeding met die bonte invloeden en het vroege verlies leverden een bijzondere levenshouding op bij Alex en Sarah. Ze ontwikkelden een sterke persoonlijke trouw aan elkaar en aan Jacob en vermaakten zich met wat anderen in het gunstigste geval als misdrijven zouden beschouwen. In Jacobs kleine diefstalletjes zagen ze geen kwaad omdat de slachtoffers ongedeerd bleven - de verzekering vergoedde immers alles - en omdat Jacob duidelijk een lieve, aardige man was. Hij zorgde voor hen, hield van hen, speelde met hen en hielp hun persoonlijkheid ontwikkelen, wat grotendeels zonder conventionele regels gebeurde.

De reizen die Jacob tijdens de oorlog en in de drie daaropvolgende jaren voor zijn terugkeer naar East End had gemaakt, voedden Alex' liefde voor avontuur. Sarahs liefde voor Jacob, onverminderd door de wetenschap dat hij was wat de meeste mensen een crimineel noemen, ontwikkelde in haar al op jonge leeftijd het moraliteitsbesef dat afzonderlijke handelingen niet per se goed of fout hoeven te zijn. Ze groeide op met een hartstochtelijk en eigenaardig gevoel voor principes en gerechtigheid.

Jacob werd nooit betrapt of gearresteerd, maar als kind was Sarah altijd bang dat ze hem zouden komen weghalen. Haar angst verdween pas toen hij er echt helemaal mee stopte en haar beloofde dat hij het nooit meer zou doen. Maar ze groeide op met het besef dat het een karikatuur van rechtvaardigheid zou zijn geweest als hij in de gevangenis terecht was gekomen.

Ondanks het feit dat ze Isla weinig zagen, had ze toch een grote invloed op hun leven. Met zo'n onafhankelijke en succesvolle carrièrevrouw als enige vrouw in hun leven, en Jacob als hun verzorger, leefden ze niet tussen de gebruikelijke stereotypes. Alex, die door zijn tante en zijn zus gekoesterd werd, ontwikkelde een diep respect en grote liefde voor vrouwen, terwijl Sarah inzag dat haar kansen en ambities niet belemmerd werden door het feit dat ze een vrouw was. Ze groeide op vol onzekerheid over de duurzaamheid van liefde, maar vol vertrouwen in zichzelf.

Dit leverde haar na de middelbare school een studiebeurs van Cambridge op, waar ze wiskunde als hoofd- en bijvak nam. Vanaf haar kindertijd wilde ze al wiskundige worden, maar op Cambridge woonde ze een paar presentaties bij van handelsbanken die zaten te springen om goede, afgestudeerde wiskundigen voor hun ingewikkelde valutahandelsafdelingen. Sarah liet zich tot andere gedachten brengen. De eenzame wereld van de wiskunde begon zijn aantrekkingskracht te verliezen. Na het uitgebreid te hebben besproken met Jacob en Isla, besloot Sarah te kiezen voor een carrière in de City. Ze zou er veel mensen om zich heen hebben, het wereldje van een wiskundige zou toch te eenzaam voor haar zijn, en de City bood een overvloed aan uitdagingen en geld. En dat zou haar de vrijheid en veiligheid bieden waar ze zo'n behoefte aan had.

Dus Sarah werd valutahandelaar, en Alex een bergbeklimmer die in de tijd die hij nodig had om bekend te worden financieel gesteund werd door zijn zus. Wanneer hij zijn naam eenmaal gevestigd had, zou hij documentaires gaan maken en haar een beetje terugbetalen. En als zij genoeg had van de City, misschien over een jaar of tien, zou hij haar meenemen op zijn expedities. Ze hadden het plan helemaal uitgewerkt en na vijf jaar waren ze een aardig eind op weg.

Isla, die nu verlost was van haar ietwat mager uitgevoerde huiselijke verantwoordelijkheden, werd gastdocent aan de Universiteit van Zuid-Californië, op Berkeley. Ze zat daar nu al twee jaar en had haar huis verhuurd. Sarah verhuisde, nam een hoge hypotheek, gebruikte al haar spaargeld en kocht een huis aan Carlyle Square. Zij en Alex trokken erin. Drie maanden geleden was de kelderverdieping onder Sarahs appartement te koop aangeboden. De oude dame die daar had gewoond, had haar steeds moeilijker te handhaven onafhankelijkheid opgegeven om in Schotland bij haar zoon en zijn vrouw te gaan wonen.

Sarah was snel in actie gekomen. Ze wilde dat appartement al heel lang hebben. Isla en Jacob konden het gebruiken, of Alex zou er wat van zijn enorme uitrusting kunnen opslaan. En als Eddie deel uit bleef maken van haar wereldje konden ze wel wat meer ruimte gebruiken. Dus ze had haar hypotheek tot het maximum verhoogd, haar inmiddels weer aangevulde spaarrekening opnieuw geplunderd en de flat gekocht voor honderdzestigduizend pond. Dus op zevenentwintigjarige leeftijd bezat ze een huis in Chelsea van achthonderdduizend pond waarop een hypotheek rustte van vierhonderdduizend pond, en was ze aan banden gelegd door een goedbetaalde maar onzekere baan.

Twee jaar geleden zou ze die financiële onzekerheid niet hebben aangekund, maar de littekens uit haar jeugd waren verdwenen achter de successen uit haar volwassen leven. Het was niet zo dat ze gelukkig was met deze situatie, maar ze weigerde zich zorgen te maken en ze maakte zichzelf wijs dat deze onzekere situatie haar de opwinding verschafte die bij het leven van een gokker hoort. Nog een paar jaar in de City en dan zou ze haar hypotheek hebben afbetaald. Dan kon ze beginnen met sparen van wat ze haar 'verdwijngeld' noemde.

Ze was intelligent, succesvol, populair en knap, maar nooit echt zorgeloos. In veel opzichten was haar leven nu te mooi om waar te zijn, maar op de momenten dat ze daar over nadacht, wat niet vaak gebeurde, was ze altijd bang dat haar huidige rustige situatie van tijdelijke aard was.

Jacob vermoedde dat Sarah een bepaalde zelfvernietigingsdrang bezat en hij hield haar scherp in de gaten. Hij kende haar financiële situatie, maar hij maakte zich daar niet zulke zorgen over als zij. Hij had haar voor haar achttiende verjaardag een antieke ring met robijnen en diamanten gegeven. Toen ze afstudeerde, kreeg ze bijpassende oorbellen. De met robijnen en diamanten ingelegde ketting die hij op dit moment nog verborg in zijn slaapkamer, bewaarde hij voor een andere gelegenheid, hij wist nog niet welke. Als ze deze ketting zou verkopen, kon ze haar hypotheek in een klap afbetalen. Hij wist dat het moeilijk zou zijn om het sieraad in dit land te verkopen, maar hij kende bepaalde kopers die een uitstekend oog hadden voor goede juwelen en zich niet druk maakten over het ontbreken van een certificaat van oorsprong.

Hij zei niets tegen Sarah over de ketting, ze zou zich storen aan wat in haar ogen een gebrek aan vertrouwen zou zijn. Dat was het natuurlijk niet. Hij wist zeker dat ze het uiteindelijk zou redden, dat ze haar baan zou houden en dat ze haar schulden zou afbetalen... Hij wilde haar alleen het ongemak besparen, en het was fijn om te weten dat de ketting er was; een schitterende verzekeringspolis.

Energiek liep Sarah naar Bankstation. Het was verleidelijk om naar huis te gaan en andere kleren aan te trekken, maar al die reistijd was tijdverspilling en Jacob vond het prettig als ze er netjes uitzag. Als ze naar huis ging, wist ze zeker dat ze een legging en een paar gympen aan zou trekken. Ze kon net zo goed haar Citykleren aanhouden, vroeg bij Jacob aankomen en een beetje rondhangen terwijl hij kookte. Ze kocht de *Evening Standard* bij de krantenkiosk op Bankstation en voegde zich bij de drommen mensen die met de noordelijke verbinding mee moesten. Tien minuten later, net toen de menigte op het perron onhoudbaar groot begon te worden, kwam de metro. Sarah vocht zich een weg naar binnen, veroverde behendig een zitplaats, en was veertig minuten lang verdiept in haar krant.

Op Golders Green stapte ze uit. Ze nam een omweg via Golders Green Road naar de slijterij en kocht twcc flessen rode wijn. Jacob dronk bijna nooit witte wijn en hij had zijn voorkeur voor rode wijn op haar overgebracht. Al jaren voordat ze tijdens afspraakjes werd meegenomen naar chique restaurants was ze een wijnkenner.

Met het plastic tasje met de wijn liep ze de heuvel af, terug langs het station, en toen van de drukke hoofdweg naar de rustige Rotherwick Road. De straat stond vol roodstenen huizen die van de straat waren afgeschermd door goedverzorgde tuinen, waarvan de meeste vol stonden met rozen.

Vooral Jacobs tuin was prachtig. Vanaf het moment dat ze hem had leren kennen, had hij altijd veel tijd en aandacht aan zijn tuin besteed. En rozen waren zijn lievelingsbloemen. Er stonden wilde theerozen, torenhoge Kopenhagenrozen en – Jacobs trots – grote, rode Alexanderrozen die zwaar geurden. En er waren er nog veel meer. Als kind had hij haar alle namen geleerd, maar ze was de meeste nu vergeten.

Sarah duwde tegen het hek dat zachtjes piepend openging. Jacob weigerde het te smeren, hij gebruikte het als een soort waarschuwingssysteem. Het gepiep trok Ruby's aandacht. Ze kwam de hoek omgewandeld en spon zichzelf rond Sarahs kuiten. Met een hand tilde Sarah haar op en met de andere belde ze aan, waarbij de flessen zachtjes tegen de koperen deurklink tinkelden.

Binnen een paar seconden stond Jacob in de deuropening, breed grijnzend.

'Hoi liefie.' Hij omarmde haar, waarbij Ruby klem geperst werd, zoende Sarahs wangen en keek hoopvol naar de plastic tas. 'Wat heb je voor me meegebracht? Iets fatsoenlijks, hoop ik?' Hij opende de tas en inspecteerde de flessen. De grijns werd nog groter. 'Niet slecht. Ik ben blij dat je iets geleerd hebt.'

Sarah lachte. 'Alles wat ik weet, en nog veel meer...' Ze liet Ruby voorzichtig op de grond zakken en volgde Jacob naar de keuken. Hij pakte twee dunne, grote glazen uit een oud, eiken dressoir en opende een fles wijn. In twee glazen ging bijna een halve fles. Sarah had Jacobs gewoonte overgenomen om de hoeveelheid drank te tellen per glas.

'Het eten is bijna klaar. Ga jij maar lekker *Coronation Street* kijken, dan kan je mij vertellen wat er gebeurt. Ik geef wel een gil als ik zover ben.'

Sarah nam haar glas mee naar de woonkamer en plofte op de bank voor de televisie. De aflevering van *Coronation Street* was al halverwege. Sarah nipte van haar wijn, zapte wat verschillende zenders af, pakte toen een oud exemplaar van *The Spectator* en probeerde te lezen.

Twintig minuten later stak Jacob zijn hoofd om de deur. 'En, wat is er gebeurd?'

'Wat?' Sarah keek verbaasd op.

'Op *Coronation Street*. Wat is er gebeurd?'

Sarah lachte schaapachtig. ''t Spijt me, Jacob. Ik heb mijn aandacht er niet bij gehouden.'

'Aandacht. Wat een onzin. Je hoeft helemaal niet op te letten als je daarnaar kijkt.' Hij wierp een onderzoekende blik op haar vanaf de andere kant van de kamer. 'Nou ja, het doet er ook niet toe, kom nou maar een hapje eten.'

Sarah volgde hem braaf naar de keuken. Ze ging vast aan tafel zitten terwijl hij een enorm stuk kip op haar bord legde.

'En dat eet je op. Je bent weer vel over been zoals gewoonlijk.'

'Niet waar,' zei Sarah, plotseling hongerig.

Jacob zat met kleine hapjes te eten, en keek een tijdje naar Sarah voordat hij vroeg: 'Zo, vertel me nu maar eens wat er aan de hand is.'

Sarah slikte een grote hap door en legde haar vork neer. 'Hoe bedoel je, wat er aan de hand is?'

Jacob keek geërgerd. 'Aan de hand, aan de hand. Wat denk je dat ik bedoel?'

Sarah zuchtte en nam een slok wijn. 'Luister Jacob. Ik kan je niet altijd alles vertellen. En ik weet niet zeker of je je hier wel mee mag bemoeien.' Ze zag de tranen in zijn ogen staan en kon haar tong wel afbijten.

'O god, Jacob, 't spijt me. Zo bedoel ik het helemaal niet. Ik ben gewoon een beetje prikkelbaar sinds Eddie en Alex weg zijn. En ik slaap niet zo best...'

Jacob nam een grote slok. 'Al goed, liefje. Maak je niet druk.' Hij was even stil. 'Maar dat is het niet, hè? Daar ben je verdrietig om. Dat heb ik eerder gezien. Maar je bent van slag, is het niet?'

Sarah bestudeerde Jacobs doorleefde gezicht dat helemaal strak stond van bezorgdheid. 'Ik kan ook niks voor je achterhouden, hè?'

Met een zucht van opluchting leunde Jacob naar achteren en wachtte.

'Ik kan het je net zo goed vertellen,' zei Sarah. 'Ik denk niet dat het kwaad kan. Ik sta op het punt bij iets vreemds betrokken te raken. Eigenlijk ben ik er al bij betrokken.' Ze was een tijdje stil. 'Het is gewoon een rare toestand, dat is alles.'

Langzaam trok Jacob het hele verhaal eruit; Carter, Barrington en Scarpirato.

'Dus je begrijpt,' sloot ze af, 'ik wil die baan, Scarpirato's baan, en die van de president van de Bank. Ik voel me alleen een beetje ongemakkelijk. Ik heb het goed bij Finlays. En met Eddie. Alles is lekker rustig.'

'En dat kan je niet gewoon zo laten zeker?'

'Nee,' zei Sarah. 'Dat kan ik niet.'

'Dus wat ben je van plan?'

Sarah glimlachte. 'Als ze me de baan aanbieden, neem ik hem.'

Jacob grijnsde haar toe. 'Ik denk dat dit wel eens leuk zou kunnen worden.'

Sarah keek hem bedachtzaam aan. 'Die blik heb ik eerder gezien, Jacob Goldsmith. Wat heb je voor me in petto?'

'Laten we eerst maar eens zien of je die baan krijgt, goed?'

9

Twee dagen lang hoorde Sarah niets van Sue Banks of Dante Scarpirato. Op de eerste dag voelde ze zich bijna opgelucht, en was ze blij dat ze door kon gaan met haar gewone leventje. Op de tweede dag begon ze zich zorgen te maken: misschien was de baan naar iemand anders gegaan. Op dat moment besloot ze dat ze de baan echt graag wilde hebben. Op de derde dag maakte ze zichzelf nonchalant wijs dat het haar niets kon schelen of ze die baan nou wel of niet kreeg, en dat ze zelf wel zou besluiten of ze de opdracht aannam... Natuurlijk was dat juist de dag dat Sue Banks belde.

Het was woensdagavond, halfnegen. Sarah was net terug van de sportschool, en als beloning had ze voor zichzelf een portie frites meegenomen die ze bij Johnny's Fish Bar op World's End in een krant hadden verpakt. Verstoord greep Sarah de hoorn van de haak; hij viel bijna uit haar vette vingers.

'Ja.' Het klonk meer als een vraag om uitleg dan als een gewoon antwoord.

'O, pardon hoor,' lachte Sue.

'Sorry Sue,' zei Sarah en ze slikte een handvol frites door. 'Je weet wel, dieren die gevoederd worden... niet storen, en zo.'

'Ik ken 't. Zal ik je zo terugbellen?'

'Nee, laat maar. Ik eet gewoon zachtjes door.'

'Gedver. Nou ja, luister, Scarpirato hing net weer aan de lijn. Hij wil je morgen ontmoeten als dat gaat.'

'Dus hij wil me zien?' Haar hand bleef onderweg naar haar mond steken. Ze glimlachte breeduit. 'Dat is me nou ook wat.' Ze stopte het patatje in haar mond en kauwde een tijdje in stilte.

'Nou...' zei Sue gepikeerd. 'Wil je die baan nou, of niet?'

Sarah negeerde de vraag. 'Hoe ver is hij met de procedure?'

'Hij heeft acht andere mensen gesproken,' antwoordde Sue rustig, 'en er komen er nog twee.'

Het was even stil.

'Sarah, wil je die baan of niet? Je klinkt wat onzeker.'

Sarah lachte in zichzelf. 'Laten we eerst maar eens kijken wat meneer Scarpirato te zeggen heeft, goed? Zeg hem maar dat ik morgenavond om halfzeven op zijn kantoor ben.'

'Goed, mevrouw.'

Om tien voor halfzeven de volgende avond, zat Dante Scarpirato met Matthew Arnott en Simon Wilson in zijn kantoor over de laatste sollicitant te praten; het ging om een negenentwintigjarige Amerikaan, een goede vriend van Arnott – de twee hadden samen op Brown University gezeten.

'Hij lijkt me heel geschikt.' Arnott wierp een korte blik op Scarpirato. 'Het is een goede handelaar en hij past bij ons team.' Hij wachtte even, voelde zich ongemakkelijk in de stilte die er viel en voegde er toen zwakjes aan toe: 'Mijn zegen heeft-ie in ieder geval.'

Scarpirato nam een lange trek van zijn sigaar, en wendde zich tot Arnott.

'Die vent is niet goed wijs. Wat kan jij toch vreselijk stom zijn.'

Arnotts gezicht werd rood. Simon Wilson tuurde naar zijn schoenen. Arnott stak een sigaret op, hield hem tussen zijn duim en wijsvinger en wees ermee naar Scarpirato. 'Wie wil je dan hebben?'

Scarpirato ademde hardop uit. 'Dat wil ik nou juist met jullie bespreken, als je me even de kans geeft.'

Er verscheen een secretaresse in de deuropening op het moment dat Arnott antwoord wilde geven.

'Sarah Jensen is bij de receptie. Zal ik haar boven laten komen?'

'Ja, graag. Maar breng haar nog even naar mijn bureau op de afdeling. Vraag maar of ze daar een paar minuutjes wil wachten. Ik kom haar ophalen zodra ik hier klaar ben.'

De secretaresse draaide zich om en verdween naar de receptie. Een paar minuten later kwam ze terug met Sarah en bracht haar naar Scarpirato's bureau, ongeveer vijf meter van het kantoor.

Sarah zat schuin op het bureau. Ze deed alsof ze zat te lezen in de *Evening Standard* die ze voor zich hield, terwijl ze probeerde te horen wat er gezegd werd in Scarpirato's kantoor. Er was alleen maar vaag gemompel te horen. Sarah gaf het op en richtte zich op de krant: het had geen enkele zin naar aanwijzingen te zoeken door de drie mannen te bekijken. Voor alle vier de glazen wanden en de glazen deur hingen rolgordijnen. Als je van buiten naar binnen keek, zag je alleen maar vage silhouetten.

Van binnen naar buiten was het zicht veel scherper. Scarpirato bekeek Sarah door de gordijnen terwijl hij met zijn collega's zat te praten. Hij luisterde naar hun stemmen en liet zijn blik op haar rusten. Arnott hing expres ongeïnteresseerd onderuitgezakt op zijn stoel, met zijn armen hoog boven zijn hoofd gestrekt. Hij stak een nieuwe Marlboro op.

'Kunnen we dit morgen niet bespreken?' vroeg hij.

'Ik zou jullie mening nu graag willen weten.' Scarpirato hield zijn blik op Sarah gericht terwijl hij sprak.

'Waarom? We hebben ruim de tijd. Er komt nog een sollicitant, dus we hoeven nu nog niet te beslissen.'

Scarpirato bleef naar Sarah staren. Kalm antwoordde hij: 'Omdat ik voorstel haar de baan aan te bieden.'

'Je bent verdomme niet wijs, Dante. Je weet precies hoe ze zal zijn. Het is een verwaande trut die af en toe eens binnen zal wandelen als het haar uitkomt, ze zal een klein beetje werk uitvoeren tussen al haar andere afspraakjes en de boel hier alleen maar komen verstoren.'

Scarpirato verlegde zijn blik van Sarah naar Arnott.

'En hoeveel heb jij vorig jaar voor ons verdiend?'

Arnott keek ongemakkelijk. 'Waarom kijk je niet naar dit jaar? Je weet best dat ik al een paar miljoen in de plus sta.'

'Ja, en een paar miljoen in de min vorig jaar, toen Sarah Jensen toevallig zes miljoen verdiend heeft voor Finlays. We kennen haar reputatie allemaal; ze mag dan misschien af en toe binnenwandelen zoals jij het noemt, maar ze levert in een uur beter werk dan jij in een hele week.' Scarpirato glimlachte naar Arnott. 'Je hebt mijn beslissing gehoord. McPherson is al twee weken weg. We moeten een vervanger hebben. We kunnen de City maandenlang blijven uitkammen, en dan vinden we niemand die zo goed is als zij...'

Of er zo goed uitziet, dacht Arnott bitter.

'Dus doe me een lol, en vraag of ze binnenkomt. En verdwijn dan, allebei.'

Kwaad stampte Arnott naar buiten, gevolgd door Simon Wilson. Met een verwrongen glimlach zei Arnott tegen Sarah: 'Hij wil dat je binnenkomt.' Hij knikte naar het kantoor, greep zijn jasje van de rugleuning van zijn stoel en liep de afdeling af. Wilson zei glimlachend 'Hallo' en 'Tot ziens' en verdween eveneens.

Scarpirato zat een sigaar te roken. Hij bekeek Sarah aandachtig toen ze het kantoor binnenkwam. Hij gebaarde naar een stoel. Ze voelde zich ongemakkelijk onder zijn intense blik. Een licht geamuseerde glimlach krulde om zijn lippen. Een beetje opstandig staarde Sarah terug, wat zijn glimlach alleen maar breder leek te maken. Ze wilde zich bukken om een sigaret uit haar tas te pakken. Ze wilde zijn blik loslaten en haar ogen afwenden omdat ze bang was dat ze te veel lieten zien, maar ze bleef hem gefascineerd aankijken. Zonder iets te zeggen staarden ze elkaar aan. Geen van beiden wilde als eerste iets zeggen of een andere kant opkijken. Eindelijk boog hij zich naar voren en plotseling was de spanning verdwenen. Terwijl hij sprak, leek hij een andere gedaante aan te nemen: die van de toekomstige werkgever, vormelijk, afstandelijk en zakelijk.

'Goed, Sarah, we hebben met z'n allen besloten dat je een welkome aanvulling op ons team zou zijn.' Arnotts gezicht schoot haar te binnen en Sarah barstte bijna in lachen uit.

'Welkom bij ICB.'

Hij leek er zeker van te zijn dat ze de baan zou aannemen. Hij keek even vluchtig onderzoekend naar een instemmende blik van haar kant en ging toen achteloos door: 'Ik wil je zo snel mogelijk op de werkvloer hebben. Wanneer kun je beginnen?'

Sarah knipperde met haar ogen na deze mededeling en ze wendde haar ogen af. Hij had het langzaam en weloverwogen gezegd, met nadruk op ieder woord. Op zich had hij niets vreemds gezegd, maar het feit dat hij het zei... Ze bestudeerde zijn gezicht. Opnieuw die geamuseerde glimlach. Ze had het gevoel dat hij haar uitdaagde. Ze keek hem aan en glimlachte.

'Ik wil een garantiesalaris van vijfhonderdduizend pond voor het eerste jaar, en dan begin ik aanstaande maandag.'

Scarpirato schoot naar voren en bestudeerde haar door zijn tot spleetjes geknepen ogen.

'Een half miljoen? Dat is iets meer dan ik in mijn hoofd had.'

'Graag of niet.'

'Goed Sarah, maar ik hoop dat je weet wat je doet met zo'n hoge inzet. Je moet wel èrg goed zijn.'

Laten we voor jou hopen dat ik dat niet ben, dacht Sarah.

Scarpirato stond op en kwam achter zijn bureau vandaan. Hij bleef naast haar stoel staan. Ze stond op en keek hem recht aan. Zijn gezicht was onrustbarend dicht bij het hare. Ze bukte zich om haar tas te pakken en deed een stap naar achteren. Hij keek hoe ze zich klaarmaakte voor vertrek.

'Ik heb één vraagje,' zei Sarah terwijl ze het kantoor uitliepen. 'Matthew Arnott schijnt me niet zo te mogen. Ik geloof niet dat hij me er graag bij wil hebben.'

Scarpirato lachte. 'Maak je over hem maar geen zorgen. Het is een onaangename vent. Maar het is een briljante handelaar. Hij verdient veel geld voor ons en hij vindt dus dat hij zich als een klootzak mag gedragen. Je kent die types wel...'

Sarah glimlachte spottend. 'Jazeker. Ik ken die types.'

Ze liepen over de handelsafdeling die nu rustig en bijna leeg was naar de rij liften.

'Ik zal zorgen dat je het contract morgenvroeg hebt,' zei Scarpirato.

Sarah knikte. 'Stuur het maar naar mijn privé-adres als je wilt. Dan heb ik het voordat ik naar Finlays ga.'

Scarpirato stak zijn hand in zijn binnenzak en haalde er een pen en een kleine agenda uit. Hij bladerde naar de laatste pagina's. Sarah zag dat het het adresgedeelte was. Ze noemde haar adres en keek toe hoe hij het opschreef en de agenda en pen weer in zijn binnenzak stopte. Ze glimlachten. 'Dan zie ik je maandag,' zei hij.

'Ja, tot maandag.'

Hij keek haar vragend aan, alsof haar toon hem verraste, draaide zich toen om en liep weg. Sarah zag hem tussen de wirwar van bureaus verdwijnen. De lift kwam eraan. Ze ging in haar eentje naar beneden; het zweet stond op haar rug. Ze wandelde over Idol Lane naar Eastcheap, nam daar een taxi en liet zich onderuitzakken op de bank terwijl ze een sigaret opstak. Ze had de baan. Twee uur geleden had ze nog niet verder gedacht dan dat. En nu vroeg ze zich af waar ze aan begonnen was.

De volgende ochtend zat ze thuis te wachten tot een koerier het ICB-contract kwam brengen. Om tien uur kwamen er twee exemplaren. Ze ondertekende er een en gaf het aan de koerier mee terug; het andere exemplaar was voor haar eigen administratie. Daarna snelde ze naar de telefoon om Anthony Barrington te bellen. Zijn secretaresse zei dat hij in bespreking was. Sarah vroeg of hij haar met spoed terug kon bellen. Dat deed hij tien minuten later.

'Meneer Barrington, fijn dat u me terugbelt. Goed nieuws. Ik heb de baan. Ik begin aanstaande maandag.'

'Goed gedaan, Sarah. Dat is schitterend nieuws. Geweldig. Dat is een hele eer voor je!' Hij nam een adempauze en zei toen quasi serieus: 'Maar ik hoop dat je ze geen al te grote poot hebt uitgedraaid. Dit kan wel eventjes gaan duren en ze moeten je wel kunnen blijven betalen.' Ze lachten samen. Ze wisten allebei dat ze ruimschoots beloond zou worden voor haar werk. Het risico lag in het feit dat ze ontdekt kon worden voordat ze genoeg bewijsmateriaal verzameld had. Als Scarpirato tenminste schuldig was. Dan zou ze op zijn minst ontslagen worden; vijfendertig miljoen pond per jaar was de moeite waard om meedogenloos te verdedigen.

De president van de Bank hing op en vroeg aan zijn secretaresse of ze James Bartrop voor hem wilde bellen. Een paar seconden later had hij Bartrop aan de lijn.

'Barrington.'

'Bartrop, ze heeft de baan.'

'Prachtig. De raderen beginnen te draaien.' Er viel een stilte. Barrington kon de hersens van de ander bijna op volle toeren horen werken.

'We zouden de zaak nu nog wat verder moeten consolideren,' ging Bartrop verder.

Barrington fronste zijn wenkbrauwen. Nog meer raadseltjes. 'Consolideren?'

'Ja. Financieel. We moeten haar geld geven, contanten, voor onkosten.'

'Onkosten? Wat voor onkosten?'

'O, weet ik veel. Daar gaat het niet om.'

Barrington vroeg zich af waar het dan wèl om ging.

'Daarmee binden we haar aan ons. Het is eigenlijk een gebaar. Ook dit is weer de normale gang van zaken. Het maakt het realistischer. Daardoor nemen ze hun werk serieuzer.'

'Ik begrijp het. Hoeveel?'

'O, een paar duizend.'

'Dat is niets voor een meisje met haar inkomen.'

'Dat geeft niet. We moeten haar ook niet te veel geven, dan wordt het verdacht. Het is maar een symbool. Wij betalen wel. Ik zal zorgen dat je het over een half uurtje hebt. Als jij nou een afspraak met haar maakt? Hoe eerder je het geld overhandigt, hoe beter. Het zet de toon.'

'Goed, dan verwacht ik je pakje. Ik zal kijken wat ik kan regelen.'

Sarah liep het gebouw van Finlays binnen met een gevoel van opwinding en onrust. Tijd om haar ontslag in te dienen. Het kon maar beter zo snel mogelijk gebeuren. Ze liep haar bureau voorbij, rechtstreeks naar Jamie Rawlinsons kantoor. De meeste chefs hebben zowel een eigen kantoor als een bureau op de werkvloer. Op handelsafdelingen heb je geen enkele privacy, de geheimen vliegen er van mond tot mond, dus aparte kantoren zijn van wezenlijk belang.

'Goedemorgen, Jamie. Heb je tien minuutjes voor me?'

Hij probeerde haar over te halen om te blijven. Zonder succes probeerde hij Carter te pakken te krijgen, die die dag voor zaken in Parijs zat. Sarah liet zich niet vermurwen. Het was tijd om eens verder te kijken. Ze liep terug naar haar bureau om de paar persoonlijke bezittingen die daar lagen te pakken. Haar bewegingen waren bruusk, ze was hier niet langer welkom, ongewenst. Ze hoorde nu bij de concurrentie en de handel was te gevoelig om haar hier zomaar rond te laten wandelen. Haar persoonlijke bezittingen zouden door een koerier naar haar huis gebracht worden. Al lang geleden had ze alles van zakelijke waarde gekopieerd of meegenomen. Ze pakte haar schoudertas en begon aan haar weg over de afdeling. De stem van David Reed deed haar abrupt stilstaan.

'Sarah, telefoon. Dringend. Iemand die zijn naam niet wil noemen.'

Sarah vloekte in stilte. Ze wilde zo snel mogelijk dit pand uit. Ze liep terug naar haar oude bureau, pakte de telefoon op en tikte lijn één in.

'Ja, hallo.'

'Ah, Sarah. Ik ben blij dat ik je nog te pakken heb kunnen krijgen. Je spreekt met Anthony.'

Sarah fronste, ze herkende de stem, maar de naam zei haar niets.

'O, u bent het, meneer Barr...'

Hij viel haar in de rede. 'Ja, ik ben het. Het spijt me, ik kan het nu niet te lang maken. Zou je even bij mij op kantoor langs kunnen komen? Over een half uurtje?'

'Ja hoor, prima.'

'Tot dan,' en de verbinding was verbroken.

Sarah pakte haar tas weer op, liep nu voor de laatste keer over de afdeling en daarna de deur uit. Ze voelde zich niet helemaal op haar gemak. Het was nooit leuk om ergens na vier jaar te vertrekken. Ze voelde de bekende scheut van onzekerheid in haar maag. En dan dat vreemde telefoontje, waarbij Barrington zo vreselijk zijn best deed zijn identiteit te verbergen. Het bracht vervelende herinneringen in haar naar boven. Ze had ooit een verhouding gehad met een getrouwde man. Hij vond het niet prettig om zijn naam te gebruiken als ze met elkaar belden en hij kondigde zichzelf dus ook nooit aan. Zijn terughoudendheid kwam op haar over als belachelijke achtervolgingswaanzin. Ze nam het hem kwalijk, op die manier was hij haar ook ontrouw. Na drie maanden verliet ze hem, vastbesloten deze ervaring nooit meer te herhalen.

Ze duwde de herinnering uit haar gedachten, maar het onplezierige gevoel bleef. Ze liep Old Broad Street op, de warme junizon in. De Bank was maar twee minuten verderop en ze had een half uur. Ze ging naar Finsbury Circus en probeerde daar in het groene park haar ongerustheid van zich af te wandelen. Waarom dat dringende telefoontje? Waarom wilde hij haar spreken? Werd de hele zaak afgeblazen?

Plotseling liep ze te trillen. Ze had haar ontslag ingediend bij Finlays, dat was niet meer terug te draaien. Ze zou nooit bij Finlays zijn weggegaan om bij ICB te gaan werken als Barrington haar die speciale baan niet had aangeboden. Misschien was hij om onverklaarbare redenen van gedachten veranderd. Misschien vond hij haar toch niet zo geschikt. Een golf van paniek sloeg door haar heen. Misschien had hij iets ontdekt.

Ze ging op een bankje zitten en graaide in haar tas naar een sigaret. Ze stak hem aan, inhaleerde diep en voelde de nicotine door haar lichaam stromen. Met diepe halen rookte ze de sigaret op tot aan het filter.

Plotseling moest ze om zichzelf lachen. Ze zag spoken. Ze drukte de peuk uit, stond op en mompelde zachtjes 'Barst'. Toen draaide ze zich om en liep ze naar Threadneedle Street, naar de Bank of England.

'Ha, Sarah. Fijn dat je er bent. Het spijt me dat ik je op deze korte termijn heb laten komen. Maar het is gelukkig gelukt. Erg fijn.'

Hij trok een la open, haalde er een envelop uit en schoof hem over het bureau naar Sarah. Ze liet hem liggen.

'Voor jou. Hier kun je de eerste kosten mee dekken. Ik ben er van overtuigd dat je het goed zult weten te besteden.'

'Dat is echt niet nodig, meneer Barrington.'

'Kom, kom. Je weet nooit waar je het voor nodig zult hebben. Het hoort bij je opdracht. Neem het alsjeblieft aan.'

Sarah haalde haar schouders op. Ze stak een hand uit en stopte de envelop zonder erin te kijken in haar schoudertas. Ze keek Barrington aan. Hij zat haar vriendelijk toe te lachen, als een vader die net zakgeld aan zijn kind gegeven heeft. Alleen was dat niet de manier waarop Sarah het zag.

Barrington keek op zijn horloge, stond op en stak een hand naar haar uit.

'Nou Sarah, tot ziens, en veel succes. Vanaf nu sta je er grotendeels alleen voor. Ik sta natuurlijk volledig achter je, maar ik zal me voornamelijk op de achtergrond houden, onzichtbaar zogezegd. Dat is voor je eigen bestwil. Anders wordt het een beetje verdacht. Je belt me als je iets nodig hebt, hè?'

Hij had nog steeds een brede glimlach op zijn gezicht, maar de warmte was eruit verdwenen. Sarah voelde de afstandelijkheid. Alsof ze in een hokje opgeborgen werd. Dus zo stonden de zaken. Prima. Ze zag de logica er wel van in. En wat hij kon, kon zij ook. Ze schudde zijn hand. 'Tot ziens, meneer Barrington.'

Thuis keek ze pas in de envelop. Zittend aan haar bureau sneed ze hem open met een mes en haalde er drieduizend pond uit. Ze stopte het geld weer terug en legde het in een afgesloten la. Drieduizend pond. Onkosten. Waarvoor?

Sarah verkleedde zich in haar slaapkamer en ging hardlopen.

10

James Bartrop zat een extra sterke espresso te drinken in zijn kantoor in het Century House, een twintig verdiepingen tellende, armoedig uitziende kantoorflat, gevestigd op Westminster Bridge Road 100, in het zuidoosten van Londen. Het gebouw stond er sinds 1961, en het was overduidelijk een gebouw dat uit die tijd stamde: grijs, grauw, karakterloos, somber en niet populair bij de bewoners. Het enige onderscheid was gelegen in het feit dat de eerste acht verdiepingen beschermd waren met een anti-bom gaaswerk.

Binnenkort zou MI6 verhuizen naar het nieuwe kantoor in Vauxhall, net ten zuiden van de Theems, hemelsbreed minder dan een kilometer van de Houses of Parliament verwijderd. Het pand, waarvan de bouw 240 miljoen pond had gekost, had niet duidelijker kunnen afsteken bij Century House. Het was een produkt van de zelfverheerlijkende architectuur van de jaren tachtig. De pers had er al de bijnaam 'Torens van Babylon' voor gebruikt, waardoor het gebouw enigszins bespottelijk werd gemaakt. Het was ook niet ontworpen om op te gaan in de omgeving, maar juist om individualiteit uit te stralen, om de aanwezigheid van elke steunbeer en toren en elk groen getint raam de wereld in te schreeuwen. Misschien niet de meest passende ruimte voor de Secret Intelligence Service, maar aan de andere kant stond de SIS op het punt om officieel erkend te worden; met andere woorden, haar bestaan zou in een besluit van het parlement worden vastgelegd, en dit nieuwe gebouw scheen dit bericht op zijn eigen schandalige manier aan iedere, zelfs vaag geïnformeerde, passant te willen doorgeven.

Het was de bedoeling dat de SIS in 1994 ging verhuizen. Toen Bartrop in het begin de bouw van het nieuwe pand zag vorderen, was hij geïrriteerd door de vulgariteit ervan, maar al snel raakte hij eraan gewend, en begon hij zich zelfs te verheugen op het werken te midden van al die mogelijkheden, moderne apparatuur en het sensationele uitzicht. Maar hij was niet het soort man dat zich druk maakte over zijn omgeving. Hij leefde grotendeels als een asceet, en hij tilde zwaarder aan zijn innerlijk dan aan het comfort dat hij zichzelf toestond. Hij was pas gelukkig, dat wil zeggen hij was op zijn best, als hij een allesoverheersend doel had dat structuur in zijn leven en zijn gedachten bracht.

Maar dat was niet het beeld dat de wereld om hem heen van hem had. Oppervlakkig bezien was hij net zo genotzuchtig als de meeste vijfenveertigjarige vrijgezellen die zich verrijkt hebben door een erfenis. Hij at goed, dronk matig. Door de week woonde hij in een groot huis aan Chelsea Square. In de weekenden reed hij, afhankelijk van het seizoen, in tweeëneenhalf uur naar zijn buitenhuis in Gloucestershire, of hij vloog naar Zuid-Frankrijk of de Alpen, bijna altijd in vrouwelijk gezelschap. Afgezien van beroepsmatige onderbrekingen was het een leven vol regelmaat, gevuld met regelmatig wisselende mensen.

Geen van de vrouwen bleef lang in beeld. Maar er waren er altijd genoeg om de lege plaats weer op te vullen. De voor de hand liggende minpunten van een wat oudere vrijgezel zorgden er slechts voor dat de keuze enigszins beperkt werd, want Bartrop zag er lichamelijk nog steeds goed uit; ruim een meter tachtig lang, gespierd lijf, krachtig gezicht, golvend bruin haar en blauwe ogen die nog maar weinig van hun glans verloren hadden. Licht spottend kijkende ogen, zo toonde hij ze aan de buitenwereld. Zijn aangeboren cynisme hield hij zoveel mogelijk verborgen.

Daarnaast was er ook nog het psychologische aspect van zijn aantrekkingskracht: de uitdaging van de historisch gegroeide onbereikbaarheid, vergroot door de ondoorgrondelijkheid die gecultiveerd werd door het beroep dat hij uitoefende. Kortom, vrouwen vonden hem aantrekkelijk, en in het bijzonder een speciaal soort vrouwen; het soort dat niet zo erg zuinig is op zichzelf, en daar waren er genoeg van... Bartrop leidde in de ogen van veel mensen een benijdenswaardig leven, en over het algemeen was hij het daar wel mee eens.

Zijn probleem was dat hij het niet altijd zo voelde. Het bood hem afleiding. Net zoals zijn werk een afleiding vormde, dat zag hij wel in, maar in ieder geval was het ook waardevol voor hem, en daar hield hij sterk aan vast. Hij was niet iemand die aan het geloof hechtte, die eigenschap zou hem gevaarlijk en waarschijnlijk onbruikbaar voor zijn soort werk hebben gemaakt. Maar hij had een doel, en hij had het er voor over om de veronderstelde stabiliteit en duurzaamheid van een huwelijk op te offeren om dat doel te bereiken. Eenvoudig gesteld was dat de levensovertuiging die hij voor zichzelf had ontwikkeld. En deze visie leek zeer goed hanteerbaar.

Soms gaf zijn werk hem een rustig, plezierig gevoel. Die ochtend, terwijl hij aan Sarah Jensen zat te denken, genoot hij van een van die spaarzame momenten van verwachtingsvolle tevredenheid. In het begin van een nieuwe relatie voelde hij zich ook vaak zo, maar er hing steeds weer een schaduw over deze gevoelens, omdat het van tevoren al vast stond dat er minder plezierige stemmingen en emoties zouden volgen: ongeduld, desillusie en bitterheid aan de kant van het meisje, en aan zijn kant een berustende houding over het feit dat er weer een relatie voorbij was. Maar bij zakelijke werkzaamheden, zoals bij Sarah Jensen, bestond die zekerheid niet. Het was allerminst zeker dat deze relatie, al was ze dan vaag en gedelegeerd, in een drama zou eindigen. Als alles goed geregeld werd en er een redelijke portie geluk in het spel bleef, in ieder geval weinig pech, dan zou dat niet gebeuren. Hij moest toegeven – in ieder geval aan zichzelf – dat het gevaarlijk was, maar, zoals hij Barrington had verzekerd, alles was onder controle.

In het begin had hij zijn twijfels over Sarah Jensen. Mooie vrouwen waren niet te vertrouwen. Een overdaad aan bewondering en te veel mogelijkheden, leidden niet altijd tot stabiele persoonlijkheden. Maar hoe je het ook wendde of keerde, Sarah Jensen stond met beide benen op de grond, ondanks haar tragische jeugd. En haar schoonheid kon misschien juist handig zijn om dichter bij de verdachten te komen.

Bartrop betrapte zichzelf erop dat hij zich afvroeg hoe Sarah eruitzag. Hij zou haar natuurlijk nooit ontmoeten. Wat haar betrof, bestond hij helemaal niet, ze zou hem hooguit beschouwen als iemand waar ze niets mee te maken had, die geen enkele rol speelde bij haar functie als spion. Bartrop glimlachte. Hij belde zijn plaatsvervanger, Miles Forshaw.

'Ik zou graag wat foto's willen hebben van mevrouw Jensen. Zou jij contact op willen nemen met de waarnemers?'

Maandagmorgen. Sarah werd koel begroet door de ijzeren toegangspoort van ICB. Haar hakken tikten op de grijsmarmeren vloer van de hal en het gezicht dat in de spiegels van de lift naar haar terugstaarde, stond gespannen. Om halfacht 's morgens was het een drukte van belang op de handelsvloer. Een massa norse gezichten volgde haar bewegingen. Opgelucht ging ze op de lege stoel tussen Arnott en Wilson zitten.

Wilson keek op en lachte haar toe. 'Goedemorgen. Welkom aan boord.'

Sarah lachte terug. 'Goedemorgen. En dank je.'
Aan haar linkerkant keek Arnott met tegenzin op. 'Ja, welkom aan boord.'
Voordat ze antwoord kon geven, richtte hij zijn aandacht alweer op zijn schermen. Op dat moment kwam Scarpirato uit zijn kantoor te voorschijn, liep langs de bureaus, mompelde 'teamoverleg' en liep door naar een vergaderkamer aan de andere kant van de afdeling. Arnott, Wilson en Sarah volgden hem in stilte.
Anders dan de uitgebreide oppervlakte van de handelsvloer, waarvan het grootste gedeelte bedekt lag onder een ziekelijk groen waas, baadde de vergaderkamer in helder daglicht dat binnenkwam door een raam dat uitkeek over de Theems. Als je je nek uitrekte, kon je de Tower Bridge zien. Sarah nam uitgebreid de tijd om het uitzicht te bewonderen. De anderen zaten rond een bekraste, zwarte tafel. Arnott en Wilson dronken hete cappuccino. Sarah draaide zich glimlachend om en ging tegenover Scarpirato zitten.
Na elkaar bespraken Arnott en Wilson de handel van de vorige week en uiterst nauwkeurig gaven ze een uiteenzetting van hun plannen voor de komende weken. Sarah vroeg zich af of ze altijd zo overdreven. Scarpirato staarde zonder iets te zeggen naar de rivier, maar toen Wilson zijn betoog afgesloten had, wendde hij zich tot Sarah. Als hij had gehoopt haar in het nadeel te plaatsen door haar als laatste te laten spreken, zou hij teleurgesteld worden. Sarah leunde naar achteren en glimlachte de anderen over de tafel toe.
'Ik ben niet zo geïnteresseerd in ivoren torens. Ik handel liever op gevoel.' Het was een soort opmerking die Scarpirato zelf had kunnen maken en Sarah werd ervoor beloond met een gehoeste grinnik aan de andere kant van de tafel.
'Dan moeten we dat gevoel maar eens aan het werk zetten. Je kunt vandaag beginnen met handelen. Je limiet is tweehonderd miljoen dollar.'
Sarah verborg haar verrassing. Ze had verwacht dat ze zou beginnen met vijftig. Met tweehonderd zou ze het voor hen allemaal kunnen verknallen. Scarpirato zette een bijzonder uitnodigende valstrik voor haar uit. Sarahs glimlach bleef nonchalant. Scarpirato ging verder alsof hij niets bijzonders gezegd had. 'Houd je bij de gebruikelijke combinaties; voorlopig even niets bijzonders. Als je iets anders wilt doen, of over de twee miljoen wilt gaan, laat 't me dan even weten.'

Sarah knikte.

'Je kunt naar eigen inzicht aan de slag gaan, maar ik wil dat je Matthew volledig op de hoogte houdt.' Hij praatte nu langzamer. 'Als ik het niet met je opdrachten eens ben, zal ik ze opheffen, net als ik dat bij de anderen doe, maar je zult er grotendeels in je eentje voor staan.' Hij glimlachte vriendelijk. 'Ik heb graag dat mijn mensen zelfstandig handelen, zodat ze kunnen genieten van hun eigen successen, en boeten,' hij benadrukte het woord, 'voor hun eigen fouten.' Hij stond op, knikte haar kort toe, wenste haar succes en liep terug naar zijn kantoor dat zich als een enclave te midden van de handelsvloer bevond.

Sarahs glimlach bleef op haar gezicht plakken terwijl ze terugliep naar haar bureau. Het beeld dat ze altijd van ICB had gehad, moest worden bijgesteld. Je kon hier niet verwaand genoeg zijn. Buitensporige arrogantie werd niet alleen getolereerd, maar zelfs beloond. Ze had niet verwacht dat ze al zo snel op de proef gesteld zou worden, noch dat het aan de hand van zo'n groot bedrag zou gaan. Haar handelslimiet bij Finlays was ook tweehonderd, maar daar was ze een van de beste handelaren geweest, en daar had ze er in vier jaar naartoe gewerkt. Ze was dan wel met laaiend enthousiaste getuigschriften bij ICB binnengekomen, maar ze vormde toch een risico. Een grondregel in deze handel was dat je waarde werd bepaald door de transactie die je het laatst afgesloten had. Je stond dus altijd onder zware druk, want je moest jezelf elke dag opnieuw bewijzen. Het leek erop dat Scarpirato opzettelijk een gokje met haar waagde. Ze had de uitdaging hooghartig aangenomen.

Nadenkend krabde Sarah aan haar kin. In deze handel was het een onbetrouwbare gewoonte om beslissingen te nemen op basis van persoonlijke trots. Als je dat te vaak deed, belandde je diep in de rode cijfers. Sarah bedacht dat het waarschijnlijk geen gewoonte van Scarpirato was, want ze had Wilsons verbazing gezien toen haar handelslimiet genoemd werd. Deze lag waarschijnlijk een stuk hoger dan de zijne, maar hij toonde geen afgunst. Arnotts gezicht vertrok daarentegen in een gemene grijns. Het zou hem zichtbaar veel plezier doen als ze het vreselijk verknalde en dat was precies wat hij van haar verwachtte. Sarah glimlachte hem liefjes toe, leunde naar links en pakte een Marlboro uit zijn pakje.

Terwijl ze zat te roken, overdacht ze Scarpirato's handelsvoorwaarden nog een keer. Een baas die zich afzijdig houdt, maar zich het recht voorbehoudt om in te grijpen, verder volledige zelfstandigheid, met torenhoge handelslimieten; een broeikas waar geld als water wordt verdiend, de hemel op aarde voor mensen die hun vak verstaan. Maar ook voor gewetenloze schurken... Ze drukte de sigaret uit in een diepe glazen asbak waarin het logo van ICB in zwarte letters verwerkt was en greep de telefoon. Het was tijd om met haar vaste mensen te babbelen en de stemming van de markt te peilen.

Sarah sprak dagelijks met een clubje van tien andere handelaren, van wie ze met de meeste al vier jaar zaken deed. Ze zigzagden allemaal onberekenbaar door de City, in hun gedrevenheid om carrière te maken. De enige dingen die veranderden, waren salarissen, omgeving en handelslimieten.

Sarah controleerde haar telefooncentrale. Hij was ongeveer dertig vierkante centimeter en er zaten meer dan twintig telefoonlijnen op, waarvan sommige in directe verbinding stonden met andere handelsbanken. Om met hen in contact te komen, hoefde ze alleen maar een knopje in te drukken. Het systeem werkte bijna hetzelfde als een intercom. Aan de andere kant zou er op het knopje, dat in vaktermen 'de lijn' genoemd werd, ICB staan en het zou gaan knipperen als zij belde. Na drie keer rinkelen kwam er pas geluid bij. Het drie keer geluidloos knipperen was ingevoerd om de kakofonie op de handelsvloeren te verminderen. En het werd als amateuristisch beschouwd als je pas opnam als het rinkelen al begonnen was, dus handelaren en verkopers zaten constant van hun drie of vier schermen naar hun centrale te kijken om binnenkomende telefoontjes te kunnen opnemen.

Sarah tikte op een knop waar BDP op stond, Banque de Paris, waar een van haar favorieten werkte.

Vijftig meter verder, aan de noordelijke zijde van Lower Thames Street, zag Johnny McDermott, een lichtgeraakte Ierse valutahandelaar bij BDP, de ICB-lijn flikkeren op zijn centrale. Grijnzend tikte hij de lijn in.

'Laat me eens raden. Sarah Jensen.'

'Goedemorgen, Johnny.'

'Dus je werkt nu met Matthew Arnott.' Johnny klonk hoofdzakelijk plagend.

'Ja.'

'Het is een eikel.' Johnny gooide het woord er vrolijk uit.

'Mm.'

'En met Dante Scarpirato?'

'Ja.'

'Dat is een eersteklas eikel.'

Sarah hield haar lachen in. 'Mm. En ik werk ook met Simon Wilson.'

Johnny raakte opgewonden. 'Dat is tenminste een aardige vent.'

'Nou, je wordt bedankt, Johnny.'

'Graag gedaan, Sarah. Veel luisterplezier, eikeltjes.'

Sarah barstte in lachen uit. 'Johnny, je bent een rotzak. Ik krijg je nog wel.' Ze wisten allebei dat Scarpirato, waarschijnlijk samen met zijn makker Arnott, naar de banden van haar eerste paar dagen zou luisteren. Gewoon voor de lol, en om wat te weten te komen over haar privé-leven. Op de handelsvloer wordt elk telefoontje op band opgenomen als voorzorg tegen handelsgeschillen en uit controlerend oogpunt. De werkgevers maakten ruimschoots gebruik van het privilege dat hun vrije toegang gaf tot de banden.

'Maar goed, Johnny,' Sarahs lachen stierf weg, 'heb je nog iets gezien?' Na een uur had Sarah al haar vaste contacten gesproken en met hun gebruikelijke mengsel van leugens, ertussendoor glippende waarheden en een incidentele openhartigheid, hadden ze haar eigen gevoel bevestigd dat de markt, in ieder geval vandaag, niets bijzonders ging doen.

Theoretisch gezien zijn handelaren van verschillende firma's elkaars vijanden, die proberen elkaar het leven zuur te maken binnen de grenzen van de markt. Dat is wat iedereen verwacht en men is plezierig verrast, een beetje achterdochtig zelfs, wanneer dit soms niet zo blijkt te zijn. Binnen bepaalde grenzen is dit hun werk en daarnaast tegelijkertijd een sport. Sarah wist dat en accepteerde het. Maar de competitie tussen handelaren van buitenaf was niets vergeleken bij wat ze nu bij ICB meemaakte. Arnott had zijn weerstand tegen haar al vanaf hun eerste ontmoeting duidelijk gemaakt. Ze wist in ieder geval dat ze wat hem betrof geen illusies hoefde te koesteren.

Ze vermoedde dat Arnott erop gebrand was haar te zien mislukken, en Scarpirato op zijn eigen weloverwogen manier ook. Hij had haar een handelslimiet voor haar neus gehouden waarmee hij haar uitdaagde hem te laten zien wat een vreselijke idioot ze was door het volledige bedrag snel te gebruiken. Nou, hij en Arnott zouden teleurgesteld zijn; ze was geenszins van plan om in het wilde weg te gaan handelen. Ze moesten maar denken dat ze onder de indruk was van de hoogte van haar limiet, en ze mochten op haar schelden omdat ze nog niets deed. Het hoorde allemaal bij het spel.

Niettemin was het duidelijk dat er hard gespeeld werd. Het was de aard van het bedrijf; Sarah kende de reputatie, maar toch kon ze het niet helpen dat ze zich in een uitzonderingspositie gedrukt voelde, en ze vroeg zich af wat daarvan de reden was. Ze lachte zichzelf uit. De City zat vol met mensen die overal iets achter zochten; ze had nooit gedacht dat zij ook zo zou worden.

De dag ging rustig voorbij en om halfzes maakte Sarah zich klaar om te vertrekken. Arnott, die het grootste gedeelte van de dag bij Scarpirato op kantoor had gezeten, paradeerde voorbij op het moment dat ze haar schermen uitzette en onder de tafel naar haar tas graaide.

'En, nog iets gedaan?' Hij wist dat het niet zo was. Ze had de opdracht gekregen om hem van al haar handelingen op de hoogte te houden. Met een brede lach keek Sarah hem aan. 'Geen barst.' Ze hing haar schoudertas om en wenste hem een prettige avond. Ze stak een hand op naar Simon Wilson en voegde zich tussen de vertrekkende menigte. Het was niet verstandig om voor de baas te vertrekken, maar het was belangrijk om je gewoontes al vroeg duidelijk te maken. Uitdagend lopend vertrok Sarah naar de lift. Ze kon er nog net in springen voor de deuren dichtgingen.

Arnott keek hoe Sarah verdween, stond toen op en liep Scarpirato's kantoor binnen. De twee mannen wisselden een paar woorden. Even later stak Arnott zijn hoofd om de deur om Wilson binnen te roepen. Wilson stopte de *Autoweek* die hij zat te lezen snel onder een stapel kranten, en voegde zich bij zijn collega. Scarpirato hing onderuitgezakt in zijn stoel, met de tweede sigaar van die dag tussen zijn vingers. Arnott stak een Marlboro op. Wilson, die marathons liep, trok zijn neus op. Risico van het vak. De twee mannen bogen als dienstbare hovelingen voor hun baas. Scarpirato glimlachte naar hen. 'En?'

Arnott nam een weloverwogen trek van zijn sigaret. ''t Is een beetje een primadonna, hè?'

'Nou ja, ik neem aan dat ze vindt dat ze zich met haar reputatie zo mag gedragen,' zei Wilson.

'Ja, en dat maakt ze absoluut duidelijk,' zei Arnott smalend. 'Ze voert de hele dag geen barst uit, en verdwijnt dan doodleuk om halfzes.'

Scarpirato rekte zijn armen boven zijn hoofd uit en staarde een paar seconden naar het plafond. Hij liet zijn ogen langs de muur naar Arnott zakken.

'Heb jij wat gedaan vandaag?' vroeg hij nonchalant. Arnott schoof een beetje heen en weer op zijn stoel. 'Ja, ik heb wat kabel gedaan.' Wilson sloeg zijn lachende ogen neer.

Scarpirato leunde met opgetrokken wenkbrauwen naar Arnott. 'En, winst gemaakt?'

Er trilde een spier in Arnotts kaak, hij liet zijn nek tussen zijn schouders zakken en antwoordde met vlakke stem: 'Nee, ik heb vijftig ruggen verloren.'

'Nou, hou dan in vredesnaam je mond,' barstte Scarpirato uit. 'Bespaar ons allemaal wat geld en ga naar huis.'

Met gloeiende wangen stampte Arnott de deur uit. Wilson volgde hem grinnikend. Buiten het gehoor van Scarpirato draaide Arnott zich om naar Wilson. 'Wat is er zo verdomde grappig? Alleen maar dat jij wel een beetje winst hebt gemaakt vandaag? Wie denk je wel dat je bent, de koning van het valutarijk of zo?' Wilson bleef lachen. 'Ga thuis maar op je hond schelden. Je zit aan Sarah Jensen vast, of je het nou leuk vindt of niet.' Een stroom verwensingen achtervolgde hem naar de lift.

Sarah hield een taxi aan op Cannon Street. Ze doezelde weg en werd wakker toen de chauffeur met piepende banden remde op King's Road, vlakbij Carlyle Square. Ze rekende af, stapte uit en liep het plein over. Toen ze naar huis liep zag ze niet dat ze vluchtig bekeken werd door een slordig geklede, onopvallende vrouw. Ze deed de deur open, liep de trap op, schonk een glas whisky in en ging op bed liggen. Buiten draaide de vrouw zich om en wandelde in de richting van Sloane Square. Ze was een van de waarnemers van MI6, een bewakingsbeambte. In de aktentas die ze droeg, zat een camera waarmee zojuist twaalf foto's van Sarah Jensen waren gemaakt. Diezelfde foto's zouden, zo gauw ze ontwikkeld en afgedrukt waren, aan James Bartrop overhandigd worden.

Toen Sarah de volgende dag bij ICB kwam had ze zin om te handelen. Ze had geluk, want de markt kwam weer tot leven. Het begon rustig genoeg, te rustig vond Sarah, terwijl ze haar rondje telefoontjes deed. Het was al de tweede dag dat er niets gebeurde en iedereen verveelde zich. Een gevaarlijke en veelbelovende verveling. Er zou vandaag niet veel voor nodig zijn om ze te laten happen, ze zouden makkelijk overstag gaan voor geruchten. Het was zaak dat Sarah die geruchten eerder hoorde dan de rest. Ze begon een paar van haar hooggewaardeerde contacten te bellen. Nu de ERM zich versterkt had, was de valutamarkt veel instabieler en onderhevig aan geruchten.

Het was halfelf en de markt was uiterst traag toen ze een idee kreeg. Een vroegere vriend van Cambridge, Manfred Arbingen, nu journalist voor *Die Zeit* in Frankfurt, belde om eventjes te kletsen.

'Ik heb net met Finlays gebeld. Het enige dat ze zeiden, was dat je naar ICB vertrokken was. Het klonk als een vloek.' Hij lachte. 'Die nieuwe werkgever van je is zeker niet de meest populaire bank van de City?'

'Nee. Maar daar staan weer andere dingen tegenover, en trouwens, wie zit er hier nou voor de populariteit?'

'Daar heb je gelijk in. Bankiers en handelaren worden net zo gehaat als journalisten.'

'We zijn een stel verschoppelingen,' plaagde Sarah.

'Verschoppelingen,' gromde Manfred. 'Praat me niet van verschoppelingen. Ik heb net geprobeerd een verhaal over de huidige economie naar boven te krijgen. Ik ben verschillende bestuursleden van de Bundesbank afgesjouwd, maar niemand wilde me iets vertellen. Je weet wel, soms komt het ze namelijk goed uit om een klein brokje informatie te laten glippen, soms zelfs een flinke brok. Ik ben niet zo hongerig. Ik zou al tevreden zijn geweest met een klein brokje, maar helemaal niks, niente, alleen maar zure of zelfvoldane gezichten.'

Hij ging door met zijn kritiek. Sarah stopte met luisteren, haar gedachten bleven hangen bij een eerder gemaakte opmerking. Na een tijdje was het stil aan de andere kant van de lijn. Manfred was klaar met zijn verhaal. 'Ben je er nog?'

'Sorry Manfred, de baas liep hier rond. Ik werd even afgeleid.'

'Ken ik hem?'

'Nou Manfred, ik ben blij dat je ervan uitgaat dat het een man is. Het is goed te weten dat het feminisme Duitsland nog niet in zijn greep heeft.'

'Goed, goed,' viel hij haar in de rede. 'Sorry. Wat zei je?'

'Italiaans. Dante Scarpirato.'

Manfred slaakte een gilletje. 'Nee. Die dwaas. Die is zo gek als een deur. Een vriend van mij heeft een paar jaar geleden met hem gewerkt. God, je zit er echt middenin, hè?'

Maar Sarah luisterde al niet meer. Ze zag een kans om te handelen. Ze sloot het gesprek af en toetste de BDP-lijn in. Johnny McDermott nam onmiddellijk op.

'Johnny, heb je voor mij een contante dollar/markkoers?' Wat ze bedoelde, was: Wat is de wisselkoers voor dollars naar marken bij een transactie van honderd miljoen dollar die binnen twee dagen betaald wordt? De kortaangebonden manier waarop ze het vroeg, zou in een andere werksituatie vreselijk onbeleefd geweest zijn, maar in de valutahandel was het heel gewoon. Handelaren zijn schizofrene wezens die soms een half uur nutteloos aan de telefoon zitten te roddelen en andere keren recht op hun doel afgaan.

'1,7745-55,' antwoordde McDermott. Waarmee hij bedoelde dat hij Duitse marken verkocht tegen een koers van 1,7745 per dollar (1,7745 Duitse marken uitbetalen en 1 dollar ontvangen), en ze aankocht voor 1,7755 (1 dollar uitbetalen en 1,7755 Duitse marken ontvangen). Het verschil, de marge, was in dit geval tien 'punten' en dat was de winst die er gemaakt werd bij aankoop en verkoop. In zijn baan als *market-maker* was het McDermotts taak valuta te kopen en te verkopen. Hij was verplicht in- en verkoopprijzen te noemen aan de ander zonder dat hij wist wat de ander daarmee van plan was. Het zogenaamde blinde handelen was een van de onderdelen die kleur gaf aan dit werk en het zo onvoorspelbaar maakte. Sarah, als particuliere valutahandelaar, werkte anders dan een *market-maker*. Ze kon kopen en verkopen wat ze wilde en wanneer ze wilde. Ze was niet afhankelijk van andere handelaren zoals McDermott dat was, maar daar stond tegenover dat de risico's die zij nam veel groter waren dan die van hem. Hij kocht en verkocht de hele dag valuta, maar hij nam zelden 'een positie in'; hij waagde dus alleen gokjes op de korte termijn. Sarah daarentegen nam soms dagen en weken lang posities in waarbij ze zich steeds verder inkocht, of ineens grote bedragen verkocht.

'Ik geef je éénhonderd,' kondigde Sarah aan, waarmee ze bedoelde dat ze honderd miljoen dollar verkocht om de equivalent aan Duitse marken te kopen.

'Goed. Akkoord. Ik koop éénhonderd dollar/mark op 1,7745,' somde McDermott op.

'Akkoord,' zei Sarah.

Door de toon en het taalgebruik klonk hun gesprek bedrieglijk eenvoudig. Maar bijna elk woord was zorgvuldig gekozen en had een duidelijke en wettelijk erkende betekenis. Fouten en misverstanden konden honderdduizenden ponden kosten, dus de aandacht was gespannen.

Nu de transactie was afgesloten, noteerde Sarah de overeenkomst zorgvuldig. Eerst schreef ze een transactiebon in het boekje waarin al haar handelingen werden bijgehouden. Op die bon kwamen alle details van de afspraak te staan: koersen, prijzen, omvang, tegenpartij, datum, wijze van betaling en betalingsdatum. Daarna scheurde ze het bovenste blaadje van de bon af, een dun zachtroze velletje, en stak dat in een machine die er een stempel op zette. Daarna gooide ze de bon in het bonnenbakje. Die bak werd vijf minuten later leeggehaald door de *back-office*, die ervoor zou zorgen dat er over twee dagen honderd miljoen dollar zou worden gestort op de betreffende BDP-rekening. Tegelijkertijd trof eenzelfde afdeling van BDP voorbereidingen om binnen twee dagen honderdzeventig miljoen vierhonderdvijftigduizend Duitse marken op de ICB-rekening te storten.

Sarah had nu een grote positie in Duitse marken ingenomen. Dat had ze gedaan in de overtuiging dat de Duitse mark zou stijgen tegen de dollar. Als dat zo was, zou ze haar positie afdekken – haar Duitse marken weer inruilen voor dollars – en een winst boeken die zelfs bij een kleine stijging fors kon oplopen. Nu ze haar bon had ingevuld, bracht Sarah Arnott volgens afspraak op de hoogte van haar transactie.

'Had je daar een speciale reden voor?' vroeg hij spottend.

Sarah glimlachte en klopte op haar buik: vrouwelijke intuïtie. Niet iets wat hij zou begrijpen.

De volgende twee uur zat ze voor de schermen te wachten, wensend dat de Duitse mark zou stijgen. Er gebeurde niets. De koers bleef hardnekkig op 1,7745-55 steken.

Sarah hoopte dat er tijdens lunchtijd iets zou gaan gebeuren. Wilson zag hoe ze in gedachten verzonken was en begreep dat ze niet van haar plek zou komen. 'Ik ga naar Birley's,' zei hij tegen niemand in het bijzonder. Scarpirato was een half uur daarvoor al naar buiten gewandeld, gevolgd door Arnott. Sarah bleef alleen achter. Tien minuten later kwam Wilson terug met twee papieren zakken in zijn hand. Hij liet er een op Sarahs bureau vallen.

'Avocado en garnalen, en een jus d'orange.' Hij schonk haar een grote grijns. 'Je lijkt me een gezonde eter.'

Sarah lachte verheugd en scheurde het cellofaan van het broodje. Ze nam een grote hap. 'Je moest eens weten.' Ze bukte om haar tas te pakken en haalde haar portemonnee te voorschijn, maar hij wuifde dat gebaar weg. Het was de gewoonte dat nieuwkomers een behoorlijke lunch aangeboden kregen. Ze hadden hem ook meegenomen toen hij een jaar geleden was gekomen. Het speet hem dat hij haar nu niets beters kon aanbieden dan een broodje van Birley's.

Hij bekeek haar terwijl ze zat te eten. In een paar happen was het broodje verdwenen.

'Dus je hebt een positie ingenomen?'

Sarah knikte en nam een slok van haar jus d'orange.

'Dollar/mark, een grote?'

Sarah knikte opnieuw. Wilson hield zijn hoofd schuin en keek haar vragend aan. Ze lachte. 'Goed dan. Ik denk dat de Duitse inflatie lager is dan de cijfers doen vermoeden. En ik denk dat dat vanmiddag te zien zal zijn op de markt.'

'Hoezo?'

'Nou, de nieuwe cijfers verschijnen morgenochtend en ik heb begrepen dat de Bundesbank zich ietwat zelfvoldaan gedraagt.'

Wilson barstte in lachen uit. 'Ietwat zelfvoldaan? Je bedoelt dat ze nog zelfvoldaner zijn dan anders.'

Sarah grijnsde. 'Dat heb ik niet gezegd. Nou ja, ik dacht dat het wel een gokje waard was. Ik hoop dat de Duitse mark vanmiddag een beetje stijgt en dat ik er uitspring.'

'Waarom vanmiddag als de cijfers pas morgen bekend worden?'

'Moet je maar eens opletten. Vaak stijgt of daalt de markt al voordat de cijfers bekend zijn. Op de een of andere manier krijgt iemand soms al een kijkje achter de schermen.'

Nieuwsgierig volgde Wilson haar een tijdje, keek toen op zijn scherm, pakte de telefoon, verkocht tien miljoen dollar en kocht 17 755 000 Duitse marken tegen een koers van 1,7755. Hij hing de telefoon op en grijnsde naar Sarah. 'Ik heb ook zo'n gevoel.' Ze zaten allebei te schateren toen Scarpirato en Arnott terugkwamen van hun lunch.

Om halftwee, toen Sarah zich net zorgen begon te maken, begon de Duitse mark te stijgen tegen de dollar. Elk honderdste van een pfennig dat de Duitse mark steeg tegen de dollar, bijvoorbeeld van 1,7745 naar 1,7744, leverde haar een nominale winst op van 5636 dollar. Dat betekende dat als ze op dit moment tegen deze koers haar Duitse marken verkocht en omwisselde voor dollars en haar positie dus afdekte, ze 100 005 636 dollar zou ontvangen. Omdat ze oorspronkelijk honderd miljoen dollar voor de Duitse marken had betaald, betekende dat dat ze met winst - 5636 dollar - zou afsluiten.

Na vijf minuten stond de koers op 1,7700-10, en tien minuten later op 1,7650-60. In drie uur tijd was de wisselkoers vijfentachtig punten in haar voordeel gewijzigd, op dit moment had ze al bijna een half miljoen dollar winst. 481314 dollar om precies te zijn. Ze voelde dat Wilson zenuwachtig naar haar zat te kijken. Eigenlijk wilde hij verkopen, zijn positie afdekken en zijn winst pakken, maar aan de andere kant wilde hij mee blijven gaan zolang het voordeel op bleef leveren en zolang Sarah doorging.

Sarah wachtte en staarde geduldig naar haar schermen. Terwijl de minuten voorbij tikten, gierde de adrenaline door haar aderen. Om halfvier, toen de koers op 1,7640-50 stond, dekte Sarah haar positie af met een winst van 538 243 dollar. Een paar seconden later volgde Wilson haar voorbeeld, en verdiende 59 490 dollar.

Sarah bracht verslag uit aan Arnott, die elke beweging van haar gevolgd had. Hij feliciteerde haar met een gespannen glimlach op zijn gezicht.

Sarah had zin het te vieren. Ze belde Mosami op haar werk bij Yamaichi. Een van haar collega's beantwoordde de telefoon.

'Ik zou graag met Mosami Matsumoto spreken,' zei Sarah, en ze wachtte tot haar vriendin een ander gesprek had afgerond.

Arnott zat een kleine meter verderop geïnteresseerd te luisteren. Mosami Matsumoto. Hij kende die naam. Het schoot hem te binnen: een vriendin van zijn vriendin. Klein wereldje.

Mosami kwam aan de telefoon. 'Hoi schat. Excuses voor het wachten. Het is een gekkenhuis hier.'

Sarah lachte. 'Ja, hier ook. Luister eens, heb je zin om vanavond iets te gaan drinken?'

'Natuurlijk. Ik had nog geen andere plannen.' Ze was even stil en vroeg toen waakzaam: 'Waarom?'

Sarah lachte weer. 'Goed nieuws. Ik heb iets te vieren. Is dat een goede reden?'

'Absoluut,' zei Mosami achterdochtig.

Om halfzes zette Sarah haar schermen uit en maakte ze zich klaar om te vertrekken. Ze dacht dat ze Scarpirato door de rolgordijnen naar haar zag kijken toen ze zich bukte om haar schoudertas te pakken. Ze wierp een blik op de gordijnen. Arnott was het kantoor de hele middag in en uit gelopen. Ze kon zich niet voorstellen dat hij Scarpirato niet had ingelicht over haar succesvolle handel. Elke normale baas zou direct naar buiten zijn gekomen om haar te feliciteren, en haar op z'n minst hebben uitgenodigd voor een drankje. Maar Scarpirato bleef daar maar onverstoorbaar achter de rolgordijnen in zijn kantoor zitten. Ze was niet van plan te gaan zitten wachten op een complimentje van hem. Ze pakte haar schoudertas en liep naar buiten.

11

Sarah liep het gebouw uit en voelde zich ondanks haar succes een beetje gefrustreerd. Ze vroeg zich af of ze ooit dicht genoeg in de buurt van Scarpirato zou kunnen komen om uit te vinden of hij iets uitspookte. De meeste handelaren onthullen nogal wat over zichzelf als de markt rustig is, waarbij ze de laatste vijf jaar van hun leven tot in de meest gênante details vertellen. Maar Scarpirato zei weinig en vertelde niets. Hij bleef nooit staan om gewoon even te kletsen. Zelfs bij zakelijke onderwerpen hield hij het zo kort mogelijk. Arnott was de enige die meer dan één zin uit hem geperst kreeg. Sarah vroeg zich af hoe Scarpirato was als hij bij vrienden of vriendinnen was, wanneer hij niet op zijn hoede hoefde te zijn. Ze wenkte een taxi en liet zich naar Mayfair brengen.

'Nou?' zei Mosami terwijl ze met Sarah naar de woonkamer liep. 'Wat heb je voor goed nieuws, wat valt er te vieren?'

Sarah liet zichzelf op de grote, crèmekleurige bank zakken, schopte haar schoenen uit en strekte haar benen. 'Mijn nieuwe baan. ICB.'

Mosami blies haar adem fluitend uit. Ze pakte een sigaret uit een pakje Silk Cut van een bijzettafeltje en stak hem aan.

'Ik hoop dat ze goed betalen.'

Sarah haalde haar schouders op. 'Ja hoor.'

'Ach, toe nou. Waarom zou iemand daar nou gaan werken, behalve dan voor het geld?'

Sarah glimlachte en stak ook een sigaret op. Mosami keek haar fronsend aan. 'Nou?'

Sarah lachte. 'Je hebt je eigen vraag al beantwoord. Waarom zou iemand daar gaan werken, behalve voor het geld?'

Mosami maakte een schouderbeweging. 'Wat je wilt. Hoe is het daar? Net zo erg als de verhalen?'

'Erger nog,' lachte Sarah. 'Mijn baas is nogal afstandelijk, een echte ondoorgrondelijke Italiaan. Maar daar valt mee te leven. Zijn tweede man is een absolute klootzak. Matthew Arnott.' Sarah sprak zijn naam met een vies gezicht uit. 'Een verwaande Amerikaan. Hij laat duidelijk merken dat hij me niet uit kan staan en hij probeert me waarschijnlijk weg te werken voor ik iemand kan laten zien dat ik beter ben dan hij.'

'Ik ken hem,' zei Mosami stilletjes. 'Ik heb hem een paar keer ontmoet. Ik kan niet zeggen dat ik hem aardig vond.'

Sarah trok haar benen in en leunde naar voren. 'Hoe ken je hem?'

Mosami grijnsde. Nu was Sarah de nieuwsgierige. 'Ik ken zijn vriendin. We gaan naar dezelfde sportschool. Carla Vitale. Italiaans, ontzettend knap en behoorlijk wild.' Ze lachte. 'Vergeleken bij haar zijn wij een stel nonnetjes.'

Sarah trok een wenkbrauw op. 'Nou, ik weet niet hoe het met jou gesteld is, maar ik ben tegenwoordig bijna een non.'

'Ach, je moet het tijd gunnen, lieverd...'

'Ja maar,' zei Sarah schaterend, 'als zij zoiets bijzonders is, wat doet ze dan met Matthew Arnott?'

Mosami leunde samenzweerderig naar voren. 'Nou, Carla houdt nogal van het goede leven. Je weet wel, mooie kleren, een goed huis, interessante uitstapjes. We zijn een keer vreselijk dronken geworden op een van haar feestjes. Ik vroeg haar wat ze in Arnott zag, want als ik ze tegenkom, maken ze altijd ruzie, ze lijken niet gelukkig samen... In ieder geval glimlachte Carla toen, en ze zei letterlijk: "Hij is een goudmijn".'

Mosami leunde tevreden weer naar achteren. Sarah keek verbaasd. 'ICB betaalt goed, maar ik denk niet dat hij meer dan een kwart miljoen verdient, hooguit drie ton.'

'Ja, vreemd hè? Voor een hebzuchtig type als Carla stelt dat niet zoveel voor. Hij zal wel flink geërfd hebben, dat moet haast wel. Hij heeft een gigantisch huis in Holland Park. Dat moet hem minstens een miljoen gekost hebben. En dat zal wel niet van ICB vandaan komen.'

'Nee,' zei Sarah. Ze zat aan een van haar ringen te draaien. 'Dat denk ik ook niet.' Ze keek op. 'Maar goed. Genoeg over Matthew Arnott. Waar blijft dat drankje?'

Mosami verdween naar de keuken en kwam terug met een fles rode wijn. Ze schonk twee glazen in. Sarah dronk het hare snel leeg en keek toen op haar horloge. Ze stond op. 'Ik kan maar beter gaan. Ik moet nog veel doen vanavond.'

Mosami wierp haar een snelle, achterdochtige blik toe. Ze zei niets, liep achter Sarah aan naar de deur en kuste haar gedag. Ze ging terug naar de woonkamer waar ze met kleine slokjes van haar wijn dronk. Een mannenprobleem, besloot ze. Eddie die weg was, die opmerking over een non zijn. Als je het mij vraagt, protesteert ze een beetje te veel, dacht Mosami.

Sarah liep van Hay's Mews over Charles Street naar Berkeley Square. Ze vond een telefooncel en belde Jacob. Sarah stelde zich voor hoe Jacob zijn boek moeizaam neerlegde en langzaam naar de telefoon liep. Hij was de laatste jaren minder kwiek geworden. Eindelijk nam hij op.

'Hoi Jacob. Kan ik even langskomen? Ik denk dat ik iets gevonden heb.'

Sarah nam een taxi en stond een half uur later op Rotherwick Road.

Jacob liet haar binnen, bood haar een stoel aan en zette thee voor haar; als ze bleef eten, kreeg ze een glas wijn, ze dronk toch al veel te veel van dat spul. Hij kwam terug met de thee en een paar biscuitjes.

'Ik heb het eten opstaan, een rollade. Als je wilt, kun je blijven, maar drink dit eerst maar eens op.'

Sarah glimlachte en nam de thee aan. Jacob ging tegenover haar in een leunstoel zitten. 'Nou lieverd. Vertel eens, wat heb je gevonden?'

Sarah nam een slokje van haar thee en zette het kopje op een tafeltje. 'Het is nog niet veel, maar het lijkt een beetje verdacht.' Ze vertelde hem over hoe Arnott een 'goudmijn' genoemd werd. 'En hij brengt erg veel tijd door met Scarpirato. Als er inderdaad iets aan de hand is, zou het me niets verbazen als ze daar allebei bij betrokken zijn.' Ze nam nog een slokje van haar thee en keek Jacob hoopvol aan. Hij glimlachte.

'Het klinkt inderdaad verdacht.' Hij was even stil en grijnsde samenzweerderig.

'Maar ik denk niet dat je alles al uit de kast hebt gehaald.'

Sarah keek hem onzeker aan. 'Hoe bedoel je?'

'Ik bedoel dat je het nog op andere manieren zou moeten proberen.'

Sarah wachtte op zijn uitleg.

'Afluisteren bedoel ik, lieverd.'

Sarah trok haar wenkbrauwen op en grijnsde terug. 'Daar heb ik aan gedacht, maar het leek me wat overdreven.'

'Overdreven? Geloof dat maar niet. Het gebeurt overal, en vooral in de City; industriële spionage, financiële spionage. Het is een flinke handel. Ik heb een maatje dat...'

Sarah viel Jacob schaterlachend in de rede. 'Dat geloof ik graag.'

'Nou,' zei Jacob gepikeerd, 'wil je dat ik contact met hem opneem?'

Sarah dronk van haar thee en staarde peinzend naar haar kopje. 'Ik weet 't niet. Ik weet niet zeker of dat wel mag, wat Barrington ervan zou zeggen.'

'Wat denk je?'

'Nou, hij was nogal vaag over mijn werkwijze. Ik kreeg het idee dat ik daar zelf maar over moest beslissen. Hij zei zelfs dat ik er min of meer in mijn eentje voor zou staan. Hij maakte de indruk dat hij niet wilde weten hoe ik het deed, dat hij alleen de resultaten maar wilde weten. Hij stelde voor dat we gaandeweg de rit maar moesten kijken hoe het ging.'

'En verder?'

Sarah haalde haar schouders op. 'Dat hij bewijs wilde hebben dat er misdrijven worden gepleegd, maar het hoeft niet sterk genoeg te zijn voor een rechtszaak. Hij heeft niet gezegd hoe ik, behalve door te "observeren" aan dat bewijs moest komen.' Ze glimlachte. 'Ik neem aan dat afluisteren gewoon een krachtige manier van observeren is, hè?'

Jacob knikte en Sarah ging verder. 'Het enige waar hij heel duidelijk in was en waar hij echt de nadruk op legde, was dat ik niet gepakt moest worden. Als dat zou gebeuren, zou hij me niet openlijk kunnen helpen.'

'Wat denk je dat hij daarmee bedoelde?'

'Ik neem aan dat hij bedoelde dat ik me op onduidelijk gebied zou begeven, waarschijnlijk illegaal.'

Ze realiseerde zich plotseling dat hij, als president van de Bank of England, dit soort opdrachten niet mocht geven, maar dat de omstandigheid wel een beetje soepelheid rechtvaardigde. Ze was er al veel langer van overtuigd dat er wel meer twijfelachtige praktijken plaatsvonden in opdracht van de staat, dus ze had geen wroeging of angst voor wat betreft haar opdracht. Ze moest er alleen voor zorgen dat ze niet betrapt werd.

'O ja, hij heeft me ook nog drieduizend pond gegeven. Hij zei dat dat voor mijn onkosten was.'

Jacob trok zijn wenkbrauwen op. 'Zei hij niet voor welk soort onkosten?'

'Nee. Alleen dat hij zeker wist dat ik het geld goed zou besteden.'

'Dus...'

Sarah glimlachte. 'Misschien moet je dus maar contact opnemen met die vriend van je.'

Binnen een uur had ze haar rol van passieve toeschouwer omgeruild voor... wat precies, wist ze niet, maar ze wist wel dat ze een bepaalde grens was overschreden. Op dat moment vroeg ze zich niet af of ze er goed aan deed. In deze fase volgde ze alleen nog maar de lokroep van haar nieuwsgierigheid. En voor zover ze wist, was er niets dat haar wees op de aanwezigheid van gevaar. Het onbehaaglijke gevoel kwam alleen maar door het onbekende, de onzekerheid. Dat was een bekend gevoel, en in dit stadium wees ze het van de hand alsof het niets bijzonders was.

12

Het zweet stond in Giancarlo Catania's handen. Hij had ze snel aan zijn broek afgeveegd voordat hij Fieri's hand schudde bij het afscheid. Maar hij was bang dat het eenvoudige gebaar opgevallen was. De warmte van zijn hand was niet te verbergen in de ijzige kou van Fieri's kantoor.

Hij voelde de vernedering van zijn angst bijna net zo sterk als de angst zelf. Gelukkig werd hij hier in ieder geval kwaad om en als altijd was het die woede waar hij zich achter kon verschuilen.

Zijn chauffeur en zijn lijfwacht waren dankbare slachtoffers. Ze zaten allebei onderuitgezakt te roken in zijn dienstauto. Hij brulde tegen hen dat hij op die manier niets aan hen had als er een aanslag op hem gepleegd zou worden. In zichzelf lachend waren ze het hier grondig mee eens.

Een lijfwacht hoorde bij de baan van president van de Banca d'Italia. De meeste hooggeplaatste Italiaanse bankiers hadden een lijfwacht. Voor de meesten was het zowel een statussymbool als een noodzaak. Deze dubieuze status maakte al lang geen indruk meer op Catania en als het om zijn bescherming ging, als hij die ooit nodig zou hebben, zou zelfs een heel leger niet genoeg zijn. Dus hij vond het niet nodig om loyaal te zijn aan de vier mensen die in wisselende diensten voor hem werkten. Hij kon ze beter gebruiken voor therapeutische doeleinden, als uitlaatklep voor zijn woede.

Na deze openbare uitbrander liet hij zich opgelucht op de achterbank van zijn Lancia zakken. Met een bescheiden ronkende motor reed de auto van Via Appia Antica, in een buitenwijk van Rome, het drukke verkeer van Via di Porta San Sebastiano in. Catania keek op zijn horloge, het was kwart voor negen. Als die idioot van een Paulo nou eens een beetje doorreed, zou hij nog net op tijd thuis zijn voor zijn kinderen naar bed moesten. Hij rukte het scheidingspaneel naar beneden en brulde een bevel. De chauffeur bekeek zijn baas aandachtig via de achteruitkijkspiegel. Er zat hem kennelijk iets dwars. Hij zag een glimp van angst in de woede van zijn baas.

Nadat Paulo een rode Fiat aan de rechterkant had ingehaald, reed hij snel weg van het woedende getoeter achter hem en hij vroeg zich voor de honderdste keer af waarom een leuke vrouw als de Signora getrouwd was met zo'n varken.

Ineengedoken op de achterbank stak Catania een sigaar op en liet zijn gedachten gaan over de bijeenkomst die hij zojuist met Fieri had gehad. Fieri was prikkelbaar, achterdochtig en veeleisend geweest. Nog erger dan anders. Goed, hij had inderdaad wat problemen, maar was dat niet bij iedereen zo? Het leek wel alsof er naar de halve regering en bijna de hele zakelijke en financiële wereld onderzoeken werden ingesteld. Het leek wel een gerechtelijk onderzoek. Catania's maag draaide zich om. Misschien was hij als volgende aan de beurt.

Iedereen maakte zich zorgen, zelfs degenen die onschuldig waren. Het Eerste-Kamerlid Amalfi had vorige week zelfmoord gepleegd. Zijn departement was betrokken geraakt bij een of ander bouwschandaal. Niet dat iemand hem er ook maar een seconde van had verdacht schuldig te zijn, maar hij had de schade die zijn reputatie hierdoor leed niet kunnen verdragen. Dus hij had zijn jachtgeweer gepakt en zichzelf doodgeschoten. Catania staarde door het getinte glas. Onder druk staan van Fieri was wel het laatste dat hij zou kunnen gebruiken, hij werd er nog veel zenuwachtiger van.

Hij had verwacht dat hij binnen een uur weer buiten zou staan zodat hij een lange, rustige avond met zijn vrouw en kinderen door kon brengen, maar Fieri had hem meer dan twee uur beziggehouden met een ondervraging over de ministers van financiën, de bankiers van de G7 en de bijeenkomst in Frankfurt van volgende week. Catania had weinig te melden, hij bleef proberen Fieri over te halen om op een volledig verslag te wachten tot na de vergadering. Maar Fieri wist van geen ophouden. Volgens het schema zou de bespreking pas over twee weken in Londen plaatsvinden. Waarom was er dan ook nog een vergadering in Frankfurt belegd?

Terwijl hij zijn best deed zijn ongeduld te verbergen, legde Catania uit dat hij het niet wist. De Duitsers zeiden dat ze het tijdens de vergadering zouden uitleggen. Iedereen mopperde, maar ze zeiden allemaal dat ze natuurlijk aanwezig zouden zijn. Niemand wees de machtige Bundesbank af.

Catania deed zijn best om gewoon en achteloos te klinken, maar Fieri's vasthoudendheid en zijn slechte humeur maakten hem van streek. Misschien had Fieri een vermoeden. Catania zuchtte diep. Nee, dat kon niet. Dat was onmogelijk. Er kon geen lek zijn. Dan zouden ze de kip met de gouden eieren slachten. Catania huiverde om de vergelijking die hij maakte. Hij staarde naar buiten en probeerde de gedachte uit zijn hoofd te zetten.

Hij schoot naar voren toen de auto met een schok tot stilstand kwam voor het appartementengebouw aan Via di Sant'Eustachio naast het Pantheon in het hartje van het oude Rome. Hij stapte uit zonder een woord te zeggen, liep de vier trappen op naar zijn appartement op de bovenste verdieping en belde aan. Ella, de huishoudster, liet hem binnen. Hij hoorde Donatella lachen in de zitkamer waar ze met de kinderen aan het spelen was. Fieri kon de pest krijgen, hij liet zich niet ongerust maken. Die man kreeg op zijn leeftijd gewoon een steeds slechter humeur. Dat was alles. Hij kon onmogelijk iets weten. Gerustgesteld door zijn eigen woorden ging Catania snel de zitkamer binnen, naar de armen van zijn vrouw.

Samen speelden ze nog tien minuten met de kinderen, toen bracht Donatella hen naar bed. Nu hij even alleen was, kwamen Catania's zorgen weer boven. Hij ging naar zijn werkkamer en staarde niets ziend naar de schemering. Niet in staat deze werkeloosheid nog langer vol te houden, greep hij de telefoon, bladerde door zijn boekje met zakelijke adressen en belde de president van de Bank of England op zijn thuisadres. Het was in Londen nu acht uur, misschien kon hij hem nog net voor het eten te pakken krijgen.

Barrington, die genoot van een van die zeldzame avonden zonder officiële verplichtingen, wilde net met zijn vrouw aan tafel gaan toen de telefoon ging. Hij wierp een boze blik op de telefoon en pakte hem op. Wie was er in vredesnaam zo stom om om acht uur te bellen. Waarschijnlijk een van die idioten van het ministerie van financiën die, als ze geen overuren maakten, al om zes uur aten. Hij was verbaasd toen hij een zwaar Italiaans accent hoorde.

Met nauwelijks verholen ongeduld luisterde hij naar Catania's gebrekkige Engels. Tegen de tijd dat Catania eindelijk ter zake kwam was Barringtons irritatie omgeslagen in hooghartigheid, wat hem eigenlijk veel beter beviel.

'Mijn beste Catania, ik begrijp dat het vervelend is om twee vergaderingen te hebben in hetzelfde aantal weken. Ik leef met je mee. We hebben het allemaal tamelijk druk, maar aangezien ik ook niet weet waar de vergadering in Frankfurt over gaat, kan ik je niet vertellen of het wijs is om deze bijeenkomst te combineren met de Londense bespreking.' Hij lachte, alsof hij een geheim in een bijzonder fraai, humoristisch jasje verpakte. 'Het enige dat ik met zekerheid kan zeggen, is dat wanneer de Duitsers een vergadering beleggen ze daar een goede reden voor hebben. Ze doen niets zonder vooropgezet plan. Ze zullen deze zaak, wat het ook is, veel aandacht hebben gegeven en naar hun idee is het absoluut in ons belang dat we naar deze bijeenkomst komen.'

Het verbaasde Barrington niet dat Catania het grapje niet begreep. Hij vond deze Italiaan altijd al tamelijk somber, en humorloos. Hij had zich al vaak afgevraagd hoe het Catania was gelukt om president van de Banca d'Italia te worden.

Met volharding waarschijnlijk, en sluwheid. Hij zette de irritante Italiaan uit zijn hoofd en liep naar de eetkamer waar zijn vrouw zat te wachten.

Op het moment dat Barrington weer aan tafel zat, bleef Catania onbeweeglijk in zijn werkkamer zitten. Barringtons humor, waar de Engelsman zelf duidelijk zoveel plezier aan beleefde, werkte als een bot mes dat direct op zijn angsten gericht werd. Hij hoorde zijn vrouw roepen. Hij vervloekte zichzelf en stond op. Hij gedroeg zich dwaas, als een willig slachtoffer voor ongegronde vermoedens. Er was niets gebeurd. Hij wist dat hij hier anders niet meer had gezeten.

Sarah werd de volgende ochtend met een opgewonden gevoel wakker. Ze verheugde zich op het bespioneren van Matthew Arnott. Om vijf voor halfacht ging ze naast hem zitten en hield hem vanaf dat moment scherp in de gaten. Ze vroeg zich af hoe het met zijn huis in Holland Park zat en of hij inderdaad geld geërfd had zoals Mosami suggereerde. Het leek Sarah onwaarschijnlijk. Mensen met een groot extra inkomen werkten zich zelden te pletter op een beleggingsbank. Dat doen ze misschien een paar jaar, maar alleen met het idee om hun stapel geld nog groter te maken. Arnott was een jaar of dertig, schatte Sarah. Dus hij deed dit werk waarschijnlijk al een jaar of acht, en daarbij kwam dat hij niet paste in het beeld van een vermogend man. Hij was te hebberig en te onzeker. Sarah wist zeker dat hij zijn geld zelf had verdiend. Hoogstwaarschijnlijk op een illegale manier.

Sarah had het sterke vermoeden dat Arnott iets in zijn schild voerde; zijn zelfgenoegzame lachje en de rechtstreekse hatelijkheid waren waarschuwingssignalen. Ze was een nieuwkomer, een potentiële bedreiging dat er iets ontdekt zou kunnen worden.

Maar waarom was ze dan aangenomen? Als Scarpirato en hij samenzwoeren bij illegale transacties, waarom namen ze dan een risico door nieuwe mensen aan te nemen? Waarom zat Simon Wilson er dan? Tenzij hij er ook bij betrokken was.

Sarah leunde naar achteren en liet haar ogen over haar collega's dwalen. Ze stak een sigaret op en keek hoe de rookwolkjes naar het plafond kringelden. Misschien namen ze nieuwe mensen aan als dekmantel. Er was altijd druk van bovenaf om het personeel op een winstgevende afdeling uit te breiden. Als Arnott en Scarpirato ergens mee bezig waren, zou het er verdacht hebben uitgezien als ze weigerden nieuw personeel aan te nemen. Ze lachte in zichzelf. Misschien was ze hier niet de enige met bijbedoelingen.

Ze vroeg zich af of Jacob zijn vriend al had gesproken. Ze wierp een blik op Arnott die met een stuurs gezicht naast haar zat. De verborgen microfoontjes zouden de rollen omdraaien. Hun ingewikkelde geheim zou worden ontrafeld; in het geheim, of als aanklacht, misschien zelfs beide.

Scarpirato ging al vroeg weg, om vier uur, Sarah vertrok vlak daarna. Het was een rustige dag geweest. Ze had het bij een kleine transactie gelaten, waarmee ze vijftienduizend pond verdiend had. Wilson en Arnott hadden zitten knoeien, allebei verloren ze kleine bedragen. Wilson bleef opgewekt, hij leek zich nooit druk te maken, maar Arnotts humeur werd er niet beter op. Sarah was van plan geweest hem aan het praten te krijgen en hem uit te horen over zijn achtergrond, maar dat moest nog maar even wachten.

De taxi zette Sarah af op King's Road. Ze bleef bij de plaatselijke tijdschriftenkiosk staan om de *Evening Standard* te kopen vanwege de Citypagina's en de horoscoop. Dat had ze ook in de City kunnen doen zodat ze de krant in de taxi onderweg naar huis had kunnen lezen, maar ze keek liever naar het gekrioel in de straten, of ze droomde wat voor zich uit. Ze zocht naar wat kleingeld, stak tussen rode dubbeldekkers en dodelijke kamikazechauffeurs de straat over en wandelde over de stoep naar Carlyle Square.

De verkeersgeluiden stierven weg en Sarah hoorde kinderen spelen in de aan het plein grenzende tuinen. Hun kreten vulden de lucht. Ze zag hoe ze elkaar achterna zaten tussen de bomen en de struiken. Sarah hield van de tuinen. Groene schuilplaatsen waar je in de zomer kon zonnebaden, altijd goed onderhouden en het hele jaar door vol kleuren. Ze keek over het hek en zag mevrouw Jardine, bedolven onder een stel kinderen.

Sarah zwaaide en brulde een groet boven het kabaal uit. Mevrouw Jardine zwaaide lijdzaam grijnzend terug. De plaatselijke moeders lieten hun kinderen nooit zonder begeleiding spelen en vanavond was het mevrouw Jardines beurt. Sarah nam het soms wel eens van haar over, maar daar had ze vanavond geen zin in. Haar zenuwen waren uitgeput door de stemming op haar werk en ze had behoefte aan een flink stuk hardlopen. Ze liep de stoep weer op en stopte voor haar eigen huis. Ze bekeek het met plezier; ze werd er elke keer opnieuw vrolijk van.

Het was groot en vrolijk, vier verdiepingen met een smaakvolle gevel van lichtbruine steen. Met de kelder erbij waren er vier slaapkamers. Die van Sarah had een dakterras van ongeveer tien vierkante meter. Alex had de grootste kamer die over de tuinen uitkeek en tevens fungeerde als bomvolle opslagplaats van klimtouwen, klimijzers, opgevouwen tenten en alle andere dagelijks benodigde attributen voor meer serieus bergbeklimwerk. Van de derde slaapkamer had Sarah een studeerkamer gemaakt die van de vloer tot aan het plafond vol stond met boeken; de hare over willekeurige onderwerpen en die van Alex allemaal over klimmen en bergen. De vierde slaapkamer, in de kelder, was de logeerkamer.

De woonkamer besloeg de hele eerste verdieping. Het licht viel binnen door vier grote schuiframen die uitkeken op het plein en twee kleinere ramen die een blik gaven op de beschutte tuinen aan de achterkant. Onder deze twee ramen bevond zich een klein decoratief balkon dat vol stond met geraniums en duizendschoon die van buiten naar de planten binnen leken te zwaaien. De muren waren in een zachte geelbruine tint geverfd en op de vloer lag donker parket, bedekt met oude Perzische tapijten. De kamer had een hoog plafond waardoor Sarah altijd het gevoel had dat ze in die kamer kon ademen.

Aan de muren hing een bonte verzameling schilderijen: gezichten van Afghaanse krijgers naast een Schots berglandschap, een Nepalese sjerpa naast een detail van het Afrikaanse woud aan de voet van de Kilimanjaro, bergketens waarvan Sarah vanaf beide kanten de namen op kon noemen. Alex' reizen waren hier symbolisch in kaart gebracht.

Het reisverslag ging verder in de keuken en de badkamer waar de muren bezaaid waren met uitvergrote foto's van wat Chinese fantasiebergen leken: bergen waarvan de roze pieken als dolken in de lucht staken. Als Sarah in bad lag, stelde ze zich voor dat ze daar was.

Het huis was netjes vandaag. Barbara, de schoonmaakster, had een van haar zeldzame bezoekjes gebracht. Sarah was blij dat er weer eens opgeruimd was. Ze schopte haar schoenen uit in de hal en slingerde haar kleren op het bed. Ze woelde rond in de laden van een oude eiken kast en trok een wijde korte broek van spijkerstof en een wit T-shirt aan. Ze vond haar stevige hardloopschoenen met dikke, geribbelde zolen op het dakterras, waar ze stonden te luchten.

Ze deed vijf minuten rekoefeningen – haar achillespezen deden pijn na een paar dagen waarin ze alleen maar gezeten had – en jogde toen met haar huissleutels stevig in haar rechterhand geklemd over de drukke King's Road, langs Old Church Street naar de kade. Het spitsuur was al begonnen en de uitlaatgassen stonken. Sarah negeerde de auto's die op sommige plaatsen bumper aan bumper stonden en keek naar de rivier terwijl ze rende. Ze zag een rondvaartboot voorzichtig om de Cadogan Pier manoeuvreren om daar een stel toeristen af te zetten, om vervolgens verder te gaan naar Chelsea Harbour, een kleine kilometer verder naar het westen. Soms ging ze met de boot van haar werk naar huis, vanaf Swan Lane in de City. Het was een omweg, maar je had een prachtig uitzicht, vooral op de Houses of Parliament. En het was een aardige afwisseling.

Ze begon nu een beetje te zweten en rende over de roze met witte Albert Bridge naar Battersea Park. De mensen die daar de hele dag hadden liggen zonnebaden, waren hun spullen aan het inpakken; hun plaats werd ingenomen door joggers. Sarah rende hard en haalde een paar andere joggers in, maar ze bleef op het gras. Haar dokter was tegen joggen omdat hij er te veel knieblessures uit had zien voortkomen, maar Sarah hield stug vol. Ze hield van hardlopen, want dan kon ze alles van zich afzetten. En dat ze erdoor in vorm bleef, was een prettige bijkomstigheid.

De laatste honderd meter van het rondje in het park trok ze een sprintje, daarna wandelde ze hard uitademend over de brug. Vanaf de westelijke kant van de kade kon ze de Lot-krachtcentrale zien. Het leek op een droom van een pretparkontwikkelaar, maar dan echt. In de lucht erboven hingen dunne kringeltjes rook, bewijs van het leven dat zich binnenin afspeelde. Sarah stelde zich voor dat het binnenin een wirwar van ontzagwekkende raderen en glanzend koperdraad was, ondanks het feit dat ze er eens naar binnen had gekeken en alleen maar rijen dingen had gezien die op immens grote radiatoren leken.

De buitenkant zag er absoluut beter uit dan de binnenkant. Hetzelfde gold voor het zusterbedrijf dat – jammer genoeg niet meer in bedrijf – boven Battersea Park uittorende. Dat zusterbedrijf dreigde even echt omgebouwd te worden tot pretpark. Tot Sarahs grote opluchting was de projectontwikkelaar eind jaren tachtig failliet gegaan en kon de krachtcentrale gewoon als een stil standbeeld blijven staan.

Terwijl ze langzaam afkoelde, liet Sarah de kade achter zich en wandelde via Old Church Street naar King's Road. Ze kwam een hele stoet zweterige bankiers in gesteven witte overhemden tegen, die zware diplomatenkoffers met zich mee zeulden. Het leek wel of de halve City in deze buurt woonde. Ze zag een paar mensen die ze kende en rende snel naar Carlyle Square. Elke keer als je hier naar buiten ging, liep je een bekende tegen het lijf. Het was onmogelijk om hier anoniem te zijn. Ze werd er gek van.

Er was gebeld toen ze er niet was. Het was Pierluigi di Rivana, een vroegere collega van Finlays. Hij belde over de eetafspraak die ze vorige week al hadden gemaakt. Hij zei dat hij haar om een uur of negen op zou pikken. Prima, dan kon ze eerst nog een tijdje luieren. Ondanks het grote gemis van Alex en Eddie vond ze het af en toe heerlijk om alle rust en stilte voor zichzelf te hebben.

Ze nam een lekker lange douche, waste haar haren en ging op bed liggen. De ramen stonden open en er waaide een verkoelend briesje door de katoenen gordijnen. Tot een uur of negen lag ze een beetje te lezen en te dutten en verkleedde zich toen snel in een blauw met witte doorknoopjurk en hoge blauwe pumps met een open hiel. Ze borstelde de klitten uit haar haren en sprenkelde wat parfum op. Om kwart over negen stond Pierluigi – zoals altijd te laat – voor de deur.

'Ciao Sarah. Hoe is het?'

Sarah zoende hem op beide wangen. 'Ciao Pierluigi. Prima, dank je. Hoe is het met jou?'

'O, goed. Druk.' Hij wierp haar een vragende blik toe. 'En nieuwsgierig.'

Sarah glimlachte. 'Dat is nergens voor nodig.'

Ze gingen naar Scalini's in Walton Street. Het was er druk en lawaaiig. Het was eigenlijk het laatste waar Sarah behoefte aan had na een enerverende dag op de handelsvloer, maar de Italianen waren er weg van en ze hadden Sarah al een dienst bewezen; het had geen enkele zin om een ruime rustige plek voor te stellen. Pierluigi leidde haar naar hun tafel. Er zaten al acht mensen en er waren nog twee plaatsen vrij. Op een na kende Sarah iedereen. Sarah was een eeuwigheid bezig met begroetingen voordat ze zich eindelijk tot de vreemdeling aan haar rechterzijde kon wenden die alles met een geamuseerde glimlach had gadegeslagen. Pierluigi stelde hen aan elkaar voor.

'Sarah Jensen, Marco Scarpirato.'

Ze schudden elkaars hand en Sarah liet zich op de lege stoel naast hem zakken.

Pierluigi zat haar vanaf de andere kant van de tafel aan te kijken. Ze negeerde hem en richtte haar aandacht op Marco. Hij was jonger en kleiner dan zijn broer. Het gezicht dat haar lachend aankeek, was rond en zonder rimpels, zijn houding en zijn stem waren ontspannen. Hij was sportief gekleed in een spijkerbroek en een T-shirt dat zijn kleine buikje niet verborg. Niemand zou hen voor broers hebben aangezien.

'Vertel eens, waar ken je Pierluigi van?'

'Finlays. We hebben samengewerkt.'

'Nu niet meer?'

'Nee, ik ben een paar dagen geleden vertrokken.'

'O, waarheen?'

'ICB,' zei Sarah achteloos. Even was er geen reactie te zien. Eerst stond zijn gezicht onbewogen, daarna was er even een geïrriteerde blik te zien voordat het weer beleefd uitdrukkingsloos werd.

'Daar werkt mijn broer. Dante, heet hij.'

'Weet ik, dat is mijn baas,' grinnikte Sarah en ze zei nog wat over een klein wereldje enzo.

'Arme jij.'

'Hoezo?'

'Nou, je weet wel. Het kwade genie.'

Sarah liet nu zien dat het onderwerp haar boeide. 'Nee, dat weet ik niet.'

De uitdrukkingsloosheid viel weg en Marco keek nu oprecht nijdig. 'Ach, kom nou toch. Mijn broer is een genie, dat weet iedereen. Maar niemand pretendeert hem aardig te vinden.'

Sarah begon zich ongemakkelijk te voelen. 'Ik heb geen problemen met hem. Hij is misschien wat ondoorgrondelijk, maar niet onaardig. En zeker de kwaadste niet.'

Marco ging zijdelings in zijn stoel zitten en wierp haar een brede grijns toe waaraan zijn ogen niet meededen. 'Je kent hem gewoon nog niet.'

Zijn poging om de stemming wat luchtiger te maken, zorgde er alleen maar voor dat Sarah zich nog onprettiger voelde. Dus de twee broers kunnen niet met elkaar opschieten, ze mogen elkaar niet. Ze roepen lelijke dingen over elkaar, dat is normaal tussen broers. Maar Marco vond het duidelijk nodig zijn diepere gevoelens te verbergen. Het feit dat het hem niet lukte, bevestigde Sarahs vermoedens dat die gevoelens behoorlijk diep zaten. Ze vroeg zich af wat Dante zijn jongere broertje had aangedaan.

Sarah haalde haar schouders op. 'Maar goed, ik heb genoeg van de City voor vandaag. Laten we het ergens anders over hebben.' Ze zag dat hij zijn schouders een beetje ontspande. 'Ik begrijp dat jij niet in de City werkt?'

Hij lachte. 'Goddank niet. Ik heb 't drie jaar gedaan en toen ben ik ermee gekapt. Ik studeer nu aan de kunstacademie.'

'Dat is een behoorlijke verandering. Waarom heb je belangstelling voor kunst? Zit er een schilder in de familie?'

'Nou nee,' antwoordde hij stijfjes. 'Het is helemaal mijn eigen idee. Mijn vader zat in het bankwezen. Hij was opgetogen toen zijn beide zoons hem opvolgden.' Hij schokschouderde. 'Dante was succesvol en ik een grote mislukkeling. Er bestaat nou eenmaal geen tussenoplossing, hè?'

'Nee, in de City niet nee. Daar bestaat de neiging om die dingen te splitsen.'

Marco draaide zich weer naar haar toe en leek haar nu voor de eerste keer echt aan te kijken. 'Waarom zit jij er eigenlijk?'

Sarah lachte. 'Dat vraag ik me ook wel eens af. Ik weet 't niet precies. Een mens moet toch íets doen?'

Marco grijnsde en leek haar aardiger te gaan vinden. 'Dat getuigt niet van een grote toewijding, zo te horen.'

'Gedverderrie, wat een vies woord. "We willen uw toewijding aan dit werk, aan dit bedrijf. Dat is namelijk erg belangrijk voor ons, uw toewijding",' deed Sarah de speech na die honderd keer per dag te horen was in de City. Marco barstte in lachen uit.

'Dit kun je maar beter niet aan je broer vertellen.'

Het gelach hield abrupt op. 'Waarom zou ik?' De vraag kwam er nors uit en opnieuw voelde Sarah de spanning.

Ze haalde haar schouders op. 'Dan is het goed.' Ze glimlachte en draaide zich om om met haar andere buurman te praten.

Toen Sarah om halfeen bijna aan tafel in slaap viel, werd de rekening eindelijk betaald en stond iedereen op. Ze wensten elkaar welterusten en Sarah liep met Pierluigi naar de auto.

'Zo, tevreden? Je hebt Marco Scarpirato ontmoet. Was het wat je je ervan had voorgesteld?'

Pierluigi's scherpe toon verbaasde Sarah. Ze keek hem een beetje geërgerd aan. Eén op z'n teentjes getrapte man per avond was wel genoeg.

'Ik had me er helemaal niets van voorgesteld, Pierluigi. Ik was alleen maar benieuwd, dat is alles.'

'Benieuwd. Nou, ik ben ook benieuwd.' In dreigende stilte reed hij verder. Hij reed Carlyle Square op en parkeerde zijn auto voor Sarahs huis. Hij liep het trapje op naar haar voordeur, wenste haar goedenacht en aarzelde toen. De irritatie had plaats gemaakt voor opgelatenheid.

'Luister, Sarah. Ik wil alleen maar weten wat er aan de hand is. Eerst bel je me om te vragen of ik Dante Scarpirato ken. Alleen van horen zeggen, zeg ik. Maar ik ken zijn broer Marco goed. "Neem hem mee naar het etentje," zeg jij.' Hij keek haar ernstig aan en zei toen op Italiaanse melodramatische toon: 'Ik weet niet wat je van plan bent, maar wat het ook is: je moet geen afspraakjes maken met Dante Scarpirato. Heb je me goed begrepen?'

Sarah lachte vol verbazing. 'Hoe kom je erbij om zoiets te zeggen? Waarom zou ik met Dante Scarpirato uit willen gaan? Ik heb een fantastische vriend van wie ik erg veel houd en zelfs als dat niet zo was, zou ik nog niet met Scarpirato uitgaan.'

Pierluigi hield voet bij stuk. 'Je bent helemaal zijn type,' zei hij op langzame toon. Sarah zette haar handen in haar zij.

'Dus zo zit het, hè? Ik heb niets in de melk te brokkelen?'

Pierluigi moest lachen om haar tegenstand. 'Nou ja, misschien heb je gelijk.' Maar toen hij zich omdraaide en wegliep, voegde hij er zachtjes aan toe: 'Maar vroeg of laat valt iedereen voor hem.' Hij draaide zich weer om, ze stond nog boven aan de trap.

'Bel me maar over een week.'

Piekerend over wat Pierluigi had gezegd, ging Sarah naar binnen. Ze had zichzelf zo druk verdedigd dat ze de meest voor de hand liggende vraag niet had gesteld. Wat was er zo vreselijk aan Dante Scarpirato? Waarom vond Pierluigi het nodig haar te waarschuwen? Was hij jaloers? Nee, het was meer dan dat. Ze voelde zich onrustig toen ze zich uitkleedde en naar bed ging. Het beeld van een stille Scarpirato in zijn donkere pak in het donkere kantoor vulde haar gedachten. Haar gesprekken met Marco en Pierluigi hadden het vertrouwen in de man niet groter gemaakt. Ze hadden haar zelfs uiterst ongerust gemaakt. Ze had altijd gedacht dat de zogenaamde 'witte-boordencriminaliteit' onschuldig en pijnloos was. Maar rond Dante Scarpirato hing een waas van pijn en angst.

13

'Je hebt grote indruk op mijn arme broertje gemaakt.' Dante Scarpirato leunde met zijn ellebogen op haar bureau, voorovergebogen terwijl Sarah voor haar schermen zat. 'Het is niet eerlijk om lelijk te doen tegen iemand zoals hij, weet je.' Sarah keek hem aan. 'Tegen wie dan wel?' Hij sperde zijn ogen een fractie wijder open. Voordat hij antwoord kon geven, kwam Arnott eraan, die hem ter begroeting op zijn rug sloeg. 'Morgen, Dante.' Hij klonk nog verwaander dan anders.

Scarpirato negeerde Arnott en wandelde naar de vergaderkamer. De anderen namen een voorbeeld aan hem en volgden, Wilson was net op tijd.

Het was de eerste keer dat Scarpirato hun een handelsopdracht gaf. Hij wilde dat ze ponden sterling gingen kopen. Hij had het gevoel dat het pond ondergewaardeerd was. Hij had het idee dat het economisch herstel van Groot-Brittannië eraan zat te komen. Maar omdat het te lang had geduurd en een paar keer was misgegaan, geloofde de markt de politici niet, die zeiden dat er deze keer echt een opleving aanstaande was.

Scarpirato dacht dat de afgevaardigden van de G7 – de groep van zeven industriële landen die uit Groot-Brittannië, de Verenigde Staten, Japan, Duitsland, Frankrijk, Italië en Canada bestond – het er allemaal over eens waren dat het pond ondergewaardeerd was. Hij achtte het waarschijnlijk dat ze binnenkort bij elkaar zouden komen om een ondersteunende campagne voor te bereiden. De vraag was alleen wanneer. Scarpirato dacht binnenkort.

Sarah luisterde geïnteresseerd. Ze was het eens met Scarpirato's visie op het geheel. De enige onzekere factor was het tijdstip waarop het zou gebeuren. Scarpirato wilde dat ze een grote positie in zouden nemen van driehonderd miljoen pond, die zich in een week tijd volledig kon ontwikkelen.

Hij gaf hun de opdracht om op termijnnotering van een week ponden tegen dollars te kopen. Dat betekende dat ze vandaag – tegen de wisselkoers die de markt over een week verwachtte – overeen zouden komen om over zeven dagen van andere marktpartijen een bepaalde hoeveelheid pond sterling te kopen, die over een week met dollars betaald zou worden.

Waar Scarpirato's team op gokte, was dat het pond in de tussentijd in waarde zou stijgen tegen de dollar. Op die manier konden ze de ponden die ze over een week zouden ontvangen onmiddellijk verkopen, om met de opbrengst ruimschoots dollars te kunnen kopen die ze nodig hadden om hun kant van de afspraak na te komen. Het geld wat daarna overbleef was pure winst.

Het was zoiets als afspreken om over een week drie appels te kopen voor drie sinaasappels om er dan na ontvangst van de appels achter te komen dat je ze voor vier sinaasappels kon verkopen. Alleen konden ze in dit geval miljoenen ponden verdienen als Scarpirato het bij het rechte eind had.

Van elke positie van honderd miljoen pond die ze innamen, was tien miljoen van ICB. De rest was geleend. Speculeren met geleend geld - ook wel surplushandel genoemd - was een gevaarlijke zaak maar als je de markt juist interpreteerde, kon het rendement spectaculaire vormen aannemen. Dat was de aantrekkingskracht van kredietspeculatie. Je hoefde zelf maar een fractie van de inzet op te brengen en de winst was volledig voor jou.

Bij een positieneming van driehonderd miljoen pond kon een kleine beweging in de goede richting al miljoenen ponden opleveren. Maar het werkte naar beide kanten. Als je met dertig miljoen pond aan eigen kapitaal een positie innam van driehonderd miljoen pond en de markt maakte een beweging naar de andere kant, dan kon je je volledige eigen kapitaal kwijtraken. Dus een goed idee alleen was niet goed genoeg. Het moest ook op het juiste moment gebeuren.

Volgens Scarpirato's berekening zou het pond binnen een week stijgen tegen de dollar. Het was een gok waarbij het bepalen van het juiste tijdstip van zeer groot belang was, en er was een andere instelling voor nodig dan die van de korte-termijnhandel. Je moest wel heel moedig zijn - of zeker van je zaak - om zo'n gok aan te durven. In dit geval waren er geen feiten bekend, alleen maar vermoedens. Sarah vroeg zich af waarom Scarpirato zo zeker was van zijn zaak.

De volgende anderhalve dag was het team druk bezig hun positie in te nemen. Dat was op zichzelf al een vakkundige bezigheid. *Market-makers* - de mensen waarmee ze handelden als ze een positie innamen - zijn zeer alert. Als ze zouden vermoeden dat ICB een heel grote positie in ponden aan het innemen was, zouden ze de koers waartegen ze dollars aanboden verhogen. Bij een bedrag van driehonderd miljoen kon dat een verlies van enige tienduizenden ponden betekenen. Tegen de tijd dat de markt op vrijdag sloot, was de hele positie ingenomen zonder dat de *market-makers* enig vermoeden hadden gekregen.

Nadat Scarpirato zich de hele dag in zijn kantoor had opgesloten, kwam hij om vijf uur naar de bureaus.

'Hoe gaat het?' vroeg hij aan Arnott.

'Prima.' Arnott draaide zijn bureaustoel om en keek Scarpirato aan. 'We hebben de hele positie ingenomen en geen hond die iets in de gaten heeft. We hebben goede koersen gekregen.'

Scarpirato glimlachte. 'Mooi zo. Geen flaters. Goed gedaan. Je weet hoe ik over geheimhouding denk.'

Sarah draaide haar stoel langzaam rond om Scarpirato aan te kijken. Hij keek haar even aan, draaide zich toen om en liep weer terug naar zijn kantoor. Sarah keek naar zijn rug, stond toen op en liep achter hem aan. Ze liep naar het geblindeerde kantoor, klopte op de glazen deur en stapte zonder op antwoord te wachten naar binnen. Scarpirato zat net achter zijn bureau en keek verbaasd toe hoe Sarah een stoel naar zich toe trok. Hij fronste zijn wenkbrauwen alsof hij op uitleg wachtte. Er blonk een klein triomfantelijk glimlachje op zijn gezicht alsof hij zijn best had gedaan haar naar zich toe te laten komen. Ze negeerde het en leunde met een peinzende uitdrukking naar achteren. Ze zei: 'Ik vraag me af hoe je op dit idee over ponden gekomen bent, Dante.'

In afwachting van een reactie keek ze hem aan. Die kwam bijna onmiddellijk, alsof ze op een knop gedrukt had. De vage grijns verdween van zijn gezicht, en hij kneep zijn ogen zover dicht dat het wit onzichtbaar was en er alleen nog donkere pupillen te zien waren. Geschokt en gefascineerd staarde Sarah naar zijn gezicht. Die bijna zwarte ogen en die strakke mond straalden ongeremde en onverholen woede en minachting uit. Dit soort emoties was vaker te zien op de handelsvloer, maar zelden zo uitgesproken. Zijn gezichtsuitdrukking bleef onveranderd, terwijl Sarah hem aanstaarde. Wat ze hier zag, was dezelfde weloverwogen minachting voor heersende omgangsvormen als die ze al eerder in zijn toon en blik had opgemerkt. Maar toen was het verlangen. Nu was het vijandigheid. Net zo intens, net zo intiem. Sarah keek in de donkere, boze ogen. Toen hij antwoord gaf, sprak hij langzaam, alsof hij gekweld werd.

'Ik dacht dat ik dat gistermorgen allemaal had uitgelegd. Waarom heb je mijn opdracht zo slaafs uitgevoerd als je het toen niet begreep?'

Als hij die blik niet in zijn ogen had gehad, zou Sarah in lachen zijn uitgebarsten. Het was een botte beschimping, maar die miste zijn uitwerking niet. Ze slikte haar antwoord in en bestudeerde Scarpirato in stilte. Sarah vroeg zich af of deze reactie veroorzaakt werd door verborgen onzekerheid waardoor hij een hekel had aan iedereen die een bedreiging vormde voor zijn gezag, of dat het specifiek door deze vraag kwam. Hoe dan ook, deze reactie liet een man zien die zichzelf overduidelijk beschouwde als het toppunt van vertrouwenswaardigheid; iemand die boven alle verdenking had moeten staan, ook al zou hij iets te verbergen hebben gehad.

Sarah haalde haar schouders op. 'Misschien heb ik iets gemist. Je hebt uitgelegd waarom je dacht dat het pond zou gaan stijgen en daar ben ik het helemaal mee eens, maar waarom nu?' Ze sloeg haar benen over elkaar, leunde naar voren en zei kalm: 'Was er een speciale aanleiding of was je aan het pointeren?'

Bij deze beschuldiging kneep hij zijn ogen tot spleetjes en bevestigde daarmee Sarahs indruk dat alle handelingen van deze man zorgvuldig tot stand kwamen, dat hij zich liet leiden door zijn verstand. Pointeren was een gokspel dat je alleen maar deed als je je liet leiden door je gevoel. De aantrekkelijke roekeloosheid die het op veel handelaren uitoefende, vervulde hem met minachting. Hij keek haar nog een paar seconden strak aan en knipperde toen een keer alsof hij daarmee zijn vijandigheid probeerde te onderdrukken. 'Ik lees gewoon de kranten – ook wat er tussen de regels staat – en ik kijk naar de ministers van financiën als ze op televisie zijn. Er valt een hoop te zien aan hun reacties en ik houd mijn oren open voor alle roddels.' Scarpirato leunde naar achteren en vouwde zijn handen achter zijn hoofd. 'Tevreden?'

Sarah stond op, liep naar de deur en leunde tegen de deurpost. Het was een standaardantwoord en ze was niet tevreden. Glimlachend zei ze: 'Niet erg origineel, maar ook niet ongeloofwaardig.' Ze voelde zijn ogen in haar rug prikken toen ze terugliep naar haar bureau. Het was halfvijf, er was niets meer te doen en ze had een drukke avond voor de boeg, dus ze zette haar schermen uit, pakte haar tas en ging weg.

Toen ze thuiskwam, zat Jacob thee te drinken aan haar keukentafel. Hij had reservesleutels en gebruikte ze af en toe om wat klusjes te doen, iets op te hangen of te wachten op bezorgers en mannen die de meterstand kwamen opnemen. En soms kwam hij gewoon om te kijken of het goed ging met Sarah.

Sarah lachte toen ze hem zag. 'Jacob.' Ze boog voorover om hem een zoen op zijn wang te geven. 'Wat een leuke verrassing.'

'Ik kom je alleen maar even iets vertellen. Ik kan niet blijven, ik ben zo weer weg. Het is vrijdagavond, dus je zult vanavond wel uitgaan zeker?'

Sarah pakte de theepot die op tafel stond en schonk voor zichzelf een mok in. 'Nee hoor, ik ga niet stappen vanavond. Om eerlijk te zijn, ik ben veel te moe. Dus waarom blijf je niet lekker eten? Het wordt tijd dat ik jou weer eens trakteer.'

Hij lachte. 'Weet je het zeker?'

Sarah glimlachte. 'Absoluut. En wat kwam je me nou eigenlijk vertellen?'

'Ach, dat kan wel even wachten. Je zult wel bekaf zijn als je om zes uur bent opgestaan. Als je nou eerst eens even een dutje gaat doen, dan vertel ik het je straks wel. Dan maak ik in de tussentijd het eten klaar.'

'Ik voel me prima, Jacob. Toe, vertel nou. Ik ben razend benieuwd.'

Hij nam nog een grote slok thee en genoot van haar nieuwsgierigheid. 'Goed, ik heb die maat van me vandaag gesproken. Die van de microfoontjes.' Hij wierp een triomfantelijke blik op Sarah. 'Hij zegt dat hij het kan regelen. Maar hij moet eerst nog wat meer weten.'

Sarah grijnsde. 'Fantastisch. Brand maar los.'

Later die avond, nadat ze eerst met Jacob had gegeten, belde Sarah Mosami.

'Hoi, met Sarah. Luister eens, lieverd. Ik moet je iets vragen. Is het goed als ik even langskom?'

'Natuurlijk. Dan zie ik je zo.' Mosami legde fronsend de telefoon neer. Sarah gedroeg zich de laatste tijd een beetje vreemd, een beetje mysterieus. Ze hoopte niet dat er iets aan de hand was.

Sarah liep Carlyle Square op en stapte in haar auto. Het was een zilvergrijze BMW CSL uit 1973, een two-seater die gebouwd was voor dagelijks gebruik, maar ook om te racen. Om de auto extra licht te maken, was er zoveel mogelijk aluminium in verwerkt. Er zat een drie-litermotor in en vier versnellingen waarmee een maximumsnelheid van 225 kilometer per uur behaald kon worden. Er waren maar vijfhonderd exemplaren gebouwd met het stuur aan de rechterkant. Er zaten kuipstoeltjes in die vooral door de echte liefhebbers hoog gewaardeerd werden. Het was een zeer begerenswaardig verzamelobject. Sarah had hem twee jaar geleden gekocht om te vieren dat ze alweer een jaar in de City had overleefd. Het was haar grote trots.

Ze reed van Carlyle Square naar Old Church Street en sloeg rechtsaf op Fulham Road in de richting van Mayfair. Vijftien minuten later stond ze in Hay's Mews voor Mosami's huis. Mosami hoorde de auto en liep naar de voordeur. Ze stond op de drempel in een satijnen kimono met daaronder een bijpassende pyjama. Haar lange haar hing in zwarte strepen over de zachtgele kimono.

De twee vrouwen kusten elkaar. Mosami gebaarde naar haar kleding. 'Ik hoop niet dat je het erg vindt. Ik lag lekker te luieren. Je kent dat soort vrijdagavonden wel. Ik ben helemaal kapot.' Ze grijnsde. 'Ik lag in bed naar een video van *Jungle Book* te kijken toen je belde.'

Sarah lachte. 'Heerlijk. Dat klinkt als het toppunt van genot.'

'Dat is het ook.' Mosami liep met Sarah naar de keuken. 'Heb je zin in een kop kamillethee?'

'Ja, lekker.'

Mosami vulde de ketel met water. 'Vertel eens, wat is er aan de hand?'

Sarah praatte tegen de rug van haar vriendin. 'Waarom denk je dat er iets aan de hand is?'

Mosami zei snuivend: 'Kom nou toch, Sarah. Je gedraagt je nogal vreemd de laatste tijd. Ineens heb je een nieuwe baan, en je wilt er niets over zeggen. Ik vind het allemaal niet erg, maar ik ken de symptomen, weet je wel?'

Het water kookte. Mosami pakte de theepot uit een kast en hing er twee zakjes kamillethee in. Ze goot kokend water in de pot en droeg hem op een houten dienblad met twee kopjes naar de woonkamer. Ze ging op de bank zitten en schonk de thee in. Sarah ging naast haar zitten, pakte haar kopje en nam voorzichtig een slokje; de hete stoom verwarmde haar gezicht toen ze het kopje aan haar lippen hield.

Sarah zette het kopje op de houten tafel voor haar en draaide zich opzij om haar vriendin aan te kunnen kijken.

'Nou, het is allemaal nogal vreemd. Ik weet niet waar ik moet beginnen.'

Ze zuchtte diep en nam nog een slok. Haar ogen dwaalden door de kamer alsof ze hoopte dat ze daar inspiratie uit kon putten.

'Zoals ik je net al zei aan de telefoon: ik moet je iets vragen. Ik heb je hulp nodig, maar ik kan je niet echt uitleggen waarom. Niet helemaal tenminste.'

Gedurende de tijd dat Sarah sprak, hield Mosami haar gezicht in de gaten, ze bekeek haar ogen en de trek om haar mond. Sarah trok haar wenkbrauwen vragend op. Mosami haalde haar schouders op. Sarahs ongemakkelijkheid sloeg op haar over.

Ineens ging Sarah verder. Mosami schrok op.

'Het gaat over Carla Vitale. Ik moet in haar flat zien te komen.'

Mosami was een tijdje stil. Ze staarde in gedachten verzonken naar alle tinten blauw van het schilderij dat aan de andere kant van de kamer hing. Toen wendde ze zich weer tot haar vriendin.

'Wat is er aan de hand, Sarah?'

Sarah trok haar schouders op. 'Ik kan het je echt niet vertellen. Ik zou willen dat het kon. Ik weet het zelf niet eens precies. Dat moet ik nou juist uitzoeken. Het heeft te maken met Matthew Arnott. Ik denk dat hij de wet overtreedt. En ik denk dat Carla er meer vanaf weet.'

Mosami hield haar hoofd schuin. 'Dus je wilt haar flat binnenkomen?'

Sarah knikte. 'Ik wil er afluisterapparatuur plaatsen.'

'Microfoontjes?'

'Mm.'

'O god, Sarah. Ik hoop dat je weet waar je mee bezig bent.' Mosami greep naar haar sigaretten die op het tafeltje lagen. Ze bood er Sarah een aan. Stilletjes zaten ze samen een poosje te roken. Toen ging Mosami weer verder: 'Kijk, ik begrijp niet wat je aan het doen bent en waarom je het doet. Het is zonder twijfel beter op deze manier. Jij wilt het me niet vertellen en ik wil het niet weten. Zo moeten we het maar houden.' Ze lachte breeduit. 'En natuurlijk help ik je.'

Toen Sarah thuiskwam, belde ze Jacob in Golders Green.

'Jacob, met mij. Ik ben net bij Mosami geweest. Ze wil me helpen. Dus vertel maar aan je vriend dat we toegang tot het huis hebben.'

Jacob hing op en belde een nummer in Oost-Londen. Een vriendelijke, bejaarde man nam op. Jacob hield het kort.

'We kunnen naar binnen. Op alle drie de plekken.'

'Goed. Kom morgen om een uur of drie maar langs. Dan zorg ik dat ik de spullen klaar heb.'

Het was zaterdagochtend en de wekker was verbannen naar een andere kamer. Sarah was verlost van het eindeloze getik en het geniepige gepiep. Ze werd om tien uur wakker en bleef nog vijf minuten in bed liggen met het heerlijke gevoel dat ze de hele dag kon blijven liggen als ze dat zou willen. Het zonlicht stroomde door de katoenen gordijnen en ze kon de beginnende warmte van wat een verzengend hete dag beloofde te worden al voelen.

Ze stond langzaam op, trok haar dunne ochtendjas aan en liep naar de woonkamer. Ze bukte zich voor haar verzameling cd's en pakte Ella Fitzgeralds *Greatest Hits*. 'Mac the Knife' galmde door het huis terwijl ze in de keuken stond en de espressomachine klaarmaakte voor zijn lawaaiige ritueel.

Vijf minuten later liep ze met een schuimende cappuccino, een gepelde sinaasappel, een in stukjes gesneden kiwi en een vol schaaltje Kelloggs Crunchy Nut-cornflakes met banaan en melk de slaapkamer in. Ze zette het blad voorzichtig op het bed en kroop er weer in met het boek dat ze net van de grond had gepakt. Het was van een van haar lievelingsschijfsters: Rosamond Lehmann. Het heette *The Sea Grape Tree*. Een prachtige titel en een prachtig boek, met een illustratie op het omslag van een vrouw die fruit van een boom aan het plukken was. Sarah vond dat het iets rustgevends uitstraalde. Uitgebreid de tijd nemend, lag ze te lezen en te eten.

Ze had geen plannen voor vandaag. Pierluigi had haar uitgenodigd om met hem en een stel vrienden uit eten te gaan. Ze wist nog niet of ze zou gaan. Na het vertrek van Eddie en Alex wist ze niet zeker of ze nou wel of geen gezelschap wilde. Het ene moment genoot ze van de stilte en het volgende zag ze ertegenop. Het was een vast patroon dat ze maar al te goed kende. Maar vroeg of laat zou ze deze gemoedstoestand doorbreken. De pijn zou verdwijnen en dan kreeg ze haar innerlijke rust weer terug. Die rust was broos, maar het was elke keer opnieuw een grote opluchting.

Om vier uur belde Jacob. Sarah was net terug van het joggen.

'Ha meisje, je bent thuis. Kan ik even langskomen? Ik heb iets voor je.'

Sarah grijnsde. 'Ik zal zorgen dat ik er ben.'

Hij kwam om vijf uur met een witte plastic tas. Hij liep achter Sarah aan naar de keuken en ging aan tafel zitten terwijl ze thee zette. Ze opende een kastdeurtje waarachter tien blikjes en pakjes met verschillende theesoorten te zien waren. Ze pakte er drie – jasmijn, earl grey en parelthee – en gooide van iedere soort precies evenveel in haar lievelingspot – een cadeautje van Jacob – die door Clarice Cliff beschilderd was met rennende antilopes. Ze schonk twee bijpassende kopjes vol en ging met een verwachtingsvol gezicht tegenover Jacob zitten. Hij bukte naar de tas die aan zijn voeten lag. Terwijl Sarah een sigaret opstak legde Jacob de tas op tafel en haalde er drie verdeelstekkers en een dubbele telefoonstekker uit.

Sarah keek er geboeid naar. Met glanzende ogen keek ze op naar Jacob. Ze grijnsden elkaar toe.

'Fantastisch, hè?' zei hij.

'Ongelooflijk. Ze zien eruit als gewone stekkers. Je stopt ze gewoon in het stopcontact en dan doen ze het?'

'Zo ongeveer. Ze werken op geluid. Ze nemen alles op wat er in de kamer gebeurt en een klein beetje van wat in de aangrenzende ruimtes te horen valt. Er zitten kleine zendertjes in die een bereik hebben van anderhalve kilometer. Die zendertjes sturen het naar een ontvanger die alles opneemt op een digitale cassetterecorder.' Jacob haalde twee kleine recorders met een oppervlakte van ongeveer twaalfeneenhalve bij zeveneneenhalve centimeter en een hoogte van vijf centimeter uit de plastic tas te voorschijn. 'Ze zijn aangepast. Het bandje heeft een totale opnametijd van twaalf uur. Ik heb twintig bandjes. Daar zouden we het om te beginnen mee kunnen doen.' Hij drukte op ON, RECORD en PLAY. 'Kijk maar. Heel eenvoudig. Net als een gewone cassetterecorder.'

'Je bent een engel, Jacob. Wist je dat?'

De oude man lachte. Zijn ogen schitterden net zo hard als die van Sarah.

'Je kunt dus bij Carla binnenkomen?'

'Ik denk het wel.'

Jacob knikte. 'Ik heb de afstand opgemeten. Minder dan anderhalve kilometer. Je zit op een perfecte locatie.' Hij praatte als een makelaar. Ze lachte en Jacob ging weer op normale toon verder. 'Ik moet alleen de ontvangers nog opstellen. Ik denk dat ik ze op het dak plaats, is dat goed?'

Sarah knikte. 'Natuurlijk. Wat je wilt.'

'Het dak is het beste,' zei Jacob. 'Daar heb je de beste ontvangst.' Hij nam een grote slok thee, bracht zijn kopje naar de gootsteen en ging toen met een rechte rug en een serieus gezicht weer aan tafel zitten. 'Die maat van me heeft de ontvangers voor de microfoontjes die je op je werk gaat plaatsen. Hij woont op de tiende verdieping van een nieuwe flat in Whitechapel. Een hele mooie locatie om de geluiden van ICB op te vangen. Het is minder dan anderhalve kilometer en goed hoog.' Hij onderbrak zijn verhaal en keek onderzoekend naar Sarahs gezicht voor hij doorging. 'Het risico bestaat dat hij naar de bandjes gaat luisteren want het is een nieuwsgierige oude vent, maar hij is absoluut te vertrouwen. Als hij naar de bandjes luistert dan zal hij daar absoluut niets mee doen.'

Sarah glimlachte. 'Jacob, als jij hem vertrouwt dan doe ik dat ook.'

Jacob keek opgelucht. 'Dat dacht ik wel. Zoals ik al zei: het is een goede vent en een van mijn oude maten. Vroeger deden hij en ik samen...'

Sarah begon te lachen. 'Een van je oude maten. Dat is de beste aanbeveling die je zou kunnen doen.'

Jacob deed alsof hij gekwetst keek. 'Af en toe ben je onmogelijk. Ik ben niet tegen je opgewassen.'

Sarah gaf een kneepje in zijn arm. 'Sorry hoor. Dat was een schot voor open doel.'

Jacob ging verder: 'Hoe dan ook, hij zal zorgen voor de informatie die bij ICB naar boven komt. De rest moet je zelf doen. Je hebt twee ontvangers en twee recorders, een voor een gewoon microfoontje en de ander voor de telefoon. Ze zijn allebei voor Carla. Ik kan zo aan meer materiaal komen. Je laat het me weten als je denkt dat je bij Arnott en, hoe heet-ie ook alweer, Scarpirato in huis kan komen, hè?'

'Zal ik doen, Jacob. En bedankt.' Ze glimlachte. 'O, dat was ik bijna vergeten. Hoeveel is dit bij elkaar?'

'Ik heb het voor een speciale prijs gekregen,' grijnsde Jacob. 'Normaal gesproken zou het zo'n acht ruggen gekost hebben. Ik heb het voor vier gekregen.'

Sarah slikte. 'Allemachtig wat zijn die dingen duur, maar ik ben er hartstikke blij mee,' voegde ze er snel aan toe, 'dat heb je goed geregeld.' Ze liep naar haar bureau en haalde de envelop met Barringtons geld te voorschijn. 'Hier heb je er alvast drie. Ik zal zorgen dat ik de rest maandag heb. Vindt je vriend dat goed, denk je?'

Jacob knikte. Hij had zijn vriend al van zijn eigen geld betaald. Niet veel later ging hij weg. Sarah belde Mosami.

'Hoi Mosami, met mij. Luister eens, zie je kans om morgen bij Carla binnen te wippen?'

Carla Vitale woonde aan Onslow Square in een op het westen gelegen driekamer-penthouse appartement, ongeveer een kilometer van Sarah vandaan. Mosami was er al een paar keer op een feestje geweest en een keer alleen nadat ze op Fulham Road waren wezen winkelen.

Toen ze Carla de dag daarvoor belde, had ze gezegd dat ze om vijf uur in de buurt was om koffie te gaan drinken met een vriendin, of het uitkwam als ze daarna even binnenwipte voor een borrel? Het klonk niet vreemd. Carla vond het in ieder geval niet verdacht want ze had haar prompt uitgenodigd en nu stond ze hier met twee microfoontjes in haar schoudertas op Carla's deur te kloppen terwijl ze zich afvroeg waar ze in 's hemelsnaam aan begonnen was.

'Mosami, kom binnen schat.' Carla had een grote handdoek om zich heen gewikkeld. 'Sorry, het is hier een beetje hectisch. Ik ben net gemasseerd en ik zit onder de olie. Ik moet mijn haren nog even wassen.' Ze lachte en trok Mosami naar binnen. 'Pak maar wat te drinken. Er staat witte wijn in de koelkast. Ik kom zo bij je.' Ze verdween in haar slaapkamer en liet Mosami alleen achter.

Mosami vond de fles wijn in de keuken, vond na lang zoeken eindelijk een kurketrekker, schonk voor zichzelf een glas Sancerre in en liep terug naar de woonkamer. Ze zette haar glas op een tafeltje en ging op zoek naar een stopcontact. Na een tijdje vond ze wat ze zocht: een verdeelstekker die vol stekkers zat; een van een lamp, een van de televisie en nog een van de videorecorder. Ze ging snel op haar hurken zitten en wisselde de verdeelstekker om met die uit haar tas. Toen ging ze snel weer staan en stopte Carla's stekker in haar schoudertas. Ze zat net met haar glas op de bank toen Carla binnenkwam. Nu moest ze alleen nog zorgen dat ze in de buurt van haar telefoon kwam. Die kans kwam een half uur later. Ze wierp een blik op haar horloge en schrok op.

'Verdorie, helemaal vergeten. Ik had over tien minuten in Hampstead moeten zijn. Kan ik eventjes bellen?'

Carla glimlachte. 'Natuurlijk. Je kunt de telefoon in de slaapkamer gebruiken als je wilt.' Ze knipoogde. Mosami lachte en nam haar schoudertas mee naar de slaapkamer; ze voelde zich schuldig.

De telefoonaansluiting zat onder het bed. Mosami liet zich op de grond zakken, trok de stekker uit het contact, stopte hem in de dubbele telefoonstekker en duwde ze samen weer in het contact.

Er zat nu een dubbele stekker op de plaats waar eerst een enkele had gezeten. Maar de hele toestand zat verborgen onder de beddesprei die tot op de grond hing. Er was geen enkele reden waarom Carla ernaar zou kijken, of waarom ze er iets over zou zeggen als ze het zag.

Met een schok kwam Mosami omhoog. Ze hoorde stemmen. Ze stond op en haastte zich de kamer uit. In de gang kwam ze Matthew Arnott tegen. Hij draaide zich met een ruk om toen hij haar voetstappen hoorde.

'Mosami, wat leuk. Wat doe jij hier?' Altijd dat sarcastische toontje.

'Wees gerust. Ik zal je rustige avond met je vriendin niet verpesten. Ik kwam gewoon eventjes langs.' Ze keek schaapachtig. 'Tot ik me herinnerde dat ik twee minuten geleden in Hampstead had moeten zijn.'

Ze zoende Carla op beide wangen. 'Bedankt voor de gezelligheid, Carla. Het spijt me dat ik zo de deur uit vlieg. Dag Matthew.' Voordat iemand wat over haar rode wangen had kunnen zeggen, was ze al vertrokken.

'Ik ben verdomme niet voor dit soort werk in de wieg gelegd,' mopperde Mosami door de telefoon tegen Sarah terwijl ze veilig op haar eigen bed lag.

Sarah kreunde. 'O, het spijt me, Mosami. Ik had het je niet moeten vragen.'

'Doe niet zo raar. Ik was er net zo enthousiast over als jij. Het klonk spannend om een beetje in te breken. Alleen voelde dat net niet zo. Ik kreeg een aanval van gewetensbezwaar.'

'Ik weet 't. Ik heb er ook een beetje last van.'

'Nou ja, laten we het er maar op houden dat het voor een goed doel is.'

Ik hoop het, dacht Sarah.

Om tien uur reed Sarah in haar BMW naar de City. De straten waren verlaten. Uit alle torenhoge flats schenen nog steeds bundels licht, maar dat brandde alleen maar uit veiligheidsoverwegingen.

Tijdens de piek van de jaren tachtig waren er in het weekend nog hele ploegen bankmedewerkers en advocaten aan het zwoegen, maar dat kwam in het minder luxe maar rustiger leventje van vandaag nog maar weinig voor. Af en toe kwamen er op zondagavond een paar handelaren binnen om alvast te handelen op de markt in het Verre Oosten als die net openging, dus Sarah was er niet zeker van dat de vloer helemaal leeg was, maar de kans was groot en ze hoefde alleen maar bij het bureau van Arnott en het kantoor van Scarpirato te zijn. Zo moeilijk kon het niet zijn.

Ze parkeerde haar auto op de oprit naar de garage onder het ICB-gebouw, liep naar de hoofdingang en duwde op de bel die aan de marmeren muur zat. Ze voelde hoe haar hart sneller begon te kloppen en hoe de adrenaline door haar aderen vloeide. Er kwam een bewaker aan. Sarah hield haar pasje omhoog. De bewaker keek ernaar door het glas. Tevredengesteld deed hij de deur van het slot om haar binnen te laten. Ze kende de procedure en volgde hem naar het nachtboek bij de receptie waar ze zich in moest schrijven.

'Is dat uw auto op de oprit?'

'Ja.' Dat had hij vast allang op een van de monitors gezien.

'Ik zou er ook wel zo een willen hebben. Wat een juweeltje.'

'Ik ben er ook apetrots op,' grijnsde Sarah.

'U weet toch dat u daar eigenlijk niet mag parkeren, hè?'

Sarah lachte naar hem. 'Dat weet ik. Ik beloof dat het niet lang zal duren. Tien minuutjes?'

'Toe dan maar.' Hij riep haar na: 'Hebben jullie workaholics dan helemaal geen rust?'

Sarah draaide zich om en haalde haar schouders op. 'Nee, ik geloof het niet. Maar als ik even een paar deals afsluit met Tokio ben ik weer vrij.' Zonder dat hij precies snapte wat ze bedoelde, grijnsde hij terug en keek haar na toen ze met klikkende hakken naar de lift liep.

Er stond een lift met open deuren uitnodigend op haar te wachten. Sarah liep naar binnen en drukte op de drie. De lift zette haar naast de handelsvloer af. Ze haalde haar pasje door de beveiliging en de grote glazen deuren openden de toegang tot een schijnbaar lege afdeling. Op sommige plekken brandde licht, maar er waren ook veel grote, duistere gaten.

Stilletjes liep Sarah over de afdeling. Ze kwam langs een rij klokken die aan het plafond bevestigd waren. Ze stopte bij haar eigen bureau, ging zitten en pakte een van de verdeelstekkers. Ze duwde haar stoel naar achteren en bukte zich om onder het bureau te kijken. Ze zag een wirwar van draden en dubbele en driedubbele stopcontacten met diverse stekkers. Sarah trok er twee uit en duwde ze in de stekker die ze daarna weer in het stopcontact drukte. Toen stond ze op en pakte de andere stekker uit haar tas, wierp een korte blik om zich heen en liep naar Scarpirato's kantoor. Het kantoor was niet verlicht en haar ogen hadden even tijd nodig om aan de duisternis te wennen. Ze liep naar de andere kant van zijn bureau en bekeek de wand daarachter. Er zat een dubbel stopcontact in de hoek, met daarin een stekker van de schemerlamp en de stekker van de computer. Sarah duwde de stekker van de lamp in de verdeelstekker en stopte deze weer in het stopcontact. Grijnzend bekeek ze haar werk eventjes, draaide zich toen om en liep snel terug naar haar werkplek. Ze pakte haar tas, keek om zich heen en stond op het punt om weg te gaan toen ze verstijfde. Vanaf de andere kant van de afdeling kwamen Matthew Arnott en Karl Heinz Kessler – de president van ICB – op haar af gelopen. Verbaasd staarden ze haar aan. Sarah keek hen lachend aan en hoopte dat de verrassing niet op haar gezicht te zien was.

'Wat doe jij hier?' Arnott negeerde haar glimlach en bleef haar strak aanstaren.

Snel nadenkend, stak Sarah haar hand in een la van haar bureau en haalde de set sleutels te voorschijn die ze aan de bovenkant had vastgeplakt voor het geval ze zich een keer zou buitensluiten. Als ze het kon vermijden, brak ze liever niet in in haar eigen huis. Ze zwaaide met de sleutels.

'Ik was mijn huissleutels vergeten.' Ze lachte zichzelf uit. 'Stom, hè?'

'Ja, nogal.'

Kessler keek in stilte toe. Sarah zei tegen hem: 'We hebben elkaar nog niet ontmoet. Ik ben Sarah Jensen, de nieuwste SBV-handelaar.'

Kessler schudde haar uitgestoken hand. 'Ja, ik heb over je gehoord,' zei hij met een kille glimlach. Sarah wendde zich opnieuw tot Arnott en bleef vriendelijk naar zijn afwijzende gezicht kijken alsof ze een verklaring van hem verwachtte. Hij zweeg een paar seconden en barstte toen geïrriteerd uit: 'Karl Heinz wil een grote positie innemen op de markt in Tokio. Hij heeft gevraagd of ik dat voor hem wilde doen.'

Sarah knikte. 'Heel logisch.' Ze keek Kessler lachend aan. 'Nou, ik ga ervandoor. Nog een prettige avond.'

De twee mannen keken haar na toen ze over de afdeling liep en door de grote glazen deuren verdween. Kessler keek Arnott aan. 'Geloof je haar?'

Arnott krabde aan zijn kin. 'Ach, ze heeft zichzelf buitengesloten. Dat gebeurt ons allemaal wel eens. En ik bewaar mijn reservesleutels ook hier... Je ziet gewoon spoken.'

Kessler keek Arnott dreigend aan. 'Houd haar nou maar in de gaten, goed?'

Sarah nam de lift naar de begane grond, noteerde haar vertrektijd en zei de bewaker gedag. Ze liep naar haar auto, stapte in en stak met trillende handen een sigaret op.

14

Maandag, 1 juli. De ministers van financiën en de presidenten van de centrale banken van de G7 zaten in hun bruinleren stoelen met hoge rugleuningen rond een ovale, eikehouten tafel op de dertiende verdieping van het kolossale Bundesbankgebouw in Frankfurt. De kamer op de bovenste verdieping had een hoog plafond en de houten wanden waren aan beide kanten opgeluisterd met abstracte wandtapijten van de hand van Max Ernst. Vijftig meter onder deze kamer bevindt zich een ondergrondse bankkluis waarin grote hoeveelheden bankbiljetten en een weinig goud bewaard worden. De Bundesbank neemt een unieke plaats in tussen de belangrijkste goudbezittende centrale banken van de wereld omdat ze slechts een klein gedeelte van haar goudstaven op eigen grondgebied bewaart. Ongeveer tachtig ton - iets meer dan twee procent - ligt in de kluizen van Frankfurt. De rest ligt opgeslagen in kluizen van andere centrale banken: de Federal Reserve Bank van New York, de Bank of England, en een kleiner gedeelte bij de Banque de France. Voor de beveiligingsbeambten van de Bundesbank is de taak om het personeel te beschermen net zo groot als de beveiliging van het bezit. Vandaag hadden ze er heel wat collega's bij omdat een aantal mannen van de dertiende verdieping hun eigen lijfwachten had meegenomen.

Daar, in de raadszaal van de Bundesbank, zaten doorgewinterde bankiers en politici achter zware glazen asbakken en flesjes frisdrank. Ze glimlachten, babbelden en wachtten. Anthony Barrington zat naast zijn ambtgenoot van de Banque de France, Jean-Claude de la Barobisière. De twee bevriende mannen spraken hartelijk met elkaar en merkten niets van de groeiende spanning om hen heen.

Na een paar minuten van grote nervositeit vroeg Herr Mueller, de president van de Bundesbank, met een strijdlustige uitdrukking op zijn gezicht om de aandacht.

De afgevaardigden van Frankrijk, Groot-Brittannië, de Verenigde Staten, Japan en Canada leunden allemaal met beschaafde nieuwsgierigheid naar voren in hun leren stoelen. Na een week van spanning zouden ze nu achter de reden van deze bijeenkomst komen. De president van de Banca d'Italia, Giancarlo Catania, zat kaarsrecht. Snakkend naar een sigaret vervloekte hij de NIET-ROKEN-bordjes. Het onheilspellende voorgevoel dat twee dagen geleden door Fieri's ondervraging was opgekomen, werd er door de blik op Herr Muellers gezicht niet minder op.

De Duitser - een man van bijna twee meter met een I.Q. van honderdvijftig - die met zijn onderarmen op het glanzende mahonie steunde, leunde naar voren zodat zijn hele gewicht op zijn onderarmen rustte en keek de bijeengekomen ministers aan. Zijn ogen schoten als die van een jagende havik van hoofd naar hoofd, zijn kin stak met onverholen strijdlustigheid naar voren.

Nu hij klaar was met zijn onderzoek was Mueller even stil; een stilte die de stemming aangaf. Toen begon hij te spreken. Hij bedankte de aanwezigen dat ze op deze korte termijn waren gekomen; hij hoopte dat het geen problemen had opgeleverd en verklaarde dat de bijeenkomst een absolute noodzakelijkheid was. Hij ademde zwaar uit alsof hij diep gebukt ging onder zijn problemen. Zijn stem leek een octaaf te dalen.

'We weten allemaal waar geruchten toe kunnen leiden op de financiële markt, hoe desastreus ze kunnen zijn.' Alle hoofden knikten instemmend. 'Wel, er is mij een zeer verontrustend gerucht ter ore gekomen.' Hij spreidde zijn handen uit op de tafel en leek zijn nagels te inspecteren.

'Iedereen hier kent de Britse financieel deskundige Richard Zender, die een uitzonderlijke staat van dienst heeft op de buitenlandse valutamarkt. Nu is het zo dat er een paar journalisten aan het rondneuzen zijn. Ze weten, of beter gezegd denken te weten, dat Zender ten eerste zeer succesvol is op de valutamarkt en ten tweede dat hij nauwe contacten onderhoudt met een aantal ministers van financiën, onder wie ikzelf. Nu zijn deze journalisten die voor een Britse krant werken deze twee feiten aan het samenvoegen, en al hebben ze er tot dusver niets over geschreven, toch vrees ik dat ze dat binnen afzienbare tijd zullen doen. Ik heb gehoord dat ze suggereren dat er meer dan een klein beetje ongepastheid aan Zenders contacten kleeft en dat Zender misschien een tikje te dicht in de buurt van de politiek komt.'

Mueller onderbrak zijn betoog en bekeek de dertien gezichten die hem stil en gespannen aanstaarden. 'Ik ben ervan overtuigd dat ik jullie de gevolgen niet uit hoef te leggen.' Hij stopte weer en grijnsde ineens breeduit.

'Nu weet ik gelukkig dat het niets te betekenen heeft. Die journalisten zijn gewoon onruststokers. Ik heb dit met Anthony Barrington besproken en we zijn het erover eens dat we ons terughoudend zullen moeten opstellen. Wat ik bedoel, is dat we dus voorzichtig moeten zijn en misschien moeten we onze contacten met Zender enigzins laten bekoelen. Het laatste dat we kunnen gebruiken, is iets wat de vorm van een schandaal krijgt, zelfs als we onschuldig zijn, waar ik overigens van overtuigd ben.'

Er werd ernstig geknikt rond de tafel en een aantal schouders zakte ontspannen. Mueller ging verder.

'De andere kant van het verhaal is natuurlijk dat Zender zich ook een aantal malen zeer verdienstelijk heeft gemaakt. Het is een groot filantroop die onder andere honderd miljoen dollar aan de voormalige Sovjet-Unie heeft geschonken. We willen niet dat hij door de kranten voor gek wordt gezet. Hij is volkomen onschuldig. Hij heeft gewoon de pech dat hij geniaal is.' Hij haalde zijn schouders op. 'Maar zoals jullie weten, zijn journalisten afgunstige wezens, met name de Britse. Ze hebben hun zinnen op Zender gezet. Dus laten we een beetje voorzichtig zijn. Zowel in zijn als in ons eigen belang.'

Hij leunde achterover in zijn stoel en glimlachte tevreden. 'Dit is alles wat ik over dit onderwerp te zeggen heb. Maar aangezien we hier nu toch met z'n allen bijeen zijn, kunnen we net zo goed iets constructiefs doen.'

De vergadering eindigde een half uur later met de aanname van een nieuw beleidsplan. Het pond was ondergewaardeerd, de economie in Groot-Brittannië was zich aan het herstellen en de markt gedroeg zich uitermate pessimistisch. Herr Mueller suggereerde dat het verstandig zou zijn om de markt een zetje in de goede richting te geven. En dus kwam de G7 overeen om het pond vanaf die middag te ondersteunen.

Iedereen was het erover eens dat het een zinnig plan was. Vooral Barrington was zeer in zijn sas met de stimulans van zijn geldeenheid. Er waren geen afwijkende meningen. Niemand was in de stemming om tegen te spreken. Iedereen werd in beslag genomen door het schrikbeeld van een financieel schandaal. Allemaal vroegen ze zich af of het gevaar inderdaad bestond en of er iemand schuldig was, of dat het, zoals Mueller suggereerde, voornamelijk een kwestie van kwalijk opererende journalisten en zinloze geruchten was. Degenen die Zender persoonlijk kenden, en daarvan zaten er zes rond de tafel, groeven hun geheugen af op zoek naar indiscrete voorvallen uit het verleden. Het probleem was dat journalisten alles om konden draaien. Met een klein beetje modder kon veel schade worden berokkend: carrières konden worden vernietigd en tientallen jaren van hard werken konden teniet worden gedaan. Iedere aanwezige wierp korte blikken op zijn ambtgenoten in de hoop dat als er een probleem was dat het dan het hunne was.

De vergadering eindigde en de politici en bankiers verspreidden zich, de snelle liften zoefden naar de benedenverdieping. De zwarte kogelvrije limousines stonden te wachten en vervuilden de lucht met hun uitlaatgassen. Achter het getinte glas liet menigeen zijn gelegenheidsglimlach varen.

Anthony Barrington wachtte in de vergaderzaal op de dertiende verdieping tot de anderen vertrokken waren, net als Herr Mueller. Toen ze alleen overgebleven waren, ging Mueller naast Barrington zitten.

'Denk je dat ze het verhaal hebben geslikt?'

Barrington glimlachte. 'Jazeker. Het pond is ondergewaardeerd. Dat is een feit.'

'Goed, we starten onze tussenkomst na de lunch. Dat zou onze spion - als hij bestaat - genoeg tijd moeten geven, denk je niet?'

'Het zou genoeg moeten zijn. En als hij inderdaad bestaat, gaan we hem opjagen.'

'Goed, dat laat ik aan jou over. Maar wat doen we met die arme Zender? Nu denkt iedereen dat hij ergens mee bezig is.'

Barrington glimlachte. 'Dat is waarschijnlijk ook zo, dat heb ik je al eens verteld. Niet dat we iets kunnnen bewijzen of dat ik daar zin in heb. Maar hij was toch al een beetje te belangrijk aan het worden. Hij doet net iets te vaak economische voorspellingen. Het punt is dat iedereen denkt dat hij de een of andere godheid is. Ze luisteren allemaal naar hem. Hij kan de markt laten veranderen door eenvoudigweg zijn mond open te doen.' Barrington schudde zijn hoofd. 'Nee, Zender was een tikkeltje te belangrijk aan het worden en ten koste van ons iets te veel geld aan het verdienen. Ik kan niet zeggen dat ik er ondersteboven van raak als hij wat koeler behandeld gaat worden.' Barrington stond op. 'Ik wil je in ieder geval hartelijk bedanken voor je hulp.'

Mueller wuifde het bedankje weg. 'Het gaat ons allemaal aan. We moeten er iets aan doen.'

'Dat is waar. Ik moet nog even bellen voor ik ga. Deze lijnen zijn veilig, hè?' Barrington knikte naar de telefoons op de vergadertafel.

'Natuurlijk,' zei Mueller een beetje gepikeerd. 'Ga je gang.'
Hij pakte zijn spullen en stond klaar om te vertrekken. 'Tot ziens.'
De twee mannen schudden elkaar de hand. Barrington keek Mueller na die via de wenteltrap naar zijn kantoor op de tiende verdieping verdween. Nu hij alleen in de zaal was, belde hij James Bartrop in Londen.
'Het is gelukt. Alles is in gang gezet. Ik hoop dat we hier onze slag mee slaan. We gaan de markt vanmiddag manipuleren.'
'Prachtig. Laten we hopen dat je meisje haar oren en ogen openhoudt.'

Giancarlo Catania zag de Italiaanse minister van financiën samen met zijn Franse ambtscollega vertrekken. Hij stak een hand naar hen op en stapte in zijn limousine, waar hij als een in het nauw gedreven dier op de achterbank bleef zitten.
Vijf minuten later stopte zijn auto voor de deur van zijn lelijke, hoge hotel. Catania sprong naar buiten en beende met alle zelfverzekerdheid die bij iemand van zijn positie hoort door de entree. In de ogen van de portier die naar voren sprong om de deur voor hem te openen, zag hij eruit als een zorgeloze man.
Op zoek naar een telefoon schreed Catania door de marmeren foyer van het hotel. Na Herr Muellers opmerkingen vertrouwde hij de telefoon in zijn eigen kamer niet meer, maar het was onwaarschijnlijk dat elk van de twintig telefoons in de hal werd afgeluisterd. Hij moest het er maar gewoon op wagen. Fieri zat waarschijnlijk met zijn mollige handjes bij de telefoon te wachten. Hij zou het als altijd kort en anoniem houden, net lang genoeg om de benodigde informatie aan Fieri door te geven en hem te verzekeren dat alles in orde was. Hij stapte in een van de telefooncellen en belde Fieri op zijn privé-nummer.
Fieri zat alleen in zijn ijskoude kantoor. Hij was geagiteerd en hij vond geen rust in de gestolen Matisse die vanaf de houten wand op hem neerkeek. De telefoon rinkelde hard en hij greep de hoorn. Hij luisterde ingespannen en kreunde af en toe. Toen hij weer sprak, was zijn stem norser dan anders, maar hij klonk wel tevreden.
'Als je terug bent, krijg ik een volledig verslag van je, hè.' Het was een opdracht, geen vraag.
Catania antwoordde bevestigend en hing op. Er was geen sprakc van dat hij Fieri een verslag hierover ging uitbrengen want hij

was niet van plan het gerucht bij Fieri terecht te laten komen. Gelukkig had dit gerucht over Zender niet direct met hem te maken. Goddank had hij hem nooit ontmoet. Deze keer had hij een zuiver geweten. Maar terwijl hij aan de glanzende vergadertafel zat, was het wel in hem opgekomen dat het verhaal over Zender misschien werd gebruikt als lokaas, als een waarschuwing. Zo zou hij het dan maar opvatten, ook al had hij weinig keus. Hij kon nu niet stoppen. Hij kon niet gewoon glimlachend zeggen: 'Sorry jongens, ik denk dat ik ermee stop,' en dan stilletjes met pensioen gaan. Geen van beide partijen zou het toestaan. En hij kon ook niet zeggen dat het te gevaarlijk was, want elke suggestie dat de onderneming in gevaar was, kwam op zijn eigen hoofd neer. Hijzelf was namelijk de zwakke schakel en het grootste gevaar. Het enige dat hij kon doen, was doorgaan en de schijn ophouden dat alles in orde was. Dat gaf hem de beste kansen. En als het lukte zou hij een ander plan bedenken waarmee hij hun allemaal buiten spel zette. Het was niet onmogelijk. Maar eerst nog een ander kort, anoniem telefoontje.

Drie minuten later was hij in zijn kamer en belde hij zijn vrouw. Hij praatte liefdevol tegen haar en zorgde ervoor dat hij zorgeloos en volkomen normaal klonk. Hij zei dat hij onderweg naar huis was en dat hij thuis zou zijn voor het avondeten. Hij zat op bed te grijnzen naar zijn spiegelbeeld in de spiegel aan de andere kant; dit mocht Herr Mueller gerust horen.

Met zijn mollige vingers legde Fieri de hoorn neer en staarde nadenkend naar de Matisse. Catania klonk in orde. Achteraf bleek het gewoon een onschuldige vergadering te zijn geweest die bijeengeroepen was om de Britse economie uit het slop te trekken. Maar al die geheimzinnigheid was vreemd. Normaal gesproken werden de bijeenkomsten van de G7 ruim van tevoren breed uitgemeten door de pers. De ministers en bankiers vonden het heerlijk om gefotografeerd te worden terwijl ze voor zakelijke belangen rond de wereld vlogen. Maar er was op voorhand geen enkele aankondiging over deze vergadering geweest en hij durfde te wedden dat er naderhand ook niets over gezegd zou worden.

Fieri wist niet of hij nou achterdochtig moest zijn of niet. Er had een geheime G7-bijeenkomst plaatsgevonden, maar los van die geheimzinnigheid was er niets bijzonders gebeurd. Er bestond geen enkele reden om te denken dat iemand Catania ergens van verdacht. Maar onvoorstelbaar als het leek, bestond er altijd de kans op een losse opmerking, een klein foutje of zelfs regelrecht bedrog.

Hij was niet gelukkig met deze situatie, zijn wantrouwen liet zich niet leiden door logica en, zo herinnerde hij zichzelf, hij was niet voor niets wantrouwig. Hij kon het zich niet veroorloven dat Catania's praktijken aan het licht kwamen. Het zou onherstelbare schade aan zijn organisatie toebrengen en aan zijn eigen persoon.

Hij nam zich voor om Catania scherp in de gaten te houden, maar in de tussentijd moest er geld verdiend worden en de hebzucht won het van zijn vage vermoedens. Hij zette zijn Reuterscherm aan en belde zijn valutamakelaar Calvadoro.

'Ja, Giuseppe. Ik ben het... Ja het gaat prima, en met jou?... Goed. Juist, ik wil ponden, ja kabel... o, dat weet ik niet, vijfhonderd miljoen, onmiddellijk, zo snel mogelijk, nu bijvoorbeeld, maar verdeel het weer, ja inderdaad tussen de tien belangrijkste rekeningen. Bel me zo gauw je het hebt... Ja, ik ben gewoon hier.' Fieri hing op en staarde naar zijn scherm. Hij ging helemaal op in de onweerstaanbare aantrekkingskracht van het geld.

Antonio Fieri had een voorsprong van vijf minuten op Carla Vitale, die op haar bank aan de lopende band sigaretten zat te roken terwijl hij met zijn valutamakelaar aan de telefoon zat.

Toen de telefoon eindelijk rinkelde, sprong ze op. Ze greep de hoorn, noemde haar naam en luisterde met een scheef vertrokken, geconcentreerd gezicht. Kortaf verbrak ze de aansluiting en belde een nummer.

De SBV-handelaren van ICB hingen afwachtend rond op de afdeling. Ze hadden hun positie nu al twee hele dagen, vandaag was de derde, en tot nu toe was er geen enkel teken van een opleving van het pond. Als er niet snel iets gebeurde, zou de twijfel toeslaan. Dan konden er drie dingen gebeuren. Ze konden het vertrouwen in de positie verliezen en hem volledig afdekken. Een andere mogelijkheid was dat ze zichzelf – en misschien de markt – zouden overtuigen van hun gelijk door hun positie verder te verhogen. Of ze konden hem met de zenuwen in hun lijf zo laten als hij was.

Iedereen kende de knagende onrust van wegebbend vertrouwen. Het was een gevoel waar alle handelaren doodsbenauwd voor waren. Het kon verlamming of juist hyperactiviteit veroorzaken, en die twee waren zelden verstandig en winstgevend. Iedere handelaar probeerde op zijn eigen individuele manier de twijfel buiten de deur te houden. Dante Scarpirato zat kettingrokend in zijn kantoor, zijn gezicht een uitdrukkingsloos masker.

Matthew Arnott zat lusteloos aan zijn bureau. Met een hand hield hij het snoer van de telefoon vast en ritmische bewegingen makend met zijn pols zwaaide hij het snoer vervaarlijk rond. Simon Wilson zat te druk te kletsen. Sarah Jensen staarde naar haar scherm. Vanaf het moment dat ze die ochtend op haar werk was verschenen, had ze Arnotts ogen op haar gericht gezien en gevoeld: hij hield haar continu in de gaten. Ze zag zijn spiegelbeeld op haar scherm terwijl hij haar aanstaarde met een frons op zijn voorhoofd, alsof hij probeerde door haar heen te kijken. Het maakte haar razend, maar ze deed of ze niets merkte en bleef ingespannen naar haar scherm turen. Geen van beiden zei iets over de ontmoeting van gisteravond; het was een gevaarlijk onderwerp dat maar beter vermeden kon worden. Ze vroegen zich allebei af waarom de ander er niets over zei.

Om vijf over twaalf knipperde lijn één op de centrale. Drie vingers schoten naar de knop op hun paneel. Sarah had hem het eerst. De stem aan de andere kant van de lijn was die van een vrouw en klonk geagiteerd, schel en met een Italiaans accent. Snel pratend vroeg ze naar Matthew Arnott. Sarah drukte de pauzeknop in en draaide naar Arnott die een kleine meter verder zat.

'Voor jou.'

Hij pakte zijn telefoon en tikte lijn één in. Hij zei de woorden 'ja' en 'oké', trok zijn jasje aan en liep weg. Hij bleef stokstijf staan toen hij Scarpirato hoorde.

'Hé! Waar ga jij naartoe? Ik weet niet of je het nog weet, maar we hebben hier een positie van driehonderd miljoen in onze handen. Er gaat niemand lunchen voordat ik het zeg.'

Arnott wierp hem een boze blik toe. 'Wie heeft het hier over lunchen?'

Scarpirato stapte ziedend naar buiten. 'Nou, tenzij je plotseling manieren hebt geleerd en je jasje binnenshuis draagt, wat ik dan kennelijk voor de eerste keer zie, neem ik maar aan dat je gaat lunchen.'

Arnott grijnsde boosaardig. 'Ik heb manieren geleerd en ik draag mijn jasje ook binnenskamers. Ik ga niet lunchen, maar ik ben onderweg naar de wc. Tevreden?' Hij liep weg terwijl Scarpirato achter zijn rug stond te vloeken.

'Wat een achterlijke smoes,' mopperde Scarpirato tegen niemand in het bijzonder. 'Hij was onderweg naar buiten, gewoon om me uit de tent te lokken. Hij heeft het anders ook nooit aan.'

Sarah stond op van achter haar bureau en liep naar de koffieautomaat. Ze las een paar mededelingen die op het bord naast de automaat hingen en treuzelde een paar minuten om even te ontsnappen aan de spanning. Ze wilde net met haar cappuccino teruglopen toen ze Arnott door de schuifdeuren de handelsvloer op zag lopen. Terwijl ze terugliep naar haar bureau zag ze dat hij een omweg nam. Hij sloeg rechtsaf, weg van hun tafels, en liep in de richting van de vergaderruimte. Ze liep er langs en zag hem aan tafel aan de telefoon zitten. Ze liep terug naar haar plek en ging met kleine slokjes van haar koffie zitten drinken.

Binnen in de vergaderkamer belde Arnott vier verschillende valutamakelaars. Van elk kocht hij honderd miljoen pond tegen dollars. Hij sprak met zachte stem, zijn mond tegen de hoorn. Hij zat veilig achter een dichte deur, niemand kon hem afluisteren.

Drie minuten later zag Sarah hem terugkomen en bij Scarpirato naar binnen lopen. Om ruzie te maken? Hij was niet het type dat zich publiekelijk voor schut liet zetten. Sarah hield het kantoor in de gaten en verwachtte boze stemmen te horen en wilde gebaren te zien. Die kwamen niet. Met gebogen hoofden zaten ze ingespannen te praten. Arnott kwam terug naar zijn bureau. Scarpirato volgde langzaam en met grote passen, alsof hij op weg was naar een vuurgevecht. Hij leunde op het bureau tussen Arnott en Sarah die hem gespannen aankeken. Wilson zat achterstevoren en speelde met zijn stropdas.

'Ik wil de positie verhogen. Er moet onmiddellijk tweehonderdvijftig miljoen pond aangekocht worden. Sarah en Arnott, jullie hebben allebei een ton. Simon jij krijgt vijftig. Nu.'

Sarah leunde achterover op haar stoel en zette haar handen in haar zij.

'Ga je ons ook nog vertellen waarom, of voeren we gewoon slaafs je opdracht uit?' Ze had een hekel aan bevelen. Ze werd niet betaald om de ambtenaar uit te hangen. Daar kwam ook bij, gaf ze toe, dat ze hem wilde ergeren.

Met verrassende felheid viel hij tegen haar uit. 'Doe nou maar gewoon wat ik zeg, Jensen. Je hebt je uitleg al gekregen. Ik hoef geen verantwoording aan je af te leggen.'

'Natuurlijk hoef je dat niet, Dante,' zei ze beminnelijk. 'Ga jij maar gewoon een nieuwe sigaar opsteken. Maak je over mij geen zorgen. Ik heb die positie zo gepakt.' Voordat hij kon antwoorden, toetste ze de directe verbinding met de Banque de Paris in en vroeg ze aan Johnny McDermott: 'Hoe staat kabel op dit moment?'

'1,4555-65,' antwoordde hij.

'Ik neem éénhonderd pond op vijfenzestig.'

'Akkoord.'

'Akkoord.'

Ze kocht honderd miljoen pond, schreef de transactiebon, haalde hem door de stempelmachine en gooide hem in het bonnenbakje. Toen pakte ze met een valse grijns haar tas en kondigde aan dat ze ging lunchen en dat iemand anders haar maar moest vervangen. Ze verwachtte een grote mond van Arnott, maar in plaats daarvan knikte hij haar vriendelijk toe. Hij zei dat hij haar werk tijdens de lunch zou opvangen.

Daar zal dan wel wat achter zitten, dacht Sarah achterdochtig en ze ging op weg naar *Pig and Poke* en een halve fles Taittinger.

15

Sarah hoorde haar naam roepen toen ze met rozige wangen van de champagne een uur te laat weer op de afdeling kwam.

'Lijn twee,' zei Simon Wilson toen ze kwam aansnellen. 'De een of andere mof.'

Sarah keek hem kwaad aan en toetste lijn twee in. Het was Manfred Arbingen. Hij kwam meteen terzake.

'Wist jij dat er vandaag een G7-vergadering was?' vroeg hij zelfvoldaan.

Sarah lachte. 'Nee, dat wist ik niet. Vreemd, de eerstvolgende bijeenkomst zou pas over twee weken zijn.'

'Heel vreemd. Ongepland en onaangekondigd, ik weet het alleen maar omdat ik tussen de middag een vriend op ging halen bij de Bundesbank. We zouden met mijn auto gaan omdat we een stukje gingen rijden. Hoe dan ook, toen ik aan kwam rijden, werd ik bijna platgereden door een stoet limousines. Het waren er zes in totaal, je weet wel, met van die getinte ramen en lange antennes. Ik wist niet zeker wie het waren, dus ik heb het aan de bewakers gevraagd en die zeiden dat het de ministers van financiën en de presidenten van de centrale banken waren. G7.'

'Wat kwamen ze doen?'

Arbingen lachte. 'Wat denk jij?'

'Ik denk niet dat het veel met politiek te maken had. Dat is namelijk gepland voor de volgende bijeenkomst. Ik denk dat ze iets anders besproken hebben.' Ze wachtte even en woog de dingen tegen elkaar af. 'Maar dan snap ik nog niet dat ze daar een speciale vergadering aan hebben gewijd. Dat hadden ze dan toch telefonisch kunnen bespreken, tenzij er een groot geruchtmakend probleem was, maar dat kan ik me haast niet voorstellen. De buitenlandse valuta hebben het op dit moment niet zo vreselijk moeilijk.'

'Nee, dat is zo,' beaamde Arbingen.

'En hetzelfde geldt voor de rentetarieven. Op dat gebied zie ik ze nou ook niet direct dramatische beslissingen nemen.'

'Ik snap er in ieder geval niet veel van. We moeten maar afwachten. We zullen het wel een keer horen.'

Sarah bedankte Arbingen voor het nieuwtje en hing op. 'Een

keer' was niet goed genoeg bij dit soort werk. Je moest nadenken over de gebeurtenissen op de valutamarkt, je moest achter geheimen komen en jezelf sterk maken voordat je concurrent het deed. Sarahs hersens werkten op volle toeren.

Ze stond op en liep naar de koffieautomaat die in de kleine nis naast de hal stond. Het was er licht en afgezonderd en je ging ernaartoe voor ogenschijnlijk onbelangrijke kletspraatjes of, zoals Sarah nu, als je even ongestoord na wilde denken. Nieuwsgierigheid is onlosmakelijk verbonden met de handelsvloer, en handelaren zijn experts in het aanvoelen van geheimen bij hun collega's en doen hun uiterste best om de waarheid meedogenloos boven water te krijgen. Sarah was absoluut niet van plan om haar collega's te vertellen wat haar bezighield, maar ze had even geen zin in kruisverhoren en onderzoekende blikken. Het was moeilijk om helder te blijven denken als je de hele tijd door minstens twee paar ogen gevolgd werd.

Ze staarde naar de koffieautomaat en nam ruimschoots de tijd om alle mogelijkheden te bekijken voor ze uiteindelijk nummer honderdzesenveertig intoetste: gewone koffie met opgeklopte melk en een klontje suiker. De automaat begon te brommen en te sputteren, er viel een plastic bekertje naar beneden dat met veel gesis tot aan de rand werd gevuld.

Sarah nam voorzichtige slokjes en staarde peinzend naar de potplanten die langs de muren van de hal stonden. Een week geleden besloot Scarpirato om op termijnnotering van een week ponden tegen dollars te kopen, een logische opdracht, maar wel gevaarlijk. Vier dagen later vindt in het geheim een gebeurtenis plaats die die positie wel eens veel geld op zou kunnen leveren. En zonder twijfel ging het pond nu stijgen. Heel toevallig, dacht Sarah.

Handelen met voorkennis was een van de snelste manieren om geld te verdienen in de City. Het zou de spectaculaire winsten van Scarpirato verklaren. Het was ook een van de moeilijkste soorten fraude om op te sporen en te bewijzen. Het spoor volgen van dit soort fraude was net zo moeilijk als het volgen van een stroom kwikzilver.

Sarah pakte een sigaret uit het borstzakje van haar blouse. Ze streek een lucifer af en inhaleerde diep. Als Scarpirato handelde met voorkennis van valuta-inmenging van de G7, dan moest hij een zeer hooggeplaatste spion hebben. Hun inmenging is een van de best bewaarde geheimen. Omwille van het gevaar van uitlekken van informatie wordt er zelden iets op papier gezet. Het zijn beslissingen die worden besproken en goedgekeurd door de ministers, de presidenten van de banken en de ministers-presidenten van de lidstaten, en uitgevoerd door de centrale banken. De handelsafdelingen van de centrale banken worden ermee aan het werk gezet, maar het leek Sarah onwaarschijnlijk dat het lek daar zou zitten. De handelaren hoorden het pas op het allerlaatste moment. Ze zouden veel minder tijd hebben om berichten door te geven dan hun werkgevers, de ministers en de presidenten van de banken. De handelaren werden ook veel scherper in de gaten gehouden. Al hun gesprekken werden op band opgenomen; overschrijdingen zouden veel te snel opvallen. Sarah wist zeker dat het lek – als het er zat – uit de in mist gehulde opperste regionen kwam.

Sarah nam verwoede trekken van haar sigaret. Als haar theorie klopte, zat er een hooggeplaatste politicus of bankier in het midden van een miljarden ponden omvattend komplot. Het was bijna te veelomvattend om waar te zijn. Voor een buitenlandse valutahandelaar met toegang tot grote hoeveelheden geld en de dekmantel van gewone transacties, was het hebben van een spion in de G7 te vergelijken met het bezitten van de sleutel van de kluizen van Fort Knox.

De conclusie trof Sarah als een klap in haar gezicht. Als er zo'n samenzwering bestond dan zouden de deelnemers hun geld en positie niet zonder slag of stoot opgeven.

Sarah liet haar sigaret abrupt in haar koffie vallen en gooide het bekertje in de afvalbak. Ze draaide zich om en liep naar de damestoiletten. Ze deed het hokje op slot, duwde het wc-deksel naar beneden en ging zitten. Voorovergebogen steunde ze met haar kin op haar handen. Zo zat ze tien minuten, totdat de kou van de marmeren vloer door de dunne leren zolen van haar schoenen trok en ze kippevel op haar armen had van de airconditioning. De zenuwen gierden door haar maag.

Ze wist dat ze haar besluit al genomen had, ook al waren haar hersens nog steeds alternatieven aan het bedenken.

Ze stond op en wreef ruw over haar armen. Misschien zag ze spoken, het zou niet de eerste keer zijn. Maar ze ging haar vermoedens uitzoeken tot ze ongegrond bleken te zijn, of bevestigd werden. Over de gevolgen zou ze zich wel zorgen maken als het zover was.

Toen ze terugliep naar haar bureau constateerde ze verbaasd dat ze niet ongerust was, maar juist zorgeloos opgewekt. Het deed haar denken aan Alex. Hij had die woorden gebruikt om te beschrijven welk gevoel het hem gaf als hij een steile rotswand beklom en er duizenden meters loze ruimte onder hem hingen. Hij zei dat zijn moed toenam naarmate de rots steiler werd. Sarah lachte bij zichzelf. Alex zou dit een belachelijke vergelijking vinden. Elke keer als hij hangend aan vingertoppen en tenen een bergwand beklom, zette hij zijn leven op het spel. Veel veiliger dan achter een bureau in het midden van Londen kon het leven niet zijn.

Sarah liep terug naar haar plek.

'Ik denk dat ik me maar eens even bij dit vrolijke gezelschap voeg.'

Arnott kwam vanuit zijn onderuitgezakte houding omhoog. Wilson lachte alsof ze een geweldige grap had gemaakt. Sarah lachte grimmig. Ze kon het geld goed gebruiken. Ze kon zich het risico eigenlijk niet veroorloven, maar aan de andere kant was ze ervan overtuigd dat er weinig risico bestond. Het was wat ze op de werkvloer een 'kat in 't bakkie' noemden.

Ze besloot de markt op te gaan en een positie in te nemen. Ze bezat een bedrag van tweehonderdduizend pond aan contanten. Daarmee kon ze een positie innemen van maximaal drie miljoen pond. Het verschil zou worden aangevuld met geleend geld. Als haar positie daalde, kon ze doorgaan tot een verlies van tweehonderdduizend pond. Dan zou ze moeten stoppen en het geld van haar rekening moeten halen om het verlies te dekken. Maar Sarah was ervan overtuigd dat het goed zou gaan; haar bezit liep geen gevaar.

Ze belde Johnny McDermott. Normaal gesproken nam iemand als McDermott die orders aanvaardde van grote bedrijven, geen transacties van persoonlijke rekeningen (p.r.) aan, maar voor Sarah maakte hij een uitzondering.

McDermott was zijn carrière gestart met p.r.-transacties en Sarah was destijds een van zijn eerste klanten geweest. Toen McDermott van baan veranderde en zich met transacties van grote bedrijven bezig ging houden, had hij zijn meeste p.r.-klanten laten schieten, maar Sarah was gebleven. De overkoepelende departementen van hun banken waren er niet gelukkig mee – het leek op bloedschennis – maar ze grepen niet in. Ze accepteerden het argument dat Sarah en Johnny benadrukten. Ze vonden het gewoon leuk om samen te handelen omdat ze er vrolijk van werden, er plezier in hadden, en vooral omdat Sarah en Johnny allebei succesvolle handelaren waren die veel geld voor hun werkgevers verdienden, hadden ze recht op wat extra speelruimte.

Soms hingen ze de hele dag met elkaar aan de telefoon als de markt rustig was. Maar ze konden het ook vreselijk kort houden.

'Johnny, wat is de contante kabelkoers?'

'1,4560-70'

'Ik neem drie pond op zeventig, p.r.'

'Akkoord. Maar neem je niet een erg grote gok?'

'Maak je geen zorgen, Johnny. Ik weet wat ik doe.'

'Ik hoop het.'

Het was de grootste p.r.-transactie die Sarah ooit had gedaan. Bij Finlays had ze meer dan honderd keer posities ingenomen voor dat bedrag, maar met andermans geld was dat toch heel anders. Het was gewoon een handelsartikel, een rijtje cijfers dat òf de ene òf de ander kant op ging. Het was spannend en was onaangenaam als het fout ging, maar privé werd je er niet slechter van. De handel met geld van anderen kon je gewoon van je afzetten.

Sarah schreef de transactiebon, haalde hem door de stempelmachine, gooide hem in het bonnenbakje en stak een sigaret op.

Sarah voelde de sensatie van het gokken door zich heen stromen. Als het fout ging, was ze haar geld kwijt, en daarmee het grootste gedeelte van haar financiële zekerheid. Maar als het goed ging, kon ze tienduizenden dollars verdienen. En dan zouden haar vermoedens ook bevestigd worden; het zou niet aantonen dat Scarpirato met voorkennis handelde, maar haar vermoedens zouden wel gegrond blijken. Ze leunde naar achteren, keek naar boven en ademde diep uit. Arnott volgde elke beweging die ze maakte en hij keek haar bevreemd aan.

Een paar minuten nadat Sarah haar positie had ingenomen, kwamen de centrale banken van de G7 tegelijkertijd de markt op om ponden tegen dollars te kopen. Het nieuws verspreidde zich als een lopend vuurtje over handelsafdelingen over de hele wereld; ergens was er iemand in grote hoeveelheden ponden aan het kopen. Het begon met de aankopen van grote banken en valutafondsen, daarna gingen de minder grote kopers massaal meedoen.

Om kwart over twee Londense tijd, tien minuten nadat Sarah haar positie ingenomen had, begon het pond te stijgen. Sarah zag de groene cijfertjes na haar vloeibare lunch iets harder dansen dan anders. Ze kneep haar ogen samen en voelde de spanning groeien. Minuut na minuut steeg het pond met kleine sprongetjes.

Geconcentreerd en zonder ergens anders aan te denken, volgde ze het verloop en zag hoe de markt steeg.

Bij elk 'punt' – eenhonderdste cent – dat het pond steeg, groeide haar winst met driehonderd dollar. En die van de bank met vijftigduizend dollar.

De SBV-handelaren zagen het aan en wachtten. Dante Scarpirato verliet zijn heiligdom, ging achter zijn bureau naast Arnott zitten en tuurde naar de schermen. De spieren in zijn gezicht stonden strak van de opwinding terwijl het pond steeds meer in waarde steeg. Om drie uur was het pond drie kwart van een cent gestegen tegen de dollar, en de bank had nu op papier een winst van meer dan vier miljoen dollar. Alle hatelijke gevoelens vergetend kropen ze gespannen bij elkaar. Ze waren het met elkaar eens dat het nog te vroeg was om de positie af te dekken en de winst te pakken. De opwaartse lijn ging nu nog sneller, het pond steeg nu elke minuut met steeds groter wordende sprongen.

Om twintig over drie was het pond een volle cent gestegen tegen de dollar. Geen van de mensen die ze spraken, wist waarom. Er waren geen nieuwe cijfers bekend gemaakt, maar ergens in de wereld was er iemand gigantische hoeveelheden aan het kopen. Er werd gezegd dat men nu ponden moest kopen en de meningen over de motieven die daarvoor werden aangevoerd liepen ver uiteen. Sarah luisterde maar naar een reden: de centrale banken kochten ponden onder aanvoering van de Bundesbank. Precies zoals ze had verwacht. Ze draaide zich om op haar stoel en keek van opzij naar Arnott en Scarpirato. Ze zagen er triomfantelijk uit. Ze was duidelijk niet de enige die niet verbaasd was.

Toen de achterdocht uit haar was weggevloeid door de aanblik van de cijfers op haar scherm voelde ze een mengeling van angst en opwinding.

Om halfvier was het pond een en een kwart cent gestegen tegen de dollar. Sarahs winst bedroeg 37 500 dollar. Gemeten naar persoonlijke handelsrecords was dat veel, maar het stond in geen enkele verhouding tot wat ICB verdiend had. Ze maakte uit haar hoofd een snelle berekening en kwam op een bedrag van bijna zeven miljoen dollar.

Ze bestudeerde Arnott en Wilson. Ze waren volledig in de ban van de opgebouwde spanning. In de ogen van hen allemaal was de winst groot genoeg, enorm zelfs. De buitenlandse valutahandel was de meest onzekere van de wereld. Als de premier een hartaanval kreeg, zou het pond in de onzekerheid die daarop volgde onmiddellijk zakken. Dan konden er honderden dingen gebeuren. De mogelijkheden waren onbegrensd, maar aan de gevolgen viel niet te ontsnappen. Ze moesten verkopen, hun positie afdekken en de winst pakken, nu.

Sarah sloot haar oren voor het lawaai om haar heen en dacht na in geconcentreerde stilte. Ze deed nog even niets.

Scarpirato zat met een dampende sigaar aan de schermen gekluisterd. Het leek wel alsof hij de markt probeerde te hypnotiseren om een verdere stijging af te dwingen. Wilson en Arnott spanden tegen hem samen en smeekten hem de positie af te dekken. Hij snoerde hen de mond door zijn hand op te steken; koning Knut die een golf van smeekbeden afwees. Sarah keek zwijgend toe.

Om vier uur besloot ze de dat het tijd was om te verkopen. Ze belde McDermott.

'Johnny, wat is de contante kabelkoers?'

'Vijfennegentig nul vijf.' (De afkorting van 1,4695/1,4705)

Ze verkocht. Binnen een paar uur tijd was ze bijna veertigduizend dollar rijker geworden. Haar eerste ervaring met oneerlijk verkregen geld. Ze ging bij zichzelf na hoe het voelde; het ging gepaard met een bepaalde mate van onwerkelijkheid. Ze had het gevoel dat ze een stukje van haar leven had afgesloten. Ze had een grens overschreden. Ze kalmeerde zichzelf. Het was een misdaad die ze in naam der wet had gepleegd. Gedeelten van gebeurtenissen kwamen in haar op. Ze duwde ze weer weg.

Scarpirato zag hoe ze haar positie afdekte. Toen liet hij zich ook vermurwen. Hij wendde zich tot Wilson, Arnott en Jensen en zei dat ze alles nu direct moesten verkopen. Ze stortten zich op hun telefoons. Binnen twee minuten was alles verkocht. De positie was afgedekt en de winst was binnengehaald: zeshonderd miljoen achthonderdduizend dollar.

Ze schreven de transactiebonnen uit en leunden achterover, vermoeid en gelukkig naar elkaar lachend. Sarah ging helemaal op in haar gemoedstoestand. Het was bijna een seksuele gewaarwording. Iedereen voelde zich duizelig en in een euforische stemming. Ze zetten hun schermen uit en gingen het vieren bij Corney & Barrow aan Old Broad Street.

Ook op Via Appia Antica werd een feestje gevierd. Antonio Fieri gooide de hoorn op de haak. Hij had meer dan zes miljoen verdiend. Hij leunde achterover, vouwde zijn handen over zijn buik en riep de door hem opgeleide persoonlijk assistent, Mauro. Mauro stond er binnen een paar seconden, luisterde naar de instructies en verdween, om twee minuten later terug te komen met Signora Fieri, een fles gekoelde champagne en twee glazen.

Fieri schonk in. Hij en zijn vrouw proostten. Een liefhebbend Italiaans echtpaar. Ze waren al eenendertig jaar getrouwd en waren elkaar onvoorwaardelijk trouw. Hij had genoeg andere hobby's die hem gelukkig hielden. Ontrouw was iets dat hij niet tolereerde. Los van alle andere zaken waren minnaressen lastig, veeleisend en onveranderlijk indiscreet. Het was een luxe die hij en zijn medewerkers zich niet konden permitteren.

Sarah zat aan een klein hoektafeltje in Corney & Barrow met haar champagneglas te spelen. Arnott en Wilson waren allang weg. Ze draaide het glas tussen haar vingers heen en weer en keek naar de sprankelende belletjes. Ze wist dat Scarpirato's ogen op haar waren gericht. Ze keek op en ving zijn blik. Ze staarden elkaar aan en allebei weigerden ze als eerste hun ogen neer te slaan. Sarah verwonderde zich over de man die tegenover haar zat. Hij was niet knap in de traditionele zin van het woord, niet charmant, hij had geen gevoel voor humor en hij was meedogenloos. Het enige dat in zijn voordeel sprak, was zijn intelligentie en, moest Sarah toegeven: hij was goedgekleed. Niet dat ze veel om dat soort dingen gaf. Eigenlijk was ze meestal bevooroordeeld tegen mannen die er goed gekleed bij liepen, vooral als ze dan ook nog knap waren. Maar er was iets in hem dat haar naar hem toe trok. Misschien lag het aan haarzelf. Misschien had ze die aantrekkingskracht zelf ontwikkeld door zich in te laten met dit experiment vol gevaar, uitdaging en risico's. Ze werd altijd opgewonden door haar eigen hang naar gevaar. De eigenschappen van de tegenpartij waren onbelangrijk, behalve wanneer ze absoluut ongeschikt waren of op de een of andere manier erg veel barstjes vertoonden. Waarom ze zich tot dit soort types aangetrokken voelde, wist ze niet en ze had weinig zin om het te onderzoeken. Na John Carter, en nu met Eddie, had ze gedacht dat dat gedeelte van haar leven afgesloten was, dat ze eroverheen gegroeid was. Maar nu ze hier met haar zenuwen tot het uiterste gespannen tegenover Dante zat, kwamen alle oude gevoelens weer boven, inclusief een hevig verlangen naar hem.

Uiteindelijk zei hij iets.

'Heb je zin om een hapje te gaan eten?'

Haar ogen gleden naar haar horloge. Het was halftien en ze hadden met zijn vieren vier flessen soldaat gemaakt, waarvan zij ook haar portie had meegedronken. Ja, ze moest inderdaad iets eten. Ze barstte bijna in lachen uit, wie zat ze hier nou eigenlijk voor de gek te houden?

'Ja, dat lijkt me een goed idee.'

Hij stond op, legde vier briefjes van vijftig pond neer en leidde haar zachtjes aan haar schouder naar buiten.

Twintig minuten later zat ze aan een ander donker hoektafeltje in het restaurant L'Incontro aan Pimlico Road. Ze at niet veel en schoof met haar eten over haar bord.

'Krijg je altijd precies wat je hebben wilt?'

Hij lachte. 'Niet altijd, maar de belangrijkste dingen wel.'

'En vraag je je nooit eens af of het een keer zal mislukken?'

Zijn gezicht verstrakte, maar zijn ogen bleven twinkelen, vrolijk maar meedogenloos. 'Dat hangt ervan af. Wat denk je zelf?'

'Ik denk,' zei Sarah terwijl ze een andere wending aan de vraag gaf, 'dat je keihard bent, gedreven door iets dat ik niet ken en dat je je gevoel op commando kunt uitschakelen.'

Hij lachte weer. 'Ja, en daar houden mensen niet zo van, hè? Hoe zou dat toch komen?'

Sarah maakte een grimas. 'Dat komt omdat het elke illusie die mensen koesteren omtrent hun belangrijkheid voor jou de grond in boort. Ze worden eraan herinnerd hoe onbelangrijk ze voor je zijn, dat ze geen enkele indruk op je maken.'

Hij leunde naar voren. 'En daar ben ik verantwoordelijk voor?'

De arrogantie hield stand. Maar in zijn donkere ogen was verlangen te zien, een barstje in zijn keiharde buitenkant. En dat was genoeg. Sarah streek met haar handen over haar blote dijbenen en voelde een schok. Ze voelde haar zelfbeheersing wegglippen. Haar maag kneep samen en ze kreeg geen hap door haar keel. Met moeite keek ze van hem weg naar de andere stellen aan aangrenzende tafeltjes. Ze probeerde naar hen te kijken en te luisteren, maar al haar zintuigen bleven op hem gericht.

Hij sloeg haar gade en liet de rekening komen. Ze stonden op straat op een taxi te wachten. Er reden er een paar voorbij. Ze lieten ze gaan. Toen stak hij zijn hand op en hield er een aan.

Sarah zat met haar heup tegen de deur van de taxi aan gedrukt, keek met gemengde gevoelens naar Dante en toen weer door het raam naar buiten. Hij keek haar lachend aan.

Zijn huis was donker, zelfs toen hij de lichten had aangedaan. Er hing een geur die ze niet thuis kon brengen en die haar helemaal in beslag nam. Misschien was het sigarerook, cognac en nog iets anders, ze wist het niet. Hij wees naar een bank. Ze ging zitten. Ze had het gevoel dat ze adem te kort kwam. Ze zat stijfjes op de bank, alsof ze daarmee haar zelfbeheersing kon bewaren of alsof ze een klap verwachtte.

Hij keek hoe ze ging zitten en verdween toen naar de keuken. Hij kwam met twee glazen wodka terug. De randen van het glas waren bevroren en er dansten stukjes ijs aan het oppervlak. Hij zette de glazen op de tafel en ging naast haar zitten. Ze pakte het glas vast - de kou sneed door haar vingers - en nam een grote slok. De vloeistof brandde in haar keel toen die naar beneden gleed.

Op zoek naar sigaretten rommelde ze in haar tas, vond er een en stak hem tussen haar lippen. Dante pakte de aansteker die op tafel lag en gaf haar een vuurtje. Zich nauwelijks de tijd gunnend om adem te halen, rookte ze de sigaret achter elkaar op. Uiteindelijk drukte ze de sigaret uit, draaide zich om en keek hem aan.

In een snelle beweging was zijn mond op haar lippen en trok hij haar naar zich toe. Met bevende handen trok hij aan haar kleren. Ze stonden trillend tegen elkaar aan geperst op. Toen leidde hij haar achterwaarts door de kamer en de hal de trap op. Ze bewoog zich achteruit door de duisternis. Ze voelde hoe er een deur achter haar openging en na een paar stappen viel ze achterover op zijn zachte bed. Hij hield haar schouders vast en viel boven op haar. Hij trok haar rok op en rukte de stof die eronder zat opzij voordat hij haar teder begon te kussen. Ze was volledig bedwelmd toen hij de liefde met haar bedreef, maar wat haar het meest ontroerde, waren zijn woorden: woorden vol kwetsbaarheid en brandende hartstocht. Er kwam een grote leegte achter zijn masker vandaan. Ze had vaker een behoefte aan liefde gezien, maar nog nooit zo schaamteloos en wanhopig als nu. Ze hield zijn gezicht in haar handen en vertelde hem wat hij wilde horen. En terwijl ze die dingen in de duisternis tegen hem zei, glimlachte hij, triomfantelijk en angstig tegelijkertijd.

16

Anthony Barrington zat in zijn kantoor. De ochtendzon viel door het open raam naar binnen. De stilte werd onderbroken door het zware getik van de oude klok die in de hoek bij de deur stond. Barrington zat midden in de lezing die hij aanstaande maandag tijdens de lunch van het Genootschap van directeuren zou houden toen de telefoon ging. Hij las de zin waaraan hij bezig was uit en pakte geïrriteerd de telefoon op.

'James Bartrop,' kondigde zijn secretaresse aan.

'Goed. Verbind maar door,' zei Barrington.

Bartrop kwam meteen ter zake.

'Ik heb mijn Zwitserse vriend vanmorgen gesproken. Rekening 5376 X200 is weer actief geweest. Twintig minuten na de G7-vergadering werd er vijftig miljoen pond gekocht en aan het einde van de dag met een vette winst afgedekt.'

Barrington haalde zijn schouders op.

'Vijftig miljoen stelt weinig voor bij de mafia. Het lijkt me de moeite niet waard.'

'Dit is maar één rekening. Voor zover we weten, kunnen er nog wel tien rekeningen met dezelfde informatie bezig zijn geweest.'

'Dat is heel goed mogelijk.'

'Hoe zit het met je meisje? Heeft ze al iets gevonden?'

Barrington reageerde geërgerd. 'Geef haar de tijd, ze zit er pas twee weken.'

Bartrop was niet te vermurwen. 'Maar ze moet er gisteren toch bij geweest zijn. Als er iets aan de hand is bij ICB, en daarvan ben ik overtuigd, dan moet ze nu toch al wat gemerkt hebben en in ieder geval iets vermoeden.'

'Ik weet zeker dat ze contact met me opneemt zo gauw ze iets weet. Maar in de tussentijd moeten we maar afwachten, is 't niet?'

Sarah zat lusteloos achter haar bureau. Deze dag leek een nachtmerrie. De alcohol alleen al zorgde ervoor dat ze zich niet kon concentreren. Gelukkig werden er geen transacties gesloten; iedereen was nog in een vrolijke stemming over de gigantische winst van de vorige dag. Vandaag was een rustige dag; als je je gezicht even liet zien, was je verder vrij. Wilson zat een sportblad te lezen, Arnott had een lunchpauze van vier uur en Scarpirato zat bijna de hele dag in vergadering en was nauwelijks in zijn kantoor. Hij keek haar niet aan. Een keer toen ze langs hem liep, zag ze in zijn ogen iets wat op medeplichtigheid leek, maar daar bleef het verder bij.

Sarah ging naar het fitnesscentrum. Ze deed een uur aerobics en kreeg wat van haar energie terug. Ze ging zwemmen om haar gespannen spieren te kalmeren en ging daarna nog naar de sauna en de whirlpool. Tot slot liet ze zich masseren. Emma, de masseuse, praatte op beleefde toon en gelukkig erg weinig met haar. Toen Sarah terugkwam op kantoor was het halfvijf en Scarpirato was vertrokken. Wilson was zijn spullen bij elkaar aan het pakken en Arnott zat dronken aan de telefoon. Ze zwaaide bij wijze van afscheid naar haar collega's, draaide zich opgelucht om en vertrok.

Een half uur later was ze thuis. Het stille huis bracht haar in verwarring. De hele dag zat haar hoofd al vol lawaai: stemmen en gevoelens doolden rond zonder dat ze er met iemand over kon praten of de wirwar van schuld, spanning, wroeging en angst kon uitleggen. Op haar werk was er geen kans geweest om de chaos te overdenken die Scarpirato in haar hoofd en lichaam had achtergelaten. Ze staarde door het raam en voelde zich voor het eerst in jaren volledig stuurloos. Alle waarschuwingslampjes brandden, zoals gisteravond ook al het geval was, maar wat ze toen genegeerd had. Toen ze met Scarpirato in het café zat, was het alsof er zonder haar medeweten een beslissing was genomen. Ineens was het duidelijk. Sarah kon zich geen blik of opmerking herinneren waarmee het begonnen was. Haar verlangen naar hem was plotseling en onweerstaanbaar opgekomen. Ze liep weg van het raam op zoek naar de fles whisky.

Ze liep langs het antwoordapparaat, zag dat het driftig stond te knipperen en realiseerde zich dat ze er die ochtend niet naar gekeken had. Ze was het huis binnengestormd om zich te douchen en te verkleden en was binnen tien minuten weer naar buiten gerend. Ze stopte, plofte neer op de bank en staarde naar het apparaat. Ze drukte de knop in, het bandje spoelde terug, stopte en begon toen de berichten af te spelen.

Er waren er vier van Jacob die zich afvroeg waar ze uithing. Bij het laatste telefoontje klonk hij dodongerust. Sarah stak een sigaret op en toetste Jacobs nummer in. Hij nam hijgend op, alsof hij naar de telefoon was gerend.

'Heb je m'n berichtjes niet ontvangen?'

'Jawel, Jacob, alle vier. Daarom bel ik.'

'Nee, ik heb je ook op kantoor gebeld, en ik heb gevraagd of ze dat aan je door wilden geven. Vanmorgen een keer en vanmiddag twee keer.' Er klonk ongerustheid, irritatie en spanning in zijn stem.

'Merkwaardig. Ik heb niets doorgekregen, maar het was ook een beetje een vreemde dag.'

'Dat geloof ik graag,' zei Jacob scherp. 'Luister, ik denk dat je hiernaar toe moet komen; ik heb iets voor je.'

Sarah voelde haar hartslag versnellen. Ze zat nu rechtop en de vermoeidheid was verdwenen. 'Ik kom eraan.'

'Blijf je eten?'

Plotseling rammelde ze van de honger. Ze had al vierentwintig uur niet echt gegeten.

'Heel graag.'

'O ja, ik ben gisteren even bij je langs geweest. Ik heb de bandjes uit de recorder gehaald en er nieuwe ingestopt. Ik dacht niet dat je daar tijd voor zou hebben.'

'O. Bedankt Jacob. Dat had ik inderdaad nog niet gedaan. Goed, tot zo.'

Sarah hing op en liep naar haar slaapkamer om zich te verkleden. Ze trok een spijkerbroek en een T-shirt aan, pakte haar tas en haar sleutels en liep naar de deur. Op de mat stak een vrolijk gekleurde driehoek onder een vaalgele envelop uit - een rekening die ze tot nu toe had genegeerd. Ze schoof hem aan de kant en pakte de ansichtkaart op.

Het was een foto van levensgevaarlijk hoge bergen, waarvan de grijsgranieten pieken omringd door flarden mist in een kobaltblauwe lucht staken. Sarah draaide de kaart om. Het was een afbeelding van Kangchenjunga, de eerste berg op Alex' en Eddies reis door het Himalayagebergte. Eddie schreef dat ze waarschijnlijk al bij het basiskamp zouden zijn tegen de tijd dat ze de kaart kreeg. Sarah draaide de kaart om en keek weer naar de afbeelding. Zo puur en eenvoudig. Het schuldgevoel lag als een steen op haar maag.

Ze sloeg de deur achter zich dicht, deed de deur van de BMW die een paar meter verderop stond open, stapte in, startte de auto en scheurde weg. Een half uur later was ze op Rotherwick Road.

Jacob wachtte haar op in de deuropening. Hij leek zenuwachtig. Hij leidde haar naar zijn werkkamer, waar hij de cassetterecorder op het oude palissanderhouten bureau had gezet.

'Heb je zin in een kopje thee, lieverd?' Verontrust en onderzoekend keek hij haar aan. Sarah was zich ervan bewust dat ze een beetje bleekjes zag en dat haar lippen blauwe plekken vertoonden.

'Ja, lekker.'

Jacob verdween naar de keuken. Sarah staarde naar de cassetterecorder en richtte toen met moeite haar aandacht op Ruby die binnengeslopen was en zich nu om haar benen krulde. Ze tilde de kat op en ging zitten in een grote gebloemde leunstoel terwijl ze de zwarte vacht streelde. Al snel lag Ruby te spinnen en haar pootjes heen en weer te buigen op Sarahs schoot.

Het duurde een eeuwigheid voordat Jacob eindelijk terugkwam met een zilveren dienblad waarop melk en suiker, een theepot en kopjes van fijn Chinees porselein stonden. Hij zette het blad naast de cassetterecorder en schonk de thee voorzichtig in. Het deed haar denken aan haar kindertijd toen Jacob elke dag klaarstond met thee als zij en Alex 's middags uit school kwamen.

Ze vertelde Jacob over de ansichtkaart. Ze praatten een tijdje over Alex en Eddie en ze vroegen zich af waar ze op dit moment zouden zitten. Elk woord knaagde aan haar geweten. Toen zetten ze hun theekopjes neer en richtten ze hun aandacht op de cassetterecorder.

'Die vriend van mij heeft de bandjes van gisteren en vandaag gebracht. Er staat ontzettend veel op,' zei Jacob. 'Een heleboel is niet belangrijk. Ik heb aantekeningen gemaakt van de interessante gedeeltes, die heb ik opgeschreven aan de hand van de nummers van het tellertje dat meeloopt.'

Sarah glimlachte. Ze was vergeten hoe efficiënt en systematisch Jacob werkte.

Jacob knikte grijnzend naar het apparaat toen hij op PLAY drukte. 'Dit komt van Carla's microfoontje afgelopen zondag. Geweldig.'

De stem van Matthew Arnott klonk door de kamer.

'Dus morgen is er een vergadering?' Op de achtergrond was het tikken van messen en vorken op een bord te horen, ze zaten kennelijk te eten.

'Mm,' antwoordde Carla met volle mond.

'Ik vind het een beetje vreemd dat het nergens aangekondigd is,' zei Arnott weer. 'Weet je zeker dat hij niet verteld heeft waarom die vergadering is belegd?'

'Luister Matthew,' zei Carla kregelig, 'ik heb 't je al honderd keer verteld: hij heeft vrijdag gebeld om te zeggen dat er maandag een bijeenkomst was die door de Duitsers is georganiseerd. Die Herr Mueller, of hoe die dan ook heten mag, wilde niet aan de telefoon vertellen waar het over ging, maar het was een verplichte vergadering. Dat is letterlijk wat hij me verteld heeft, oké?'

Even was uitsluitend het gekletter van bestek te horen, toen ging Arnott met volle mond verder. 'Goed, maar je moet toch met me eens zijn dat het allemaal een beetje vreemd is. Normaal gesproken worden al die vergaderingen ruim van tevoren officieel bekendgemaakt, behalve in noodgevallen.'

Er viel weer een korte stilte voor Arnott verderging. 'Hoe klonk hij? Was hij ongerust of zo?'

Carla Vitale lachte snuivend.

'Hij klonk hetzelfde als altijd, alsof hij me haat. Wat verwacht je anders?'

De vraag bleef in de lucht hangen. Sarah stelde zich voor hoe Arnott zijn schouders ophaalde, zoals hij wel vaker deed. Het was eindeloos stil voordat hij weer iets zei.

'Ik denk eerder haat-liefde,' zei hij half plagend, half jaloers. 'Nou ja, ik maak me gewoon een beetje zorgen, dat is alles. Ik hoop dat het niks met ons te maken heeft,' zei hij peinzend.

Zelfs bij het afluisteren van het bandje voelde Sarah de plotselinge spanning.

Ze hoorde Carla weer, argwanend.

'Hoe bedoel je?'

Er viel weer een stilte en toen antwoordde Arnott op afgemeten toon en zorgvuldig zijn woorden kiezend: 'Nou, ik hoop dat ze niet achterdochtig zijn. Want als ze hem verdenken komen ze ook bij ons uit, is het niet?'

Carla zei neerbuigend: 'Ach, hij zegt heus niets. Want dan zou het bekend worden van hem en mij. Dan zou zijn vrouw van hem scheiden en dat is het laatste wat hij wil.' Ze klonk nog smalender en ging verder. 'En niemand van ons doet zijn mond open, dus waar maak je je zo druk om?'

'Ik maak me helemaal niet druk, jij maakt je druk.' Carla wilde protesteren, maar Arnott ging verder: 'Luister, ik heb geen zin om ruzie te maken. Er zijn gewoon een paar dingen gebeurd de laatste tijd.'

'Wat dan?' vroeg Carla aarzelend.

Arnott twijfelde. Misschien had hij geen zin om weer bespot te worden.

'Nou, die Sarah Jensen die een paar weken geleden bij ons is komen werken. Ze is nogal gehaaid. Ik heb het gevoel dat ze me in de gaten houdt. Ze straalt iets uit waar ik onrustig van word.'

'En jij denkt dat ze je twee weken bespioneert, alles uitzoekt en dan haar vriendje Mueller belt. Doe niet zo achterlijk.'

Arnott kuchtte opgelaten en toen bleef het stil. Het duurde even voordat hij weer wat zei.

'Nou, ik moet nog even naar kantoor. Ik zie je straks.'

Jacob drukte op STOP en draaide zich om naar Sarah. Ze keken elkaar met opgetrokken wenkbrauwen aan. Jacob spoelde de band vooruit. 'Dit was gisteren om twaalf uur,' zei hij terwijl hij op PLAY drukte.

Ze hoorden een kort 'Hallo'. Een mannelijke stem vroeg naar Carla en toen er bevestigend geantwoord werd, ging hij in het Italiaans verder. Jacob keek Sarah vragend aan.

'Ik dacht dat dit wel eens van belang zou kunnen zijn. Jij hebt toch een beetje Italiaans geleerd in Perugia, of daar ergens in de buurt?'

Sarah knikte. 'Toen ik twintig was, maar ik herinner me nog wel iets.'

Ze luisterde naar de zware, boos klinkende, mannelijke stem op het bandje. Ze keek Jacob aan.

'Het is belangrijk. Onze Italiaan vertelt Carla dat er zo snel mogelijk ponden tegen dollars moeten worden gekocht.'

Ze keken elkaar in stilte aan voordat Jacob het volgende gedeelte van het bandje afspeelde: een telefoontje van Carla naar ICB. Sarah bloosde toen ze haar eigen stem hoorde en het gesprek doorgaf aan Arnott. Carla zei maar vier woorden tegen hem: 'Ik moet je spreken.' Arnott zei 'Oké' en hing op. Twee minuten later belde Carla opnieuw. De telefoon ging maar een keer over en degene die opnam, zei niets, maar luisterde alleen maar naar Carla's instructies. Ze zei: 'Je moet ponden kopen, nu.'

'Dat telefoontje was opgenomen om zeven minuten over twaalf,' zei Jacob, 'en om kwart over twaalf heeft Scarpirato's microfoontje dit gesprek tussen hem en Arnott opgenomen.' Hij drukte op PLAY. Arnott kondigde aan dat hij dacht dat ze hun kabelpositie moesten verhogen. Scarpirato vroeg of hij dat zeker wist. Arnott antwoordde bevestigend.

Het laatste gesprek dat Jacob liet horen, was diezelfde avond om halftien opgenomen. Arnott en Carla waren iets aan het vieren. Er was veel gelach en geproost te horen. Arnott zei dat ze vijf miljoen winst gemaakt hadden. Carla antwoordde dat dat één en een kwart miljoen per persoon betekende.

Jacob zette de cassetterecorder uit. Hij keek Sarah aan.

'Nou, dat was het. We hebben een spiering uitgeworpen en een kabeljauw gevangen.'

Sarah knikte. Een tijdlang hielden ze allebei hun mond. Sarah liet haar ogen door de kamer gaan en keek toen Jacob weer aan.

'Ik kan het nog niet helemaal bevatten,' lachte ze nerveus. 'Wat moeten we nou doen met die kabeljauw?'

Jacob keek haar aan en haalde zijn schouders op. Hij trok een bureaula open en haalde een fles whisky en twee kleine glazen te voorschijn. Hij vulde ze tot de rand en gaf er een aan Sarah. In gedachten verdiept, dronken ze met kleine slokjes. Sarah verbrak de stilte.

'Nou ja, het valt wel allemaal op zijn plaats. Gisteren, rond twaalf uur, nam ik een telefoontje aan dat bestemd was voor Arnott. Dat zal Carla wel geweest zijn. Arnott zei bijna niets, trok daarna zijn jasje aan en stond op. Toen was er een woordenwisseling. Scarpirato wilde weten waar hij naartoe ging. Hij zei "naar de wc". Scarpirato maakte een opmerking over zijn jasje, alsof het ongebruikelijk is om dat binnen aan te hebben. Wat het voor handelaren inderdaad is, omdat ze meestal alleen een overhemd aan hebben. Ik durf te wedden dat hij een draadloze telefoon in dat jasje had zitten. Het is namelijk veel veiliger om daar informatie op door te krijgen dan via de toestellen van ICB waar elk gesprek wordt opgenomen. Het is vreemd dat Scarpirato hem daarvoor berispte, maar misschien had Arnott gewoon besloten om extra voorzorgsmaatregelen te nemen vanwege mijn aanwezigheid. Misschien liep hij voor mijn komst wel gewoon met zijn telefoon naar de wc's, of misschien belde hij toen zelfs van achter zijn bureau. Hoe dan ook, Arnott verdwijnt naar het toilet. Volgens deze bandjes belt Carla op ongeveer hetzelfde tijdstip iemand op om te zeggen dat hij ponden moet kopen. Waarschijnlijk Arnott met zijn draadloze telefoon op de wc. Daarna zie ik Arnott de vergaderzaal binnenstappen en de telefoon pakken. Duidelijk om een telefoontje te plegen dat niet voor mijn oren bedoeld was. Hoogst waarschijnlijk een illegale transactie waarvan de winst wordt gedeeld door hemzelf, Carla, Scarpirato en die vierde persoon die we net op dat bandje hebben gehoord. Even later voeren Arnott en Scarpirato hun gesprek in Scarpirato's kantoor, Arnott geeft door dat er ponden gekocht moeten worden, ze komen allebei naar buiten en Scarpirato geeft opdracht om onze posities te verhogen.'

Ze stopte even en lachte. 'En dan krijg ik na de lunch een telefoontje van mijn oude vriend Manfred Arbingen, die me vertelt dat er een bijeenkomst van de G7 is geweest bij de Bundesbank. Een kwartier nadat Arbingen mij vertelde van die bijeenkomst is dat Italiaanse gesprek opgenomen. Eigenlijk is het heel logisch, hè?' Sarah staarde naar haar handen. 'Wat een ingenieuze zwendel. Handel met voorkennis op het hoogste niveau, daar waar je het bijna niet zou verwachten. Gewoon om mijn vermoedens te testen, heb ik zelf ook een positie ingenomen: drie miljoen pond. Daarna ben ik gaan zitten wachten, en natuurlijk steeg het pond, dus toen heb ik mijn positie afgedekt. Ik heb 37 500 dollar verdiend. De afdeling had een winst van 6 800 000 dollar, en Scarpirato en zijn volgelingen 5 000 000.' Ze nam een grote slok van haar whisky. 'Ik heb het allemaal zien gebeuren, ik zat er middenin, en toch lijkt het onwerkelijk. Ik kan het bijna niet geloven.'

Jacob zat haar vanuit zijn luie stoel aan te kijken.

'Ik ook niet. Maar het geld is er. Dat levert al het bewijs dat je nodig hebt. En je hebt er zelf ook bijna veertig ruggen aan verdiend. Daar zou je toch een beetje van moeten opvrolijken.' Hij grijnsde. 'Goed gedaan, hoor. Ik ben blij dat ik je iets heb kunnen leren.'

Ze lachte. 'Ik zal nooit zo goed worden als jij, Jacob.'

Hun ongemakkelijke gevoel verdween een tijdje onder hun lachbui. Jacob vulde de glazen bij.

'Dus nu weten we wie de informatie ontvangt, op de geheimzinnige vierde man na. Maar wie is de bron?'

Sarah zette haar glas neer.

'Het kan de minister van financiën zijn, de president van de Banca d'Italia, of iemand anders die zijn informatie van hen krijgt. Misschien zit het lek bij de Fransen of Japanners en is er een Italiaanse tussenpersoon, maar dat betwijfel ik. Ik gok erop dat het de minister van financiën of de president van de Banca d'Italia is.'

'Het zou mooi zijn als we wat televisiebeelden van deze Italianen te pakken konden krijgen, dan konden we hun stemmen vergelijken,' zei Jacob. Hij dacht even na en grijnsde toen naar Sarah. 'Ik heb nog een maatje in Italië. Ik zou hem kunnen vragen of hij het nieuws op kan nemen, dan kunnen we kijken of we een stem herkennen.'

Sarah knikte glimlachend. 'Wie het ook is, hij lijkt in ieder geval een verhouding met Carla te hebben gehad. Het klinkt alsof ze hem chanteren, vind je niet?'

'Absoluut. Regelrechte chantage.'

'Dus hij waarschuwt haar, zij geeft de informatie aan Matthew Arnott, Arnott gaat ermee naar Scarpirato en dan nemen ze hun positie in op de markt en verdienen ze vijf miljoen dollar.' Sarah fronste haar voorhoofd. 'Arnott moet de posities hebben ingenomen toen hij in de vergaderkamer zat, anders had ik hem wel gehoord. Het zou natuurlijk ook kunnen dat Scarpirato het vanuit zijn kantoor geregeld heeft. In ieder geval hebben ze de posities weer afgedekt - die van het bedrijf en hun p.r.-transacties - en de winst in vieren gedeeld voor Carla, Arnott en Scarpirato. Wie is nummer vier?'

Jacob schudde zijn hoofd. 'Al sla je me dood.'

Sarah was razend benieuwd. 'Een genie dat zich op de achtergrond houdt? We moeten achter zijn of haar identiteit zien te komen, meer bewijs tegen Scarpirato verzamelen, uitvinden wie die Italiaan is en overtuigender bewijs zien te krijgen dan we nu hebben. We hebben nu alleen maar indirect bewijs. Onze theorie is gebaseerd op vermoedens. We kunnen niet bewijzen dat er geheime informatie wordt doorgegeven en ook niet dat Dante Scarpirato erbij betrokken is. Wat we hebben is nog niet doorslaggevend, maar het is een goed begin. Ik zal morgen een verslag typen, want vanavond kan ik niet helder denken, en dan zal ik Barrington bellen.'

Jacob knikte. Hij zag hoe Sarah zich in haar eigen wereldje terugtrok. Ze zat heel stil door het raam te staren. Ze keek naar de rozen in de tuin. Ze had een fout gemaakt met Scarpirato gisteravond. Dat zou niet nog een keer gebeuren. Ze wist dat regelmatige ontmoetingen met hem een verwoestende uitwerking zouden hebben. En voor wat betreft zijn uitlevering wist ze dat hij daar in haar plaats geen enkele moeite mee zou hebben. Hij zou het met een glimlach doen.

Jacob borg de cassetterecorder op en liep met Sarah in zijn kielzog naar de keuken. Het eten was klaar. Hevig geschokt zaten ze aan de keukentafel. Om het niet over de enorme omvang van hun ontdekking te hebben, rakelde Jacob verhalen van vroeger op, over zijn kraken en onwettige praktijken. Sarah was blij dat ze afgeleid werd en lachte tot haar kaken pijn deden. Voordat ze wegging, vroeg ze of hij nog een microfoontje voor haar kon regelen. Hij keek haar onderzoekend aan en zei dat hij ervoor zou zorgen. Doodmoe reed Sarah naar huis en dook om tien uur haar bed in.

17

Woensdagochtend. Halfacht. Sarah kwam met een klein wit papieren draagtasje met daarin haar cappuccino en toost ICB binnen. Het tasje zwaaide tijdens het lopen een beetje heen en weer en er kwam een klein beetje melk onder het plastic deksel van het bekertje vandaan. Ze ging achter haar bureau zitten, pakte haar cappuccino, haalde het vetvrije papier van haar toost en begon te eten. Dit was een ochtendritueel dat veilig en vertrouwd was, en in stilte plaats hoorde te vinden.

Een paar seconden later schoof Arnott naast haar op zijn stoel. Ze knikte hem toe en wendde zich weer tot haar toost en de met boter bevlekte *Financial Times*. Ze wilde hem niet aankijken, wilde niet dat hij in haar ogen kon zien wat ze over hem had ontdekt.

Simon Wilson kwam binnen. Hij was nog steeds vol van het succes van de maandag ervoor. Sarah had haar toost op en stak een sigaret op.

'O, wat voel ik me beroerd,' kreunde Wilson. 'Ik ben gisteren tot vier uur in de Ministry of Sound geweest.'

Arnott lachte. 'Nog steeds aan het feestvieren?'

Wilson knikte. 'Jij niet dan?'

Arnott lachte zelfgenoegzaam. 'Jazeker, maar ik vier mijn feestjes liever op een wat subtieler manier.'

Sarah stikte bijna in haar sigaret. 'O, en hoe viert onze subtiele meneer zijn feestjes dan wel?'

Arnott draaide zich naar haar om. Ze hield zijn blik vast en was ervan overtuigd dat hij niets anders dan minachting in haar ogen zou zien.

'Ik ben van plan om mijn vriendin dit weekend mee te nemen naar Positano.'

Sarah haalde haar schouders op. 'Positano in juli. Dat kan ermee door. Het is me er net iets te druk. Ik vind het er altijd prettiger in mei of juni.'

Wilson grinnikte. Arnott zette zijn schermen aan en mompelde: 'Wat zijn we weer leuk.'

Positano, dacht Sarah. 'Wat moet hij daar met Carla? Een ontmoeting met het geheime meesterbrein?'

Ze hield hem de hele dag voorzichtig in de gaten en bestudeerde hem als ze dacht dat hij het niet zag. Ze vond het teleurstellend dat zo'n opzienbarend misdrijf werd uitgevoerd door zo'n middelmatig type. Scarpirato was veel overtuigender als crimineel. En het geheime meesterbrein, hoe zou dat eruitzien? Ze probeerde een profielschets van hem te maken maar dat mislukte, ze kwam niet verder dan een blanco gezicht.

Ze had moeite zich te concentreren en staarde zonder iets te zien naar haar schermen. Niemand handelde. Ze hadden geen van allen zin. De lethargie, de anticlimax na de grote overwinning had hen allemaal in zijn greep. Sarah ging om vier uur weg.

Ze ging naar huis, trok andere kleren aan en schreef haar verslag voor Barrington. Op de een of andere manier was ze door het op te schrijven geen onderdeel meer van het verhaal, alsof ze een onafhankelijke journaliste was.

Op het moment dat ze de laatste woorden typte, ging de telefoon. Het was Dante.

'Ik moet je zien.' Zijn stem klonk als een ruwe liefkozing en het zweet brak Sarah uit. Het was halfzes, de zon stond nog steeds hoog aan de hemel en de hitte brandde door haar spijkerbroek. Ze was even stil en gaf toen automatisch antwoord.

'Goed, ik kom eraan.'

Ze stapte in haar BMW en reed weg. Ze duwde een bandje in het cassettedeck - *Soul ll Soul Volume Two*. Ze liet het zware ritme door haar lichaam dreunen terwijl ze zonder na te denken over King's Road naar zijn huis op Wellington Square reed.

Glimlachend deed hij de deur voor haar open. Hij stapte opzij om haar binnen te laten. Ze liep door de hal. Geen van beiden sprak een woord. Hij leidde haar door het huis naar het dakterras en haalde toen twee glazen witte wijn die hij op het lage houten tafeltje zette. Sarah zat op de bank tegenover hem en keek hem aan terwijl ze een slokje van haar wijn nam.

Hij droeg een spijkerbroek en een wit overhemd met korte mouwen. Het was de eerste keer dat ze hem in iets anders dan een pak zag. Ze staarde naar zijn zwaarbehaarde armen en zijn gebruinde huid. Ze leunde over de tafel en pakte zijn pols vast.

Hun gesprek verliep hortend en sprong van de hak op de tak. Na een tijdje pakte hij haar hand vast. Geen van beiden kon nog langer wachten. Hij nam haar mee naar de koele slaapkamer en terwijl hij haar vurig kuste, duwde hij haar zachtjes op zijn bed.

Hij trok de rits van haar spijkerbroek naar beneden en trok haar broek uit. Ze had er niets onder aan. Gedurende een lang ogenblik keek hij hoe ze naast hem lag. Toen boog hij zich over haar heen, greep haar handen vast en overlaadde haar gezicht met kussen.

Half bedekt onder het laken lag Sarah naakt in bed. Ze werd wakker van de koele ochtendlucht en de zon die door de gordijnen filterde. Het was halfzes. De zon was een uur geleden opgekomen en de vogeltjes zaten vrolijk te fluiten in de bomen op het plein.

Ze bleef een poosje stil liggen. Als een slachtoffer van een zwaar ongeluk probeerde ze de schade vast te stellen voordat ze zich bewoog. De bevrijdende voldoening van de voorgaande nacht had plaats gemaakt voor een schrijnende leegte. Sarah wist dat de oplossing hiervoor het verlangen alleen maar zou aanwakkeren. Troost zoeken bij degene die de oorzaak was van het probleem was vergeefse moeite, maar kwam desondanks herhaaldelijk voor.

Terwijl Scarpirato maar een paar centimeter verder lag in het grote bed, liet Sarah haar gedachten rustig over de situatie gaan waarin ze zich bevond. Ze zag duidelijk in dat haar relatie met deze man een doelloze en verwoestende uitwerking zou hebben. Maar tegelijkertijd was het onnodig om er nu een punt achter te zetten. Het einde zou binnenkort vanzelf in zicht komen. Dat moment zou ze afwachten. Nu ze zichzelf bevrijd had van het gevoel dat ze haar relatie met hem moest beëindigen, voelde ze zich wat minder schuldig.

Nu ze zijn aantrekkingskracht durfde te accepteren, vroeg ze zich af wat er de reden van was. Hij was niet de eerste gevaarlijke man waarmee ze naar bed was geweest. Toen ze met John Carter begon uit te gaan - haar eerste fatsoenlijke vriend - had ze gehoopt dat ze daarmee afscheid had genomen van alle gevaarlijke mannen. En vanaf het moment dat Eddie in haar leven was gekomen, was ze ervan overtuigd geweest. En ineens had ze een enorme sprong achterwaarts gemaakt met Scarpirato, zonder twijfel de meest gevaarlijke man die ze ooit had ontmoet. Misschien had ze een laatste uitspatting nodig voordat ze echt tot rust kon komen en zou hij een genezende werking hebben. Ja, dat was het. Hij zou haar voorgoed genezen. Hij gebruikte haar uit eigenbelang, dat kon zij ook. En in een ander opzicht was hij natuurlijk ook haar prooi. Gerustgesteld door die gedachte glipte ze zachtjes uit bed, trok haar kleren aan en verdween.

Later die dag, om halfeen, overhandigde Sarah haar verslag aan Barrington - vlak voor zijn lunchafspraak met een aantal Duitse bankiers. Ze zat naast de rustig tikkende oude klok. Hij had haar meegedeeld dat ze tien minuten de tijd had.

'Ik heb een aantal interessante ontdekkingen gedaan. Ze staan allemaal in het verslag en dan heb ik dit nog...' Ze overhandigde hem het bandje waarop Jacob de belangrijkste informatie had overgenomen. 'Het is indirect bewijs, maar het is overduidelijk dat er een misdrijf wordt gepleegd, en nog sensationeel ook.'

Barringtons ogen werden groot van verbazing toen ze haar verhaal vertelde. Dus de val die hij samen met Herr Mueller had gezet, was dichtgeklapt. Dat vertelde hij niet aan Sarah.

In de stilte die volgde, kneep hij zijn ogen nadenkend tot spleetjes. Hij bestudeerde de vrouw die tegenover hem zat en voelde een onheilspellend voorgevoel in zich opkomen. Hij onderdrukte dat gevoel snel omdat het hem niet van pas kwam. Hij had haar uitgekozen en aanbevolen, en ze was op korte termijn met spectaculaire resultaten op de proppen gekomen. Dat waren de gegevens waarop hij zich moest concentreren. Het feit dat ze afluisterapparatuur gebruikte, had hem even overrompeld, maar nu hij wist wat hij van haar kon verwachten, was hij gerustgesteld. Hij had haar die ruimte gegeven en met haar vindingrijkheid had ze zijn verwachtingen ruimschoots overtroffen. Dat was de manier waarop hij dit moest bekijken, en niet door te denken dat hij haar had onderschat. Hij wierp haar een stralende lach toe.

'Een buitengewone vondst, Sarah. Heel goed gedaan. Zorgwekkend. Zeer verontrustend. Je hebt knap werk geleverd door dit te onthullen.' Hij maakte geen enkele toespeling op haar werkwijze. Sarah vermoedde dat hij dat opzettelijk vermeed.

'Ik zal je verslag lezen en naar het bandje luisteren. Daarna neem ik contact met je op. In de tussentijd wil ik dat je gewoon verdergaat op de ingeslagen weg.' Hij keek op de klok. Sarah begreep de hint en stond op.

'U hebt speciale apparatuur nodig om naar het bandje te luisteren,' zei ze glimlachend. 'Maar dat zal vast geen probleem zijn.'

Barrington keek haar onderzoekend aan. Ze keek met een onschuldig gezicht terug, maar hij kon zich niet aan de indruk onttrekken dat ze het een beetje pesterig bedoelde.

Ze namen afscheid. Voordat hij de deur sloot, keek hij haar even na toen ze vanuit zijn kantoor door de lange gang liep.

Hij had gemengde gevoelens aan hun gesprek overgehouden: opwinding, onbehagen en behoedzaamheid. Hij hield niet van onthullingen en verrassingen. Het waren risico's van het vak waarvan hij moest zorgen dat hij ze in zijn voordeel gebruikte.

Om kwart voor een kondigde Barringtons secretaresse, Ethel, aan dat de Duitse bankiers waren gearriveerd en op hem wachtten. Barrington liep door de Parlours naar de eetzaal. Breed glimlachend opende hij de deur en stapte naar binnen. Het toonbeeld van rust en vertrouwen, een indrukwekkend persoon en een charmante gastheer, maar ook een man wiens gedachten telkens afdwaalden naar het bandje en Sarah Jensen.

Het was een korte lunch. Om halfdrie nam Barrington afscheid van zijn gasten en wandelde hij kordaat terug naar zijn kantoor. Hij deelde Ethel mee dat hij het eerstkomende half uur niet gestoord wilde worden en gaf haar opdracht de benodigde cassetterecorder voor hem te vinden. Tien minuten later klopte ze aan en overhandigde ze hem het apparaatje.

Barrington stopte het bandje in het cassettedeck, drukte op PLAY en ging aan zijn bureau zitten luisteren. Sarah had uitgelegd dat ze de belangrijkste informatie op dit ene bandje had samengevoegd. In feite had Jacob dat gedaan, maar die informatie hield ze wijselijk voor zich. Ze dacht niet dat Barrington daarmee in zou stemmen en ze hield Jacob liever op de achtergrond voor het geval er ergens iets fout ging.

Barrington zat vijftien minuten in stilte te luisteren. Af en toe spoelde hij het bandje een stukje terug om een gedeelte opnieuw te horen. Vol verbazing hoorde hij de bezwarende bewijzen van Arnott en Vitale aan.

Daarna zette hij de cassetterecorder uit en las hij Sarahs verslag. Hij was met haar eens dat het erop leek dat Scarpirato de derde man binnen de samenzwering was - ook al werd hij nergens bij naam genoemd. Hij had duidelijker bewijs tegen de Italiaan nodig voordat hij hem aan kon pakken. Jensen zou met haar onderzoek door moeten gaan tot ze dat bewijs had. Ze moest de identiteit van de vierde persoon ook nog zien te achterhalen.

Barrington vroeg via de intercom aan Ethel of ze James Bartrop voor hem wilde bellen. Hij bleek niet bereikbaar te zijn. Barrington verwenste hem want hij wilde zijn ontdekkingen op dit moment aan Bartrop laten horen.

Uiteindelijk spraken de beide mannen elkaar pas om tien uur

’s avonds. Barrington was in zijn appartement boven de Bank en genoot samen met zijn vrouw Irene van een rustig avondje thuis.

‘Sorry dat ik je nu pas bel, Barrington. Ik zat in het buitenland. Ik ben net terug.’

‘Geen probleem. Ik belde je omdat ons meisje met interessante informatie is gekomen. We lijken gelijk te krijgen. Zoals we al vermoedden lijkt er iets aan de hand te zijn op haar werkplek. Ze heeft een verslag geschreven met daarin keiharde bewijzen. Het is nog niet volledig, maar ze heeft eersteklas werk geleverd.’

Bartrop voelde zijn hart sneller kloppen. ‘Welk soort bewijs? Hoe is ze daar aan gekomen?’

Barrington antwoordde langzaam: ‘Telefoontjes, gesprekken. Ze heeft ze onderschept.’

Aan de andere kant van de lijn zat Bartrop met grote ogen te luisteren.

‘Een initiatiefrijke dame.’

‘Daar lijkt het wel op, ja.’

‘Je hebt haar ingefluisterd dat ze zoiets zou kunnen doen.’ Het klonk meer als het constateren van een feit dan als een vraag.

‘Indirect heb ik zoiets gesuggereerd, ja. Het was alleen de vraag of ze zich daar lekker bij zou voelen.’

‘Zo te horen als een vis in het water.’

‘Hm.’

‘Enig idee hoe ze aan dat materiaal is gekomen?’

‘Toe nou toch, Bartrop. Je denkt toch niet dat ik dat gevraagd heb? Hoe minder ik weet, hoe beter. Dat weet je best.’

Bartrop fronste zijn voorhoofd. ‘Zal ik even iemand laten komen om de spullen op te halen? Ik zou er ’t liefst meteen naar kijken.’

Barrington onderdrukte het plotseling opkomende bezitterige gevoel. ‘Dat snap ik. Ik stuur wel even een van mijn mensen. Waar zit je?’

Verrast noteerde hij het adres. Chelsea Square. De meeste huizen die daar stonden, kostten meer dan een miljoen pond. Op de een of andere manier had hij niet verwacht dat Bartrop zoveel geld bezat.

Bartrop zat thuis te wachten. Afgezien van Trout, de kat die op zijn schoot lag te spinnen, was het stil in huis. Met een glas goede malt whisky bij de hand zat hij achter zijn bureau in zijn werkkamer te mijmeren. Af en toe hoorde hij een paar zachte stemmen in zijn tuin: twee van zijn lijfwachten die de boel in de gaten hielden. Hij stond nu al achttien maanden onder bescherming; een onwelkome inbreuk op zijn privacy, maar absoluut noodzakelijk nadat hij in Colombia tijdens een geheime opdracht in conflict was geraakt met het Medellin-kartel. De kans was groot dat hij op hun zwarte lijst stond. Niemand wist het zeker, maar 'de Firma' wilde geen risico nemen, dus vandaar dat hij vierentwintig uur per dag onder bescherming stond, waarheen hij ook ging. Die mannen hadden een reusachtig geheugen, maar dat had hij ook...

Na een half uur hoorde hij een auto stoppen en even later ging de bel. Hij zette Trout neer en liep de trap af naar de voordeur. Hij keek door het kijkgaatje, zag Munro voor de deur staan met een pakje in zijn hand. Hij deed de deur open.

'Van de Bank of England, meneer.'

Bartrop knikte, nam het pakje aan en liep terug naar zijn werkkamer. Hij ging weer aan zijn bureau zitten, scheurde de bruingele manilla envelop open, haalde het verslag te voorschijn en begon te lezen.

Daarna luisterde hij naar het bandje. Zijn gedachten dwaalden naar Fieri. Hij wist zeker dat hij op het goede spoor zat, en Sarah Jensen ook, al had ze daar geen idee van. Hij grijnsde tevreden. Het was een goed begin. Hij had het bewijs dat er inderdaad een samenzwering bestond hier voor zich liggen. Fieri zou de onbekende vierde man kunnen zijn. Als dat zo was, moest het feest nog beginnen.

Hij belde Barrington.

'Dit is geweldig. Die meid is een schot in de roos. Zeg haar maar dat ze zo doorgaat, rustig en heel voorzichtig. We moeten nog bewijs zien te krijgen omtrent de derde en vierde persoon. Het lijkt erop dat Scarpirato de derde is, maar dat weten we nu dus nog niet zeker. Ze had geen aanwijzingen voor de vierde man, hè?'

'Nee, die had ze niet.'

'Als je de kans krijgt, zou je haar eens moeten vragen hoe ze aan die afluisterapparatuur is gekomen. Ik weet dat 't gevoelig ligt, maar misschien kom je er wel achter. Misschien vindt ze het helemaal geen probleem om dat te vertellen.'

'Ik zal zien wat ik kan doen,' mompelde Barrington.

Bartrop dacht: 'Ik had mijn poot stijf moeten houden toen we over de mogelijkheid van een stand-in spraken. Als we dan niet voor de vice-president hadden gekozen, had ik in ieder geval iemand willen hebben die zijn handen hieraan vuil had durven maken. Nu is het te laat om de dingen nog te veranderen.'

‘O ja, nog één ding,’ zei hij. ‘Het is vandaag donderdag en alles is op maandag al gebeurd. Waarom duurde het zo lang?’

‘Ik heb het vanmorgen gekregen. Ik weet niet wat ze ermee heeft gedaan. Het leek me wat onbeleefd om te klagen nadat ze al die moeite had gedaan.’

‘Het is geen klacht. Ik was gewoon nieuwsgierig.’

Terwijl Bartrop haar verslag zat te lezen, lag Sarah een paar kilometer verderop in een warm bad met het badkamerraam wijdopen. Warme buitenlucht stroomde naar binnen en trok de stoom die van het geparfumeerde water opsteeg in kleine wolkjes mee. Ze had een halve fles verkwikkende badolie met geranium en lavendel in het bad gegoten. Naast het bad zorgde het flakkerende vlammetje van de kaars voor bewegende schaduwen op de muur.

Ze probeerde haar gedachten stop te zetten. De verschillende rollen begonnen haar op te breken. Werknemer, spion en minnares - drie dingen die niet samengingen. Twee ervan zou misschien nog gaan. Sarah vroeg zich af hoe lang ze hier nog mee door kon gaan.

Doordat ze met Scarpirato naar bed was geweest, was haar hele plan in duigen gevallen. Nu kon ze niets anders doen dan alles maar over zich heen laten komen. In het halfdonker lag ze naast het flakkerende kaarsje verstijfd in het water.

Ze keek op haar waterdichte Swatch. Het was elf uur en ze was doodmoe. Ze stapte uit bad, droogde zich snel af en stapte nog half nat in bed. Ze trok de stekker uit de telefoon. Ze had de hele dag geen woord met Scarpirato gewisseld en aangezien ze niet van plan was hem te bellen en ook niet verwachtte dat hij haar zou bellen, besloot ze alle hoop te laten varen. In ieder geval wat betreft deze avond.

18

Sarah werd met een onheilspellend voorgevoel wakker. In een sombere stemming ging ze naar haar werk. Halverwege de ochtend belde Jacob. Zo te horen voelde hij zich niet op zijn gemak en daardoor werd ze nog ongeruster. Hij wilde haar ontmoeten. Kon hij bij haar langskomen als ze klaar was op haar werk? Sarah antwoordde bevestigend en hing op.

Niets ziend staarde ze peinzend naar haar schermen. Ze hoorde Scarpirato's stem naast zich. Hij stond tegen Arnott te praten over een positie die hij had ingenomen. Hij gaf hem een paar korte instructies en draaide zich om. In diezelfde beweging keek hij Sarah met een blik van verstandhouding aan en vreemd genoeg voelde ze zich daardoor juist buitengesloten. Hij liep terug naar zijn kantoor en stak een sigaar op. Sarah richtte zich weer op haar schermen en ging handelen om zichzelf af te leiden.

Achteloos gehandel levert bijna altijd verliezen op. Toen ze aan het eind van de middag met een verlies van dertigduizend pond zat, was ze opgelucht dat er in ieder geval nog iets voorspelbaar was. Ze rapporteerde haar verlies aan een opgewekte Arnott en ging naar huis.

Het verkeer op Lower Thames Street raasde onophoudelijk voorbij. Tussen twee grote vrachtwagens in greep Sarah haar kans en rende ze naar de overkant. Ze wandelde naar Cheapside en nam daar een taxi.

Toen ze thuiskwam, had Jacob zichzelf al met zijn eigen sleutel binnengelaten. Glimlachend zat hij in de woonkamer op haar te wachten, maar de rimpeltjes rond zijn ogen verrieden dat hij zich ergens zorgen over maakte. Sarah zette een pot thee die ze rustig babbelend leegdronken. Na een tijdje zei Jacob niet veel meer; hij scheen te wachten op het juiste moment om te praten over dat waarvoor hij gekomen was.

Hij streek met zijn handen door zijn dikke grijze haar en kreeg een blos op zijn gezicht. Sarah wachtte af.

'Ik heb weer wat gevonden op de bandjes. Als ik het goed begrepen heb, heeft die Scarpirato een vriendin; hij is gisteravond met haar samen geweest. Hij neemt haar dit weekend mee naar Frankrijk.' Jacob maakte een vragend gebaar met zijn hand. 'Ik weet natuurlijk niet of het belangrijk is. Ik vond alleen dat je het moest weten, dat is alles.' Hij ging snel verder zodat ze geen antwoord hoefde te geven. 'Ik heb trouwens ook naar alle bandjes van Carla geluisterd, er staat niet veel bijzonders op.'

Meelevend keek hij hoe ze naar haar voeten zat te staren. Zonder hem aan te kijken stond ze op, liep naar de rij flessen op tafel en schonk twee grote glazen whisky in. Zonder iets te zeggen, gaf ze hem een glas en ging zelf met haar rug naar hem toegekeerd voor het raam naar buiten staan kijken.

In drie slokken liet ze de inhoud van haar glas door haar keel glijden en voelde zich weer een beetje tot rust komen. Minutenlang bleef ze doodstil voor het raam staan.

Het was onmogelijk haar gevoelens onder woorden te brengen, of een verklaring te vinden voor de pijn, de vernedering en het bedrogen gevoel. Dat was het ergste: het bedrog. Het vervulde haar met woede en walging. Ze had gedacht dat zij de bedrieger was maar het feit dat Scarpirato haar bedroog, maakte haar zonde tegenover Eddie alleen maar groter. Dat het nou zo moest eindigen... Verstild stond ze aan het raam, met een hand het glas vasthoudend, de andere hand slap langs haar lichaam hangend.

Ze keek uit op de tuinen van Carlyle Square die in de avondzon lagen te schitteren. Mevrouw Jardine stond in de tuin te kijken naar de kinderen die elkaar op het gras achterna zaten. Sarah bekeek het tafereel afstandelijk, alsof ze naar de tv keek.

Jacob stond op en liep naar haar toe. Zachtjes legde hij een hand op haar schouder.

'Ik moet nu weg want ik heb vanavond met een stel vrienden afgesproken. Ik bel je morgen. Goed?'

Sarah legde een hand op de zijne. 'Dag Jacob. Veel plezier vanavond.' Ze keek hem na toen hij de kamer uitliep en draaide zich daarna weer om naar het uitzicht over het plein. De deur viel achter Jacob in het slot en daarna werd het stil.

Maandagmorgen om halfacht – precies op tijd – liep Sarah Jensen door de beveiliging van ICB over de handelsafdeling naar haar plek. Ze werd bewonderend gevolgd door het gebruikelijke aantal ogen, maar deze ochtend werden ze niet beloond met een vrolijke lach of een vriendelijke groet. Recht voor zich uit kijkend liep Sarah werktuiglijk naar haar bureau. Ze liet zich naast Arnott op haar stoel vallen en knikte hem kort toe. Uit zijn ooghoeken keek hij haar aan. Normaal gesproken was hij ongevoelig voor de stemmingen van anderen, maar vandaag merkte hij iets aan Sarah. Hij deed een onhandige poging om een praatje met haar te beginnen.

'Alles goed met je?'

Sarah keek hem aan en zijn mond viel open van verbazing. Het leek wel alsof er een masker van haar gezicht was gevallen. Als ze hem nietszeggend had aangekeken, was hij niet zo geschokt geweest, maar wat hij zag was oprechte en onverholen kille minachting. Hij richtte zich snel weer op zijn computers. Ze zette de hare aan en zat op haar toetsenbord te werken alsof er niets gebeurd was.

Scarpirato arriveerde en vroeg hen naar de vergaderkamer te komen. Arnott treuzelde en ging eerst een kop koffie halen. Sarah stond op. Scarpirato deed een stapje opzij en liep achter haar aan. Toen hij tegenover haar aan tafel zat, deinsde hij zichtbaar terug onder haar blik. Haar ogen schoten minachtend vuur. Haar mondhoeken krulden van afschuw naar beneden. Hij zat aan zijn stoel vastgenageld, knipperde met zijn ogen en keek de andere kant op. Toen hij haar een paar seconden later opnieuw aankeek, was er niets meer te zien op haar gezicht.

De spanning werd verbroken door Arnott die met zijn kop koffie binnenkwam. Wilson kwam als altijd als laatste binnen gesneld. Ze namen hun plaatsen aan de tafel in. Arnott trok een sigaret uit het pakje dat voor Sarah lag en grijnsde een bedankje haar kant op. Het lukte haar een strak glimlachje op te brengen.

Scarpirato schraapte zijn keel en begon op zijn bekende manier in korte zinnetjes te praten. Hij gaf een uiteenzetting over zijn handelssuggesties voor de rest van de week. Een paar minuten later stonden ze weer buiten. Sarah kroop achter haar bureau, pakte de telefoon en ging aan het werk.

Ze kwam de hele dag niet van haar plaats. Tussen de middag bracht Wilson een broodje van Birley's voor haar mee. Het bleef de hele middag onaangeraakt naast haar liggen.

Onafgebroken zat ze de hele dag geconcentreerd te handelen. Telkens opnieuw nam ze posities in waarmee ze een paar duizend pond verdiende, dekte de positie dan weer af en begon van voren af aan. Acht uur lang dacht ze nergens anders aan en aan het einde van de dag had ze zestigduizend pond verdiend. Ze rapporteerde haar winst aan Arnott en stapte op. Tevreden reed ze in de taxi naar huis. Ze begon zich weer een beetje beter te voelen; ze wist dat ze haar evenwicht nog niet teruggevonden had, maar ze zat in ieder geval weer op de juiste weg.

Toen ze de voordeur binnenstapte rinkelde de telefoon. Automatisch liep ze ernaartoe. Het was Scarpirato. Onverwacht en ongewenst. Ze greep de hoorn stevig vast en snauwde na een poosje: 'Wat moet je?'

Hij lachte op de gekunstelde manier die ze nu herkende; speciaal bedoeld om een schijnbare intimiteit op te wekken, een onechte poging om tegemoet te komen aan de grillen van een geliefde. Vol weerzin gooide Sarah bijna de telefoon op de haak.

'Ik wil graag weten wat er aan de hand is. Waarom keek je me zo aan vanmorgen? Wat heb ik in vredesnaam gedaan?' Hij klonk gekwetst en onschuldig.

Sarah haalde rustig en diep adem. Ze kon hem nergens mee confronteren. Hoe kon ze tenslotte iets weten van zijn ontrouw? Maar zijn onuitgesproken leugens en zijn zorgeloze amoraliteit waren te grof om er iets aan te kunnen doen; het had geen enkele zin om tegen een psychopatische leugenaar die in zijn eigen smoesjes geloofde in te gaan. Nu Sarah zijn karakter voor het eerst goed tot zich door liet dringen, voelde ze ineens de afstandelijkheid waarnaar ze zo op zoek was geweest. Ze voelde een golf van opluchting over zich heen spoelen.

'Ik wil dat je nu naar me toe komt. Ik wil je zien. We moeten deze onzin uit de wereld helpen.'

Zijn plagende toontje suggereerde dat er onmogelijk echt iets aan de hand kon zijn, dat elk probleempje opgelost kon worden door een stevige omhelzing. Sarah lachte. Het kon nu geen kwaad meer. Ze merkte dat ze nu alleen nog maar nieuwsgierig was. Hij was knettergek. Het zou allemaal veel makkelijker zijn als ze hem volledig kon begrijpen. Ze legde de telefoon neer en pakte haar autosleutels.

Om zeven uur 's avonds was de handelsafdeling van ICB bijna volledig uitgestorven. Matthew Arnott stond op het punt te vertrekken toen de telefoon ging. Geïrriteerd nam hij op.

'Arnott?'

'Ja?'

'Met Karl Heinz. Kun je even naar mijn kantoor komen?'

Matthew Arnott liep over de afdeling naar het trappehuis en liep de vier trappen op naar de zevende verdieping waar zich het kantoor bevond van Karl Heinz Kessler, de president van ICB.

Kessler was alleen, zijn secretaresse was al naar huis. Arnott bleef even in de deuropening staan. Kessler keek op, zag hem staan en wenkte hem naar binnen. Arnott ging tegenover Kessler aan zijn bureau zitten.

Kessler grijnsde. 'Je vriendin heeft me het goede nieuws verteld. Heel lucratief.' Ineens was de lach weg. 'Maar je moet wel oppassen met dat soort winst.' Hij bukte zich en haalde zijn attachékoffer onder zijn bureau vandaan. Hij legde hem op tafel en haalde er iets uit wat op een draagbaar radiootje met antenne leek.

'Een kleine veiligheidsmaatregel voor je. Je kunt er verborgen microfoontjes mee opsporen. Ik zou graag willen dat je zo links en rechts wat gaat controleren. Thuis, bij Carla en ook op de afdeling bij je bureau.'

Arnott pakte het radiootje aan. 'Hoezo? Er is toch niets fout gegaan, hè?'

Kessler lachte. 'Absoluut niet. Het is gewoon voorzichtigheid. Onze eigen veiligheidsmensen raden ons aan om de belangrijkste kantoren en vergaderkamers regelmatig te controleren. Ze hebben me dit ding zelf gegeven. Dus ik vond dat jij er dan ook maar gebruik van moest maken.'

'Hoe werkt het?'

'Heel eenvoudig. Het ding pikt signalen op op een brede frequentieband, ongeveer zoals een radio dat doet. Je zet hem aan en dan loop je rond terwijl je hem afstemt. Dit ding doe je in je oor en als je de geluiden om je heen daardoor hoort, weet je dat je signalen ontvangt die door een afluisterapparaatje worden uitgezonden. Daar zit een diode met lampjes.' Hij wees naar een klein controlebordje. 'Als je bij de bron van de signalen komt, gaan er een aantal lichtjes branden; hoe meer lampjes, hoe dichter je bij het microfoontje bent. Fantastisch, hè?'

Arnott knikte. Om de een of andere reden deelde hij Kesslers enthousiasme niet.

'Het lijkt me simpel. Ik zal er eens mee aan het werk gaan.'

Kessler knikte. 'Hoe is het trouwens met die griet Jensen?'

Arnott schokschouderde. 'Nog steeds een eersteklas trut.'

Kessler lachte. 'Ik zou me maar geen zorgen over haar maken als ik jou was.'

Enigszins verontrust nam Arnott de microfoondetector mee naar zijn werkplek. Hij vroeg zich af of er nog wat anders achter Kesslers zorgvuldigheid zat. Maakte hij zich zorgen of was het gewoon Duitse degelijkheid?

Opgelaten zette hij het radiootje aan, stopte het oormicrofoontje in zijn rechteroor en begon aan de frequentieknop te draaien. Plotseling begonnen er allerlei lampjes te branden, niet eentje, maar een hele rij.

'Verdomme,' vloekte Arnott bij zichzelf. Hij schrok toen het woord via het microfoontje weer in zijn oor terugkwam. Hij raakte in paniek en voelde zich misselijk. Hij zat vlak bij een microfoontje. Na een paar minuten vond hij de verdeelstekker. Met trillende handen trok hij hem uit het stopcontact en stopte hij hem in zijn koffertje. Als verlamd zat hij een half uur aan zijn bureau. Hij dacht erover om Kessler te bellen, maar kon zich er niet toe zetten het nummer in te toetsen. De gedachten raasden door zijn hoofd. Na een tijdje stond hij op, liep naar buiten en stapte in een taxi op Lower Thames Street.

Een half uur later was hij bij Carla Vitale. Ze zag ogenblikkelijk aan zijn gezicht dat er iets aan de hand was. Woedend en angstig begon hij te praten.

'Ik ben afgeluisterd op mijn bureau. Kessler gaf me vanavond een microfoondetector. Hij zei dat het aleen maar was omdat we voorzichtig moeten zijn. Toen ging ik dat ding uitproberen en toen vond ik dit.' Hij haalde de verdeelstekker uit zijn koffertje.

Carla trok wit weg. 'Heb je het hem al verteld?'

'Om de dooie dood niet. Nog niet.'

Geschrokken staarde Carla hem aan. 'Wat moeten we doen?'

Angstig zei Arnott: 'Ik heb geen idee.' Hij haalde de detector te voorschijn en begon ermee door de kamer te lopen. Hij had er maar drie minuten voor nodig om erachter te komen dat Carla ook afgeluisterd werd.

Arnott brulde woest: 'Ik wil de namen hebben van iedereen die hier de afgelopen maanden binnen is geweest.'

Carla schreeuwde met haar handen in haar zij terug. 'Dat weet ik toch verdomme niet meer.'

Arnott liep op haar af en duwde haar op de bank.

'Laten we met de laatsten beginnen en dan terugwerken.' Hij ging tegenover haar zitten. Waarschuwend zei hij: 'En geen leugens.'

Ze keek hem kwaad aan. 'Maria, de schoonmaakster. Mijn vriendin Angelica. Haar vriend Mauro. Een andere vriendin, Mosami. Een nicht van...'

'Wacht, wacht,' onderbrak Arnott haar. 'Mosami wie?'

'Matsumoto. Je hebt haar wel eens ontmoet. Wat heeft zij...'

'Dat is een vriendin van Sarah Jensen. Ik hoorde dat Jensen haar een paar dagen geleden belde.' Arnott trok Carla omhoog. Hij pakte haar armen vast en schreeuwde in haar gezicht.

'Het is die verdomde trut Jensen. Ze luistert me af bij ICB en Mosami heeft het spul jouw flat binnengesmokkeld. God Carla, wat moeten we doen?'

Hij liet haar handen los en woelde door zijn haar.

Carla pakte een fles whisky en twee glazen uit het dressoir. Ze schonk in, leidde Arnott naar de bank en gaf hem een glas. Ze zaten een poosje in stilte te drinken. Carla vulde de glazen weer.

'Maar waarom? Waarom zouden Jensen en Mosami ons nou willen afluisteren?'

Arnotts woede kwam in alle hevigheid terug. Hij deed zijn best zichzelf te beheersen en zei langzaam en hakkelend: 'Hoe moet ik dat in vredesnaam weten?'

'Wat ga je er aan doen?'

Carla's schrille stem begon hem te irriteren. Hij greep haar arm en trok haar omhoog.

'We gaan Jensen en Matsumoto eens even een bezoekje brengen. Dat is wat we gaan doen.'

Hij pakte het telefoonboek en zocht Sarahs adres op.

De Mercedes reed Carlyle Square op. Arnott parkeerde slordig langs de stoeprand, trok Carla uit de auto en begon op Sarahs voordeur te bonzen. Na tien minuten gaf hij het op. Het zou tot morgen moeten wachten. Hij zou die trut op kantoor aan moeten pakken.

Hij zei tegen Carla: 'Nou, waar woont Mosami?'

'Hay's Mews,' antwoordde ze zachtjes.

Arnott reed King's Road op en scheurde in de richting van Mayfair. Tien minuten later verstoorde hij met piepende remmen de rust van Hay's Mews.

Hij sprong naar buiten en gooide het portier met zo'n klap achter zich dicht dat de hele auto stond te schudden. Hij liep naar de andere kant van de auto en trok Carla eruit. Hij sleepte haar naar Mosami's huis, ondersteunde haar met een hand – de whisky begon te werken – en bonsde met zijn andere hand op de voordeur.

Binnen in het koele huis zat Mosami op haar crèmekleurige bankstel een boek te lezen en naar de Tiende symfonie van Mahler te luisteren. Geschrokken keek ze op toen ze het gebons hoorde dat maar net boven de muziek uitkwam. Ze stond op, liep naar de hal en keek door het kijkglaasje. Ze zag Arnott die lijkbleek van woede stond te tieren en daarnaast Carla die duidelijk dronken was. Haar maag kneep samen van angst. Ze stond een tijdje in de hal zonder iets te doen. Arnott ging door met bonzen en roepen. Het had geen zin om zich te verbergen. Ze konden de muziek horen, dus ze wisten dat ze thuis was en vroeg of laat zou hij haar toch wel te pakken krijgen. Nu dan maar. Hij had toch geen bewijs, zei ze tegen zichzelf. Ze zou rustig blijven en niets zeggen. Ze kon erg goed liegen. Ze maakte zich groot, opende de deur waardig en keek Arnott kwaad aan.

'Wat stelt dit voor?'

Arnott duwde haar terug naar binnen. Ze gilde geschrokken. Hij liep achter haar aan naar de woonkamer en duwde haar op de bank. Hij ging tegenover haar zitten en begon vragen op haar af te vuren. Carla bleef op de achtergrond tegen een muur aan hangen.

'Je weet best waarom we hier zijn,' begon hij eerst rustig.

Mosami keek hem kwaad aan.

'Ik heb geen flauw idee. Jullie komen hier naar binnen gestampt. Je vriendin stomdronken en jij woedend en schreeuwend. Ik hoop dat je hier een goede verklaring voor hebt.'

Arnott sprak opzettelijk langzaam. 'Jij, Jensen en de microfoontjes. Dat is jullie werk en ik wil weten waarom.'

Mosami lachte. 'Je hebt te veel van dat witte spul gesnoven, Arnott. Doe niet zo belachelijk.'

Arnott staarde haar een paar seconden aan en stond toen langzaam op, liep op haar af, pakte haar arm en trok haar omhoog. Toen zwaaide hij zijn rechterarm naar achteren, balde een vuist en stompte recht in haar gezicht. Ze viel achterover. Hij liet haar vallen, trok haar weer omhoog en sloeg opnieuw. Carla keek uitdrukkingsloos toe. Arnott wachtte een paar minuten, herhaalde zijn vragen en beukte toen weer op haar in.

Na een half uur begon Mosami te praten terwijl ze bloed in een zakdoekje spuugde.

'Het was Sarahs idee. Ze was bang. Ze dacht dat je jaloers op haar was en dat je zou proberen haar weg te werken. Ze wilde zichzelf indekken en wat informatie over je verzamelen. En ze wilde Carla ook afluisteren omdat ze dacht dat ze dan nog wat meer over je te weten zou komen.'

Arnott was zo kwaad dat hij bijna niet helder meer kon denken, maar na deze informatie viel hij toch even stil.
'Dus dat is alles? Jaloezie?'
Mosami knikte.
'Dus jullie zitten er alleen achter. De politie heeft er niets mee te maken?'
Mosami kreeg bijna geen lucht. 'De politie? Nee, die heeft er niets mee te maken. Niemand weet er iets van. Alleen Sarah en ik.'
Arnott liep op haar af en hield haar arm stevig vast. 'Het lijkt me heel verstandig om dat ook zo te laten.'
Mosami hoorde de deur achter hen dichtvallen en liet zich op de bank zakken.

Arnott en Carla stapten in de auto en reden weg. Arnott voelde zich voldaan. Hij had al die tijd gelijk gehad. Hij had die trut Jensen vanaf het allereerste begin al niet gemogen en niet vertrouwd. Ze was te slim voor haar eigen bestwil. En jaloers. En nu zou ze krijgen wat ze verdiende. Hij grijnsde om wat er nog ging komen. Er was gelukkig geen ramp gebeurd. Hij had de situatie in de hand en hij moest de schade zoveel mogelijk beperken; hij zou ervoor zorgen dat Jensen en Matsumoto hun mond hielden. En verder hoefde niemand hier iets van te weten te komen. Als Jensen en Matsumoto wisten wat goed voor hen was, hielden ze zich verder gedeisd. Daar zou hij wel voor zorgen.
Hij bracht Carla naar haar huis op Onslow Square waar hij haar de trap opsleurde en op bed legde. Hij zette het antwoordapparaat dat naast haar bed stond aan en zei tegen haar dat ze alleen maar mocht opnemen als hij het was. Doodmoe vertrok hij daarna naar zijn eigen huis in Holland Park.
De woede begon weg te ebben en hij voelde zijn maag samentrekken van angst. Hij stapte in bed en staarde naar het plafond. Vlak voordat de zon opkwam, viel hij eindelijk in slaap.

19

In de vroege ochtenduren lag Sarah in Scarpirato's bed. Er kwam een streepje licht van een lantaarnpaal naar binnen door een kier in de gordijnen, verder was het donker. In de duisternis waren alleen de omtrekken van hun lichamen te zien, geen gezichtsuitdrukkingen. Sarah kon vragen stellen en naar de antwoorden luisteren zonder de angst dat ze te veel van zichzelf liet zien, met uitzondering van wat haar aanwezigheid op zich al zei. Als ze daarvan zelf de reden niet wist, wist ze in ieder geval zeker dat het voor hem ook een raadsel was.

Ze lagen te praten. Al uren. Haar woorden en vragen dreven hem in het nauw. Hij nam haar gezicht tussen zijn handen.

'Sarah, lieve schat. Wat is er met je? Vertel het me. Wat is er aan de hand?'

In het donker draaide ze haar hoofd van hem weg. 'Er is niets aan de hand, Dante. Ik probeer gewoon een paar dingen te begrijpen, dat is alles.'

Hij grinnikte zachtjes. 'Wat valt er nou te begrijpen? Ik hou van je en ik heb je nodig.' Hij gaf haar een zoen. 'Wat kan er nou verder nog zijn?'

Sarah keek de andere kant op en probeerde de tranen uit haar stem te weren. 'Ach, er is nog veel meer, Dante.'

Ze voelde hoe hij zijn schouders ophaalde. 'Je hebt het over traditionele waarden, hè?' Hij lachte plagend, maar Sarah voelde aan dat het onderwerp hem eigenlijk tegenstond. 'Ik had je anders ingeschat. Je wilt toch geen verstikkende liefde? Waarom zou je me elke dag willen zien? Wat wij samen hebben, is meer dan de meeste mensen in een week meemaken. Een enkel uurtje met jou is alles wat ik wil.'

Ondanks de pijn glimlachte Sarah. 'Opgesmukte leugentjes, Dante. Geef 't maar toe. Je gelooft er zelf in, hè? Maar het zijn waarheden van voorbijgaande aard en daarom misschien nog wel veel gevoeliger en pijnlijker. Het heeft niks te maken met de lange duur. Kortstondige affaires zijn altijd veel gevoeliger en waardevoller. We willen er onszelf zo graag in verliezen. Je denkt zelf dat je keihard bent, hè Dante? Je bent gewoon een romanticus. Je creëert je eigen tragedie van pijn en verdriet in dit leven. Maar elke keer dat het gebeurt, sterft er iets in je, of niet soms? En het vermindert je vermogen om te voelen. Dus de volgende keer moet de pijn nog groter zijn. Dat is prima als je daarvoor kiest, maar wat denk je van je slachtoffers?'

Er viel een lange stilte voordat Dante begon te praten.

'Hoe komt het dat je zoveel van me weet? Je begrijpt me alleen maar omdat die dingen bij jou precies hetzelfde werken, of niet soms? Je bent een gewillig slachtoffer, anders zou je hier toch niet zijn?'

Ze lachte. 'Dat ben ik tot nu toe inderdaad geweest. We hadden behoefte aan elkaar. Maar ik kan het niet meer, Dante. Ik heb mijn portie leed zo langzamerhand gehad. Ik zoek de pijn op om te kijken of ik er nog steeds mee om kan gaan. Maar ik weet dat ik het kan. Ik red me wel. Dus ik heb je helemaal niet nodig. Wat wij hebben, is volledig nutteloos. Het enige dat jij me kunt bieden is pijn, en ik geloof niet dat ik daar nog langer zin in heb.'

Hij streek met een vinger langs haar gezicht en ging dichter tegen haar aan liggen. Hij klonk somber toen hij zei: 'Maar ik ben er nu toch.'

Ze glimlachte in de duisternis.

'Houd me vast, Dante. Dat is het enige wat ik wil.'

Hij sloeg zijn armen om haar heen en drukte haar stijf tegen zich aan. Hij voelde haar tranen op zijn huid. Hij streelde haar haren en fluisterde lieve woordjes totdat ze in slaap viel. Zelf bleef hij het grootste gedeelte van de nacht wakker liggen terwijl Sarah rustig in zijn armen lag te slapen.

De volgende ochtend werd Sarah met een bonzend hoofd wakker. Ze hees zichzelf uit bed en liep naar de badkamer om wat water te drinken. In de spiegel zag ze dat haar ogen mat en opgezet in een grauw gezicht stonden.

Toen ze naar het bed terugliep, ging de wekker. Scarpirato werd wakker, stak een lange dunne arm uit en zette de wekker af. Hij keek hoe Sarah weer terug in bed stapte.

'Goed geslapen?'

'Ik weet 't niet. Ik geloof het wel. Maar ik voel me nu verschrikkelijk.' Ze vertrok haar gezicht. 'Er komt een migraineaanval opzetten. Ik kan me bijna niet bewegen.'

'Nou, ik moet er nu uit. Ga jij nog maar even liggen tot je je een beetje beter voelt. En ga daarna thuis lekker uitrusten. Ik ben je baas en ik geef je een vrije dag,' zei hij grijnzend.

'Dank je wel.'

Hij pakte een doosje pillen uit het nachtkastje.

'Hier, pilletjes tegen migraine. Ik heb het ook wel eens. Neem er maar een paar tegelijk.'

Hij bracht haar een glas water en ze slikte de pillen door. Toen liet ze zich in de kussens zakken en probeerde te slapen terwijl hij zich ging douchen en aankleden. Twintig minuten later kuste hij haar zachtjes wakker om te zeggen dat hij wegging.

'Hoe werkt de alarminstallatie?' vroeg Sarah. 'Ik wil niet dat hij afgaat als ik wegga.'

'Maak je geen zorgen. Ik laat hem wel uit. De schoonmaakster komt om elf uur en zij zet hem wel aan als ze weggaat.'

Sarah sliep een uur en werd toen met een schok wakker. Langzaam ging ze rechtop zitten. De pillen werkten, de migraine was bijna verdwenen. Ze voelde zich bibberig toen ze opstond en haar kleren aantrok.

Ze dacht aan Dante. Hij was vannacht en vanmorgen erg lief voor haar geweest. Ze had nu een heel andere kant van hem gezien en ze vroeg zich af of hij echt betrokken was bij de samenzwering van Arnott en Carla.

Eerst leek het er in alle opzichten op dat hij de perfecte crimineel was: hij was immoreel, ambitieus, onstabiel, geniaal en onbetrouwbaar. Maar was hij ook in staat om mee te doen aan een enorm groot crimineel komplot? Ze had het met hem over het werk en Arnott gehad, ze had zelfs de naam van Carla Vitale genoemd, maar uit zijn reactie was niet op te maken dat hij zich betrapt voelde of iets te verbergen had en Sarah wist dat ze ondertussen aan hem kon zien of hij loog of niet. Ze begon nu voor het eerst te denken dat hij misschien toch onschuldig was. Maar, als dat het geval was, wie waren dan de andere twee mensen waar Carla en Arnott het over hadden gehad? Sarahs hoofd begon weer te bonzen. Zonder er bij na te denken ging ze op onderzoek uit in zijn huis. Eerst aarzelend, maar daarna steeds doelbewuster.

Ze begon in zijn kleedkamer; een lange smalle kamer met donkerblauwe vloerbedekking en mahoniehouten kasten langs de muren. Ze opende een van de deuren en zag een rij bontgekleurde jurken en stapels elegante pumps; de bevestiging van wat ze al half en half had verwacht. Toch kwam het hard aan. Vastberaden deed ze de kastdeur dicht en ging verder. In een van de laden van zijn bureau in de studeerkamer vond ze een aantal ingelijste foto's van een kleine, knappe blonde vrouw die gearmd stond met Scarpirato. Ze keek lachend naar hem op en hij keek in de camera. Sarah herkende de zelfvoldane en triomfantelijke blik op zijn gezicht die op deze foto was vastgelegd. Ze keek lang naar de foto's voordat ze ze weer in de la legde.

In de slaapkamer op de bovenste verdieping vond ze de kluis, verborgen achter een schilderij van een wilde aap. Heel toepasselijk, meende Sarah. Scarpirato had haar verzekerd dat de alarminstallatie niet aan zou staan, dus nam ze alle tijd om aan het slot te werken.

Het was een gewoon combinatieslot dat waarschijnlijk al een jaar of twintig oud was en veel minder ingewikkeld dan de huidige sloten. Het was hetzelfde model als waarop ze in Jacobs huis had geoefend. Geconcentreerd hield ze haar oor tegen de draaischijf. Haar ervaring op de handelsvloer had haar gehoor en concentratievermogen verscherpt; soms was het kabaal van schreeuwende handelaren, rinkelende telefoons en ratelende machines zo overweldigend dat het bijna onmogelijk was om degene aan de andere kant van de lijn te verstaan. Jarenlange training in het buitensluiten van de kakofonie en het zich concentreren op gefluister wierp nu zijn vruchten af.

Na tien minuten en een aantal valse starts sprong de deur van de kluis open. De oppervlakte aan de binnenkant was ongeveer een vierkante meter groot. Er lag een stapel geopende, bruine enveloppen van A4-formaat in. Sarah keek en zag dat er aandeelbewijzen en bankafschriften van diverse rekeningen bij de Swiss Bank in zaten. De laatste afschriften van juni lieten een totaalbedrag van meer dan een half miljoen dollar zien. Voor een succesvolle bankier van halverwege de dertig was dat een redelijk bedrag, het was zelfs aan de lage kant. Sarah berekende dat de aandelen waarschijnlijk rond de twee miljoen dollar waard waren. Scarpirato was inderdaad rijk, maar niet overdreven rijk voor iemand van zijn leeftijd en achtergrond. Dus tenzij hij nog ergens verborgen rekeningen of bezittingen had, leek het niet waarschijnlijk dat hij de derde persoon was in het komplot van Vitale en Arnott.

De besprekingen die hij op fluistertoon voerde met Arnott waren verdacht, maar misschien waren het gewone gesprekken zoals ze op de handelsvloer wel vaker geheimzinnig gevoerd werden. Scarpirato luisterde naar het handelsadvies van Arnott en dat hoefde op zich niet ongewoon te zijn. En het abnormaal hoge winstpercentage van de afdeling kon gemakkelijk worden afgedaan als een gevolg van zijn handelsinstinct.

De bijzondere sfeer op handelsafdelingen geeft vaak een vertekend beeld van de werkelijkheid en daardoor verliezen veel mensen het contact met de realiteit. Zo werd Scarpirato's blik vertroebeld door zijn eigen ijdelheid en trots. Waarschijnlijk was hij zich er niet van bewust dat hij medeplichtig was aan Arnotts misdrijven.

Sarah legde de enveloppen terug, sloot de deur en draaide het combinatieslot een paar keer rond om haar sporen uit te wissen. Onderweg naar buiten keek ze rond alsof het de laatste keer was dat ze het huis zou zien. Tien minuten later kwam de schoonmaakster.

Matthew Arnott zat kettingrokend achter zijn bureau. Af en toe dwaalden zijn ogen naar de lege plek naast hem. Die trut van een Mosami had Jensen waarschijnlijk gewaarschuwd. Misschien was ze ergens ondergedoken nadat ze had gehoord wat hij met Mosami had gedaan.

Hij was niet van plan geweest om Mosami zo toe te takelen, maar hij had geen keus gehad en nadat hij eenmaal was begonnen, kon hij niet meer stoppen. De eerste keer dat hij haar ribben had geraakt, hoorde hij een weerzinwekkend gekraak en daarna was hij doorgegaan. Nu hij achter zijn bureau zat en terugdacht aan zijn woede van de vorige avond, voelde hij zich schuldig. Snel onderdrukte hij dat gevoel. Gebroken ribben en een kapot gezicht konden zich herstellen.

Maar hij maakte zich zorgen over Jensens afwezigheid. Hij wilde haar zien, een verklaring van haar horen en de zekerheid hebben dat ze haar mond zou houden. Een fractie van een seconde dacht hij aan een verband met de politie, maar direct daarop sloot hij die mogelijkheid uit. Nee, ze was gewoon een handelaar die hebberig was geworden. Een sluw en krengerig afpersertje.

Drie keer knipperde het lampje op zijn telefooncentrale geruisloos voordat het gerinkel zijn gedachten onderbrak. Wilson nam het eerst op.

'Lijn één voor jou, Matthew. Carla.'

Arnott nam op. Na een paar woorden legde hij de telefoon neer, trok zijn jasje aan en liep vastberaden naar het herentoilet aan de andere kant van de afdeling. Daar aangekomen, controleerde hij of hij alleen was en sloot zichzelf op. Hij pakte zijn draadloze telefoon uit zijn jasje en wachtte tot het lampje knipperde. Een paar seconden later drukte hij op TALK en luisterde.

'Ik ben net gebeld. Hij zegt dat we lires moeten aankopen. Veel. Nu.' Carla klonk ongerust en in de war.

'Verdomme,' mopperde Arnott zachtjes. Dat er juist nu gebeld moest worden. In een razend tempo woog hij de mogelijkheden tegen elkaar af. Ze moesten er wel mee doorgaan. Als ze nu niets deden, zou het opvallen.

'Goed, ik doe het,' zei hij fluisterend. 'Maak je geen zorgen. Het is in orde.'

Carla zei snuivend: 'Daar zou ik maar voor zorgen, ja.'

Arnott stopte de telefoon weer in zijn zak en liep terug naar zijn plek. Hij zei tegen zichzelf dat alles weer goed zou komen. Alleen moest hij Sarah Jensen nog zien te vinden, in ieders belang.

Hij keek rond. Wilson was nergens te zien en Scarpirato zat in zijn kantoor. Niemand in de buurt die af kon luisteren. Arnott pakte de telefoon en sloot in totaal voor vierhonderd miljoen dollar aan lires p.r.-transacties af bij vier verschillende valutamakelaars. En daarna nog een keer honderd miljoen voor ICB. Hij schreef de bonnen uit, gooide ze in het bakje en richtte zijn aandacht op de schermen.

In zijn kantoor met airconditioning in Rome legde Antonio Fieri tevreden glimlachend de telefoon neer. Hij had zojuist kort met Catania gesproken. Hun gesprekken waren altijd kort en raadselachtig, maar de boodschap was duidelijk: lires kopen. Nu. In grote hoeveelheden.

Hij toetste het nummer in van Calvadoro, zijn valutamakelaar. Hij zei tegen hem dat hij lires moest kopen. Contant. Ter waarde van driehonderd miljoen dollar, gespreid op de gebruikelijke manier. Calvadoro nam de opdracht aan. Fieri hing op en staarde voor zich uit.

Zijn twijfels omtrent Catania waren afgenomen. Hij had de man dag en nacht in de gaten laten houden. Ook had hij een zeer gewaardeerde tussenpersoon laten onderzoeken wat men binnen de regering van Catania vond. Na een week kwam het antwoord dat Catania onbesproken was. Men koesterde geen verdenkingen tegen hem, nog niet. Fieri bedacht dat hij tot die tijd uitgebreid gebruik zou maken van deze kip met gouden eieren. Dus toen ze elkaar spraken, was het op warme en respectvolle toon. Hij was zeer tevreden met deze man.

Catania die op zijn kantoor van Banca d'Italia aan Via Nazionale zat, merkte dit en was opgelucht. Hij was bang geweest dat Fieri hem niet langer vertrouwde omdat hij een bepaalde afstandelijkheid had bemerkt bij zijn oude vriend. Maar nu wist hij dat alles in orde was. Zijn geheimen waren veilig. Niemand wist van zijn zaken met Fieri of Vitale. Herr Mueller van de Bundesbank koesterde geen vermoedens tegen hem. Nu al zijn zorgen de kop in waren gedrukt, leunde Catania naar achteren en stak hij ontspannen een sigaar op.

Zo'n vijftienhonderd kilometer verder reed Sarah weg van Dantes huis. Thuisgekomen liep ze meteen naar haar antwoordapparaat om de berichten af te luisteren. Terwijl het bandje terugspoelde, begon ze zich uit te kleden. Plotseling stopte ze. Ze hoorde Mosami aarzelend en op gekwelde toon praten, alsof ze bijna geen lucht kreeg.

'Sarah, met Mosami. Zorg dat je alleen bent als je dit bericht hoort.' Het was een hele tijd stil voordat Mosami verder praatte. 'Luister, ik moet je waarschuwen. Arnott heeft de microfoontjes op de zaak en bij Carla thuis gevonden. Hij is hier gisteravond geweest. Ik heb gezegd dat ik niets wist en toen heeft hij me in elkaar geslagen.' Er was geen enkele emotie in haar stem te horen. 'Ik moest het hem wel vertellen. Het spijt me. Ik heb gezegd dat je het hebt gedaan omdat je bang was dat hij je weg wilde werken en dat je daarom informatie over hem wilde verzamelen.' Ze lachte een beetje en zei toen: 'Nou ja, en zo is het toch?' Daarna hing ze op.

Sarah vermoedde dat die laatste opmerking was bedoeld voor het geval er toch nog iemand anders meeluisterde.

Een paar keer achter elkaar belde Sarah Mosami's nummer. Er werd niet opgenomen. Ze was verstijfd van woede, angst en schuldgevoel. Ze duwde de nagels van haar rechterhand net zolang in de vingertoppen van haar linkerhand tot er bloedige afdrukken in stonden. Ze pakte een sigaret uit het pakje dat op tafel lag, stak hem aan en ging zitten. Diep inhalerend probeerde ze rustig te worden. Het was nu belangrijk om helder te denken. Ze moest met Arnott afrekenen en haar opdracht beschermen. Er moest een oplossing te vinden zijn...

Een uur later liep Sarah rustig over de afdeling. Ze had in ieder geval tijd gehad om te kalmeren, om antwoorden te bedenken en een plan voor te bereiden. Als ze het goed speelde, was er een kleine kans dat ze achter de identiteit van de derde en vierde persoon - ze wist nu zeker dat Scarpirato er niet bij betrokken was - van Arnotts smerige komplot kon komen. En als het lukte, zou ze meer dan genoeg bewijs voor Barrington kunnen verzamelen. Maar eerst moest ze haar wraakgevoelens nog even temperen en een andere rol spelen. Ze haalde een paar keer diep adem en schoof op haar stoel naast Arnott.

Hij keek verbaasd op en werd toen rood van woede.

Voordat hij iets kon zeggen, lachte ze hem veelbetekenend toe.

'Ik geloof dat wij maar eens moeten babbelen, hè? Zullen we even naar buiten lopen?'

Ze stond op en slenterde over de afdeling. Arnott keek haar kwaad na en liep toen met grote passen achter haar aan. Vanuit zijn kantoor keek Scarpirato het tweetal verbaasd na.

Ze leunden tegen de groene ijzeren reling die langs de brede betegelde stoep aan de kade van de Theems liep. Het ICB-gebouw torende hoog achter hen. Een paar meter lager stroomde de rivier geluidloos voorbij. Een diepliggende sleepboot tufte voorbij over het kolkende, bruine water. De boot trok een ponton met daarop een grote lading stenen achter zich aan. In het kielzog vloog een hele zwerm krijsende zeemeeuwen.

Het wandelpad was gevuld met fluisterende, lachende en in elkaars ogen starende stelletjes die genoten van een stiekem half uurtje met elkaar. Een paar mensen wierpen een zijdelingse blik op de keurig geklede handelaar en de prachtige vrouw naast hem. Zijn houding was star, die van haar ontspannen en een beetje spottend. Men zag ze waarschijnlijk aan voor een zeer tegenstrijdig stel, waarbij de vrouw absoluut de sterkste partij was.

Arnott keek Sarah twijfelend met kille ogen aan, alsof hij daarmee wilde zeggen dat ze maar beter een heel goed verhaal kon hebben. Sarah stak in alle rust een sigaret op, nam een paar zware trekken en tikte de as over de reling in het modderige water. Haar zwijgzaamheid joeg hem op stang en hij barstte tegen haar uit.

'Waar ben je verdomme mee bezig?'

Sarah bleef naar de rivier staren, nam nog een paar trekken van haar sigaret en draaide zich toen pas naar hem om. Ze glimlachte, maar haar gezicht was gespannen en in haar ogen lag een ijzige blik.

'Ik wil meedoen.'

Arnott rolde met zijn ogen, deed een stap in haar richting en pakte haar blote onderarm stevig vast.

'Idiote trut. Je hebt geen flauw idee waar je mee bezig bent.'

Sarah stapte naar voren, zette haar rechterhak op zijn linkervoet en ging er met haar volle gewicht op staan. Arnott stak een arm uit om haar te slaan, maar er was iets in haar blik dat hem ervan weerhield. Hij liet haar arm los en ze stapte weer naar achteren.

'Je vergeet iets. Ik weet precies waar het om gaat. Een zeer lucratief klein afpersingsclubje. En ik stel voor dat jullie me in het groepje opnemen.' Ze leunde naar achteren tegen de reling en zette haar rechtervoet tegen de onderste stang. 'Ik geef toe, ik had geen idee dat ik op zoiets zou stuiten. Ik dacht dat je vriendinnetje je misschien op de een of andere manier in een kwaad daglicht zou kunnen stellen en dat ik die informatie zou kunnen gebruiken om jou koest te houden...' Ze stopte even en keek in zijn woedende ogen. 'Maar dat had je gisteren allemaal al van mijn vriendin gehoord. Tja, en toen kwam ik op het spoor van jullie smerige praktijken.' Arnott begon tegen te sputteren. Ze stak haar hand op als teken dat hij zijn mond moest houden. 'Maak je geen zorgen. Ik zal het niemand vertellen. En trouwens, naar wie zou ik moeten gaan? Het laat mij ook niet van mijn beste kant zien. Het is niet bepaald legaal om andere mensen af te luisteren.' Half grijnzend stak ze dit verhaal nonchalant af.

Ze zag dat hij zich begon te ontspannen. Rustig ging ze verder. 'Ik wil alleen maar dat je de informatie ook aan mij doorgeeft. Dat is alles. Als jij daarvoor zorgt dan zorg ik dat de belastende bandjes veilig opgeborgen worden in een kluis. Daar blijven ze ook. Niemand die ze te horen krijgt. Tenzij er natuurlijk iets met me gebeurt. Dan gaan ze naar inspecteur Maynard van de afdeling fraudebestrijding.' Ze had gisteren iets over Maynard gelezen in de *Standard*. Ze liet zijn naam vallen alsof dat net in haar opgekomen was.

Arnott keek haar kwaad aan en bleef een hele tijd stil. Toen hij eindelijk antwoord gaf, praatte hij snel en heftig.

'Je wilt meedoen? Goed. Hier heb je iets. Catania heeft zich net gemeld. Hij zegt dat we lires moeten kopen. Veel. Nu.'

Sarah nam een laatste trek van haar sigaret en mikte de peuk in het water. Ze staarde over het vieze water naar de Tower Bridge, die in de verte te zien was. Glimlachend draaide ze zich naar Arnott toe.

'Nou, kom op dan.'

Toen ze over de afdeling liepen, bleef Arnott twee passen achter haar, alsof hij er op die manier voor wilde zorgen dat ze niet verdween. Sarah ging zitten, pakte de telefoon en toetste de BDP-lijn in. Op zijn centrale drukte Arnott dezelfde knop in zodat hij mee kon luisteren. Een paar seconden later meldde Johnny McDermott zich.

'Hoi Sarah, lieverd. Hoe is het met je?'

'Prima, Johnny,' zei ze kortaf op zakelijke toon. 'Heb je voor mij de contante dollar/lire koers?'

McDermott raadpleegde zijn scherm om naar de koers te kijken. Dollar tegen lire, niet een van haar gebruikelijke transacties. Was er iets aan de hand?

'Zevenentachtig zestig, negenentachtig tien (1687-60/1689-10),' zei hij.

'Ik geef je vijftig miljoen dollar tegen zevenentachtig zestig.'

Er viel een ongemakkelijke stilte. Het was een nogal grote transactie in een van de secundaire valuta. Het was het soort positie waar de meeste handelaren zenuwachtig van werden en dat was aan McDermott te horen toen hij eindelijk antwoord gaf.

'Goed, akkoord. Ik neem vijftig miljoen dollar van je tegen zevenentachtig zestig.' Hij begon de details van deze transactie in zijn computer te zetten.

'Dit is het wat mij betreft, Johnny. Het moet naar Cordillon et Cie.'

Aan de andere kant van de lijn klonk een woedeuitbarsting.

'Waar ben je verdomme mee bezig?'

Sarah viel hem in de rede. 'Doe het nou maar gewoon, Johnny.'

Er viel een gespannen stilte voordat hij gekweld 'oké' zei. Hij sloot het gesprek af met de waarschuwing dat hij haar hier later nog over wilde spreken.

Hij hing op, keek om zich heen en streek met zijn handen door zijn haar. Zo te zien had niemand iets gehoord. Al zijn collega's waren zelf druk bezig met luidruchtige telefoongesprekken. Hij staarde naar zijn scherm. Die klotelire kon maar beter gaan stijgen want anders brak de pleuris uit.

'Wat was dat nou allemaal?' vroeg Arnott. 'Waarom werd hij zo kwaad?'

Sarah grijnsde. 'Vind je vijftig miljoen dollar geen tamelijk groot bedrag voor een p.r.-transactie? Het is tien keer mijn handelslimiet. Ik heb niet meer dan tweehonderdduizend pond.'

Arnott trok wit weg. 'Wat ben je verdomme aan het doen? Dit gaat naar de back-office, ze worden daar hartstikke gek!'

Sarah reageerde koeltjes. 'Alleen als ze het zien. Het ligt er maar net aan of ze een kopie van mijn transactiebon krijgen.'
'Ga je dit stilhouden?'
Sarah knikte.
'En McDermott dan? Wat doet hij?'
'Ik neem aan dat hij hier zo min mogelijk aandacht op zal vestigen. Hij sluit vandaag waarschijnlijk ruim veertig transacties af. Ik zou niet weten waarom deze op moet vallen.'
'En als de back-office het toch opmerkt?'
Sarah lachte hem liefjes toe. 'Ach, dan moet er maar iemand voor zorgen dat er genoeg geld op mijn rekening staat om deze positie te kunnen afdekken.'
'Je denkt toch niet dat ik dat voor je doe, hè? Je bent niet wijs.'
Ze lachte. 'Volgens mij heb je weinig keus. Je wilt toch niet dat de back-office me een heleboel moeilijke vragen gaat stellen, of wel soms? En trouwens, het is nou niet bepaald waarschijnlijk dat je mijn rekening moet aanvullen. Tenzij Catania fout zit, maar dat lijkt me niet.'
Inwendig trillend richtte ze haar aandacht op haar schermen en wachtte.

Johnny McDermott staarde naar zijn schermen en vervloekte Sarah Jensen in stilte. Ze had onder valse voorwendselen gehandeld. Hij had de indruk dat het om een ICB-transactie ging, afgesloten met hun geld en onderbouwd met een grote financiële reserve. Hij zat de details al te noteren toen ze hem pas vertelde dat het om een p.r.-transactie ging. Hij had kunnen weigeren om haar naam en persoonlijke rekening te accepteren. Dat had hij eigenlijk moeten doen. Maar om de een of andere reden had hij dat niet gedaan. Misschien was het omwille van hun vriendschap en misschien was het de manier waarop ze tegen hem praatte. Het was nu in ieder geval te laat om de zaak terug te draaien. Hij hoopte maar dat de back-office niets zou merken en dat de lire ging stijgen. Dan kon Sarah haar positie tenminste afdekken, haar winst incasseren en de betaling doen. Als de koers van de lire zou dalen, was haar privé-bezit van tweehonderdduizend dollar in een flits verdwenen en zou ze haar positie niet kunnen afdekken. Dan zou de hel losbreken. Ze zouden allebei ontslagen worden en god weet wat nog meer. Hij zag de rechtszaken en faillissementen al voor zich.

Vijftien minuten later verscheen er een bericht onder aan het Bloomberg-scherm: *Italië verhoogt het disconto met één procent.* Sarah en Arnott lazen het met een brede grijns op hun gezicht. McDermott bezag het met een mengeling van angst en opluchting. Hij rook de onmiskenbare geur van vuil geld. Maar in ieder geval zou Sarah het geld hebben voor haar transactie en met een beetje geluk kraaide er verder geen haan naar.

Een minuut nadat het bericht was verschenen, was de dollar/lire-koers omhoog gesprongen naar 1620-20/1621-70, een stijging van bijna vier procent. Na tien minuten was het 1603-80/1604-50. De winst op Arnotts privé-rekening was gestegen tot het duizelingwekkend hoge bedrag van eenentwintig miljoen dollar. Hij pakte de telefoon en dekte zijn eigen positie en die van ICB af.

Sarahs illegale winst stond nu op tweeëneenhalf miljoen dollar. Ze deed nog niets en voelde de adrenaline door haar lichaam pompen. Het zweet liep over haar rug, ze werd gek van de spanning. Volledig geobsedeerd staarde ze naar haar scherm. De wroeging die ze vorige week nog had gevoeld bij haar eerste onwettige transactie was nu verdwenen.

Er gingen tien minuten voorbij. Elke seconde dat ze deze positie aanhield, nam ze een gigantisch risico. De lire kon net zo plotseling en dramatisch zakken als hij een paar minuten geleden gestegen was. Een politiek schandaal of een moordaanslag zou de lire in een vrije val storten, dan zou al haar geld weg zijn en dan zou haar frauduleuze zaakje aan het licht komen. Ze moest haar positie nu afdekken, maar ze kon het niet. Verlamd keek ze naar het scherm en ging door met deze uiterst gevaarlijke gok.

Het was een bijna seksuele ervaring. Sarah bleef nog vijftien minuten onbeweeglijk zitten, totdat ze het niet meer uithield. Ze toetste de BDP-lijn in. McDermott nam onmiddellijk op.

'Dollar/lire, Johnny.'

'1585-40/1586-90.'

'Ik neem vijftig dollar.' Sarah dekte haar positie af en had een winst gemaakt van meer dan drie miljoen dollar.

'Akkoord.' Woede en opluchting klonken door in zijn stem.

Kort en bondig handelde McDermott hun zaken af en hing toen op. Hij was van plan om haar vanavond te bellen, zonder dat er een band meeliep die elk woord opnam. Hij wilde weten wat er in vredesnaam aan de hand was. Hij gooide de bon in het bonnenbakje en stormde de afdeling af. Hij ging naar Pig and Poke.

Sarah leunde achterover en ademde diep uit. Ze pakte een sigaret en rookte hem achter elkaar op. Arnott hield haar scherp in de gaten. Ze was niet goed bij haar hoofd. In al die jaren had hij nog nooit iemand zo'n groot risico zien nemen. Catania had hen weliswaar getipt, maar het was nooit honderd procent zeker, er was altijd de kans dat het fout ging. Ze had een belachelijk risico genomen. Als de lire was gezakt, had ze niet aan haar verplichtingen kunnen voldoen. Dan zou er een onderzoek zijn ingesteld en dan was hun clubje ontdekt. Ze zou iedereen met zich meegesleurd hebben.

Arnott voelde zich plotseling misselijk. Met trillende handen stak hij een sigaret op en inhaleerde diep. De nicotine werd razendsnel opgenomen in zijn bloed. Hij haalde diep adem en kwam een beetje tot rust. Hij keek van opzij naar Sarah. Ze zat vrij kalm naar haar schermen te staren. Verdomde idioot. Maar wel aan zijn kant. Die laatste gedachte stemde hem niet al te vrolijk, maar het was het beste alternatief. Hij draaide zich naar haar toe en lachte haar onzeker toe.

'Je bent niet wijs, weet je dat?'

Ze lachte samenzweerderig terug, maar haar ogen stonden kil.

'Vertel eens Arnott, hoeveel heb je verdiend?'

Met glanzende ogen gaf hij antwoord; in zijn trots vergat hij dat het niet verstandig was om dat te vertellen.

'Twintig miljoen.'

Sarah floot zachtjes. Arnott grijnsde en zei: 'Soros verdiende een miljard op Zwarte Woensdag.'

'Ja, maar dat was legaal.'

'Nou ja... stel je dan eens voor wat ik illegaal zou kunnen verdienen. Hoeveel heb jij?'

Plotseling werd Sarah voorzichtig. 'Dat is mijn geheimpje.'

Arnott keek op zijn horloge. Het was een uur. Hij wilde hier weg en Carla bellen om het te gaan vieren. Ineens kreeg hij het benauwd en hij sprong op.

'Ik ga lunchen.'

'Neem een glas champagne van me.'

Met een strak gezicht liep hij weg. Ze mocht er dan nu wel bij horen, maar het was nog steeds een eersteklas trut.

Scarpirato kwam uit zijn kantoor. Wilson zat een paar tafels verderop met een van de meisjes van de back-office te praten, dus er was niemand die kon horen wat hij zei.

'Hoe is het met je hoofdpijn?'

Sarah keek hem afwezig aan en glimlachte.
'O, goed hoor,' zei ze beleefd en draaide zich weer naar haar schermen. Verbaasd liep Scarpirato terug naar zijn kantoor.
Sarah riep naar Wilson: 'Hé Simon, blijf jij tussen de middag hier?'
Hij riep lachend terug: 'Oké, maar dan ben jij morgen aan de beurt.'
'Goed.'
Ze pakte haar tas, snelde het gebouw uit, hield een taxi aan op Lower Thames Street en gaf de chauffeur opdracht naar Mayfair te rijden.
Haar zorgen over Mosami braken door het onwezenlijke gevoel dat haar overspoelde. Ze had haar vriendin al de hele ochtend geprobeerd te bellen, maar ze kreeg telkens het antwoordapparaat aan de lijn. Sarah wist zeker dat ze thuis was.
Twintig minuten later stond ze in Hay's Mews bij Mosami aan de deur te bellen. Een paar minuten later hoorde ze Mosami's stem door de intercom. Sarah noemde haar naam en er klonk een zoemer bij de deur. Ze duwde de deur open en liep via de hal de trap op naar Mosami's slaapkamer.
Ze lag glimlachend op bed met een klein kussentje in haar nek onder een zachtblauwe wollen deken. Sarahs maag draaide zich om. Ze was bijna onherkenbaar. De fijne gelaatstrekken en de zachte witte huid waren verdwenen. Daarvoor in de plaats waren er afschuwelijke zwellingen en blauwe plekken. Van haar linkeroog tot halverwege haar wang liep een reeks hechtingen. Haar oogwit was helemaal rood, haar lippen waren opgezet en ze was twee tanden kwijt.
Mosami gebaarde met een dunne arm naar de stoel naast haar bed. Langzaam liep Sarah ernaartoe. Ze staarde haar vriendin aan en wist niet wat ze moest zeggen. Haar hart bonsde van woede en verdriet en het zweet liep in straaltjes over haar rug. De tranen rolden over haar wangen. Ze kon zich niet inhouden en begon hard te huilen.
'O god, Mosami, het spijt me zo. Ik had er geen idee van dat dit kon gebeuren. Ik zou het je nooit gevraagd hebben als ik...'
Mosami viel haar in de rede. 'Gebeurd is gebeurd. Dit kon jij ook niet weten.' Het kostte haar moeite om te praten en na elke zin haalde ze diep adem. 'Wat mij betreft, is het voorbij. De dokter is vannacht geweest en vanmorgen nog een keer. Hij heeft me weer opgelapt. Over zes weken is dit allemaal weg,' ze wees op

haar gezicht, 'en dan zijn mijn ribben ook weer heel. Ik ga niet naar de politie. Ik heb zo'n gevoel dat ik dat niet moet doen.'

Ze lachte naar Sarah die begreep dat Mosami geraden had dat er hier meer aan de hand was dan een zakelijk conflict, maar dat ze er wijselijk verder niets over wilde weten. En ze leek ook te snappen dat Sarah de politie hier niet bij wilde halen.

Sarah lachte haar vriendin toe en streelde haar glanzende zwarte haar. Mosami zuchtte diep en vouwde een arm over haar borst alsof ze haar ribben daarmee extra steun wilde geven.

'Maak je geen zorgen, Sarah. Matthew Arnott en zijn vriendinnetje krijgen heus nog wel wat ze toekomt, dat weet ik zeker.'

Sarah pakte Mosami's hand en kneep er voorzichtig in.

'Reken daar maar op.'

20

Sarah probeerde de hele middag om niet op Arnott te letten. Elke keer dat ze zijn gezicht zag, wilde ze haar nagels erin zetten. Dus ging ze een uur naar de bibliotheek waar ze tussen hoge stapels tijdschriften deed alsof ze *The Economist* las.

Eenmaal terug op de afdeling wandelde ze van bureau naar bureau om overal te kletsen, te roken en eindeloos veel koffie te drinken. Om vier uur hield ze het niet meer uit. Ze moest weg voordat ze zich niet meer in kon houden. Ze liep terug naar haar plek, zette haar computers uit, pakte haar tas en zei zo vriendelijk mogelijk gedag. In haar haast liep ze bijna tegen Karl Heinz Kessler aan, de president van ICB, die een van zijn zeldzame bezoekjes aan de valuta-afdeling bracht. Vinnig zei ze: 'Sorry', liep om hem heen en verdween van de afdeling. Hij keek haar na en wierp toen een blik op zijn horloge.

'Ik wist niet dat we hier tegenwoordig al om vier uur weggingen,' zei hij tegen Arnott.

'Tja, zij houdt zich nou eenmaal niet aan dat soort regels.'

Kessler keek Arnott scherp aan.

'Waarom heb je zo'n hekel aan haar? Het lijkt wel of je bang voor haar bent.'

'Ach, welnee. Ze is gewoon vermoeiend, dat is alles. Moet jij eens proberen om acht uur per dag, vijf dagen in de week naast haar te zitten... Daar zou iedereen gek van worden.'

Arnott zuchtte diep en maakte een gebaar met zijn schouders waarvan hij hoopte dat het overkwam als onverschilligheid.

'Hoe dan ook, ik ben hier niet gekomen om over haar te praten,' zei Kessler en hij dempte zijn stem. 'Ik ben zeer geïnteresseerd in de ontwikkelingen van vandaag. Ik zou daar graag even over willen babbelen. Schikt het je morgenavond om halfacht in Mark's Club?'

Arnott knikte.

Sarah kwam om halfvijf thuis en belde direct naar Jacob. Hij was er een uur later. Hij keek kort naar haar smalle, sombere gezicht en ging aan de keukentafel zitten.

'Je bent door de mand gevallen, hè?'

'Hoe weet je dat?'

'Simpel. Mijn maat belde me gisteravond om te zeggen dat er geen ontvangst meer was van een van de microfoontjes. Er had natuurlijk een logische verklaring voor kunnen zijn. Een schoonmaakster had de stekker er per ongeluk uit kunnen trekken. Dat hoopte ik eigenlijk totdat ik je gezicht zag. Vertel eens, wat is er gebeurd?'

Sarah keek over de tafel naar Jacobs vriendelijke, rustige gezicht. Ze hoopte dat hij wat tekenen van paniek zou laten zien, want van kleine probleempjes raakte hij altijd in paniek en bij ernstige dingen bleef hij uiterst kalm.

'Arnott heeft de microfoontjes bij zijn bureau en in Carla's flat gevonden. Hij heeft Mosami in elkaar geslagen. Haar gezicht is bont en blauw en ze heeft twee gebroken ribben.'

Jacob vertrok zijn gezicht. Sarah ging verder. 'Ik heb Arnott ervan weten te overtuigen dat ik alleen maar met ze mee wil doen. Ik denk wel dat hij me gelooft,' lachte ze grimmig. 'Italië heeft het disconto vandaag met een punt verhoogd. Arnott werd getipt door Catania. En weet je? Hij is ervan overtuigd dat ik meer weet dan het geval is. Hij liet Catania's naam gewoon vallen. Hij zei "Catania zegt dat we lires moeten kopen". Dus ik heb voor vijftig miljoen dollar voor mezelf gekocht en drie miljoen verdiend.' Ze haalde haar schouders op. 'Ik ben dus binnen. Ik denk dat Arnott me wel vertrouwt. De vraag is nu alleen of hij het aan nummer drie en vier vertelt en of zij me ook vertrouwen. Eerst dacht ik dat Scarpirato de derde man was, maar ik weet nu dat dat niet zo is. Maar als ik nou maar lang genoeg mee kan doen, weet ik zeker dat ik erachter kom.'

Ontsteltenis tekende zich af op Jacobs gezicht. 'Deze mensen zijn gevaarlijk, Sarah. Ik weet niet of je hier nou wel mee door moet gaan,' zei hij hakkelend. Hij was kwaad en maakte zich zorgen om Sarah en Mosami.

Ze hield voet bij stuk. 'Ik moet wel. Zowel voor Mosami als voor mezelf. En maak je geen zorgen, ik heb Arnott aan het lijntje. Hij denkt dat ik aan zijn kant sta. En trouwens, ik heb tegen hem gezegd dat de bandjes naar inspecteur Maynard van de afdeling fraudebestrijding gaan als er iets met me gebeurt. Hij trok helemaal wit weg. Hij gelooft me echt wel dus hij maakt me heus geen kopje kleiner.'

Jacob werd kwaad. 'Daar moet je geintjes over maken.'

Sarah lachte bij zichzelf. Ze maakte geen grapje.

Jacob snapte er niets meer van. Hij was een bejaarde oude man en hij had lang geleden verwacht dat hij dit alles achter zich had gelaten. Hij slaakte een diepe zucht.

'Luister Sarah, ik hoop dat die Barrington van je snapt wat er allemaal aan de hand is, want ik begrijp er geen donder meer van. Hoe denk je dat hij hierop zal reageren?'

Sarah staarde naar de muur en vroeg het zich ook af.

'Laten we maar eens kijken.' Ze zocht Barringtons nummer op in haar agenda en pakte de telefoon. Ze hoorde de telefoon overgaan en wachtte tot hij opnam.

'Meneer Barrington, u spreekt met Sarah Jensen.'

De accentloze, joviale stem reageerde vriendelijk. 'Goedemiddag Sarah, hoe is het met je?'

'Prima, dank u. Ik bel om u op de hoogte te houden. Er heeft een aantal interessante ontwikkelingen plaatsgevonden, goede en slechte. Ik had afluisterapparatuur geplaatst bij ICB en in de flat van Carla Vitale. Arnott heeft de microfoontjes gevonden en ze tot mij weten te herleiden. Hij is ermee naar me toe gekomen. Ik heb hem verteld dat ik hem afluisterde omdat ik bang was dat hij me probeerde weg te werken en dat ik daarom belastend materiaal tegen hem wilde verzamelen. Ik heb hem verteld dat ik wist van het komplot en dat ik eraan mee wilde doen. Hij slikte het en begon te praten. Hij zei dat Catania de bron is.'

Ze onderbrak zichzelf. Het bleef een hele tijd stil aan de andere kant van de lijn.

Uiteindelijk zei Barrington: 'Dit is bijzonder opmerkelijk, Sarah.' Hij klonk afstandelijk en nadenkend, en toen ineens weer zakelijk en kortaf. 'Luister, ik moet naar een vergadering, ik had er al moeten zijn. Ik bel je straks terug.'

Sarah staarde naar de grond. 'Prima. Tot straks.' Ze legde de hoorn op de haak, leunde achterover en stak een sigaret op. Ze keek Jacob aan.

'Je zou wel eens gelijk kunnen hebben. Hij zei dat hij naar een vergadering moest en dat hij me straks terugbelt. Het klinkt alsof hij tijd probeert te winnen omdat hij niet weet wat hij moet doen. Maar als hij niet degene is die het voor het zeggen heeft, wie is het dan wel?'

Jacob schudde zijn hoofd. 'Je hebt hem trouwens helemaal niets over je transactie verteld...'

'Nee, inderdaad. Het leek me niet het juiste moment.'

Anthony Barrington staarde peinzend naar de oude klok in de hoek van zijn kantoor. Zijn vermoedens omtrent Sarah Jensen bleken juist te zijn. Ze was onafhankelijk op het gevaarlijke af, ze was als een dolle stier aan het werk gegaan. En hij werd geacht haar te begeleiden. Nou, hij had haar dan wel uitgezocht, maar ze viel onder Bartrops verantwoordelijkheid zei hij tegen zichzelf. Dit was allemaal zijn idee. En nou moest hij het ook maar oplossen. Hij belde Ethel.

'Zou je James Bartrop voor me willen bellen?'

Barrington kwam meteen ter zake. 'Er zijn wat nieuwe ontwikkelingen, Bartrop. Het goede nieuws is dat Sarah Catania heeft ontmaskerd als de bron. Het slechte nieuws is dat ze zelf ook door de mand gevallen is. Matthew Arnott heeft de microfoontjes gevonden en haar daarop aangesproken. Op de een of andere manier heeft ze hem ervan weten te overtuigen dat ze alleen maar met hen mee wil doen. Ze zegt dat hij erin getrapt is. Maar ik weet 't niet. Ik voel me behoorlijk opgelaten. Ik weet niet zeker of dit vol te houden is. Het is nogal rommelig aan het worden en mogelijk zeer pijnlijk. Niet bepaald de zakelijke operatie die je me had voorgespiegeld. Ik vraag me af of het geen tijd wordt er iemand anders bij te halen, de Politieke Veiligheidspolitie, of misschien de MI5. Is dit tenslotte niet voornamelijk hun terrein?'

Bartrop luisterde zonder hem in de rede te vallen. Toen hij antwoord gaf, was het op rustige toon en zorgvuldig geformuleerd.

'Weet je, Barrington, dit pakt nog beter uit dan ik had durven hopen. Ik zie het niet als een probleem, maar juist als een buitenkansje. We hadden het niet beter kunnen treffen. Jensen zit er nu middenin. Nu heeft ze de meeste kans om het komplot te ontrafelen. Met een beetje geluk gaat het van het hart van de City rechtstreeks naar de mafia. Ze heeft al bewezen dat ze een koelbloedige tante is. Als ze zelf denkt dat Arnott haar gelooft dan is dat waarschijnlijk ook zo. De tijd zal het leren. Maar Barrington, het punt is dat dit probleem niet zomaar verdwijnt. Het is nog steeds jouw en mijn verantwoordelijkheid. De vraag is alleen wie het probleem het best kan aanpakken. In het begin hebben we besloten dat wij dat waren. In mijn optiek is er niets veranderd. Het zou de zaken alleen maar bemoeilijken als we er anderen zoals bijvoorbeeld de Veiligheidspolitie of MI5 bij gaan halen. Hun activiteiten zouden zonder twijfel in botsing komen met ons verantwoordelijkheidsgevoel. We zouden in de vreselijke situatie kunnen komen dat we controle en zeggenschap kwijtraken en de verantwoordelijkheid behouden. Het zou een ontzaglijke puinhoop worden. En we moeten natuurlijk rekening houden met Sarah Jensen. Ik neem de volledige verantwoordelijkheid voor haar op me, maar ik moet me wel op de achtergrond houden. Ik kan toch moeilijk midden in dit verhaal uit het niets komen binnenwandelen. Ik denk niet dat ze dat leuk zou vinden. We kunnen ons het beste aan ons oorspronkelijke plan houden, anders voelt ze zich misschien bedrogen en dan kon ze wel eens om zich heen gaan trappen.'

Barrington zuchtte diep. 'Ik snap wat je bedoelt, Bartrop. Maar ik kan niet zeggen dat ik er erg blij mee ben.'

'Dat begrijp ik. Maar er is geen eenvoudige manier om deze zaak te behandelen, er bestaat geen makkelijke oplossing. Ik denk echt dat we op de juiste weg zitten. Kijk maar naar de resultaten die we tot nu toe behaald hebben. Je zult moeten toegeven dat we niet hadden verwacht al zo snel dit soort informatie te krijgen.'

'Nee, dat is waar.' Barrington staarde naar de groene binnenplaats. Hij bleef een poosje stil. 'Goed, Bartrop. Laten we maar op deze manier verder gaan. Ik zal het contact met Sarah Jensen blijven onderhouden en jij behoudt de volledige verantwoordelijkheid voor haar.'

'Dat lijkt me prima.'

'En dan schrijf jij een verslag voor het dossier.' Dat was een opdracht, geen vraag.

'Een ondersteunende verklaring bedoel je?'

'Ja, precies.'

'Ik zal zorgen dat je hem een dezer dagen krijgt.'

Opgelucht hing Bartrop op. Hij stond op, liep met grote passen naar het raam en glimlachte naar zijn eigen spiegelbeeld. Hij was diep onder de indruk. Zijn respect voor Barrington nam met de dag af, terwijl hij Sarah Jensen voorzichtig met andere ogen begon te bekijken. Ze bleek een behoorlijk goede aanwinst te zijn; een beetje tegendraads en onvoorspelbaar, maar zeer waardevol als ze goed begeleid werd.

Het was duidelijk dat Barrington dit niet in zijn eentje aankon. Hij moest zijn handje vast houden, maar dat deed hij met veel plezier. Het was het waard om daardoor een stap dichter bij Antonio Fieri te komen.

Het was een briljant maar gewaagd plan. Barrington zou Sarah 'begeleiden' en op haar beurt bracht zij Bartrop een stapje dichter bij Fieri. Alle belastende informatie die ze wist te verkrijgen, zou door de 'Six' aan de Italiaanse autoriteiten worden overgedragen als de tijd daar rijp voor was. Hij zou Sarahs identiteit geheimhouden; ze was een free-lance kracht die niet beschikbaar was om vragen te beantwoorden over de gebruikte werkwijze. Fieri en zijn mannen zouden gearresteerd en berecht worden. En Bartrop zou zijn grootste doel bereiken; met het opruimen van Fieri zou het drugsnetwerk een zware klap worden toegebracht. Talloze andere illegale activiteiten zouden aan het licht komen. De 'Vrienden' zouden beloond worden voor hun grote rol bij de val van Fieri. Het applaus zou luid klinken. Zijn succes. Het applaus dat hij dolgraag wilde horen. Te bijzonder om te delen met MI5.

Dit was zijn plan. Maar hij wist dat hij voorzichtig zou moeten zijn; er hing erg veel af van de continuïteit van de samenwerking met Barrington en zijn vermogen om Sarah Jensen in de hand te houden. Het was ook uitermate belangrijk dat de details van deze zaak geheim bleven.

In deze onderneming waren de sterke punten tegelijkertijd de zwaktes: Jensen was fantastisch - ze was op een briljante manier ICB en het Catania-komplot binnengedrongen - maar ze was ook onvoorspelbaar en op een gevaarlijke manier intelligent. Met zijn status was Barrington de ideale toezichthouder, maar hij had de neiging om zenuwachtig te worden als de druk te groot werd. Er stond te veel op het spel om deze zaak fout te laten gaan.

Bartrop zou Barrington goed in de hand moeten houden om op die manier ook een stevige greep op Jensen te hebben. Maar dat was geen probleem. Barrington was al te ver gegaan om nog te kunnen stoppen. Hij had te veel te verliezen en moest uit eigenbelang wel doorgaan. En wat betreft Sarah Jensen... ach, een moeilijke vrouw was niets nieuws. Hij zou haar op de een of andere manier in bedwang moeten houden.

Anthony Barrington was niet vrolijk, maar wel gerustgesteld. Hij kon zijn medewerking nu niet meer stopzetten. Hij had zichzelf opgeworpen als Sarahs begeleider, maar het was een taak die hem met de dag moeilijker viel. In ieder geval had Bartrop de volledige verantwoordelijkheid op zich genomen. Hijzelf zou niets anders zijn dan een doorgeefluik voor Bartrops instructies aan Sarah, en Sarahs bevindingen aan Bartrop. Als er daar tussenin iets fout ging, was dat niet zijn probleem. Gerustgesteld belde hij Sarah.

Hij leek haast te hebben. Hij praatte bijna zonder tussendoor adem te halen. 'Excuses Sarah. Ik heb de ene vergadering na de andere vandaag. Maar goed, ik vind dat je het goed gedaan hebt. Het is een kleine tegenslag, maar je hebt je er wonderwel doorheen geslagen. Dankzij je snelle handelen, zit je nu in een prachtige uitgangspositie. Probeer er het beste van te maken. Kijk maar eens waar je nog meer achter kunt komen.'

De vertrouwde kordaatheid klonk weer in zijn stem door. De plotselinge terugkeer daarvan was net zo wonderlijk als de afwezigheid ervan tijdens het vorige gesprek. Sarah had het gevoel dat ze midden in twee raadsels zat; wie waren de derde en vierde man van het Catania-komplot? En wie was degene die boven Barrington stond? Die nacht droomde Sarah van Barrington die als een marionet van bovenaf met touwtjes werd bespeeld.

De volgende ochtend om kwart over zeven parkeerde Matthew Arnott zijn Mercedes in de ondergrondse parkeerplaats van ICB, sloeg het portier achter zich dicht en rende de trap op, waarbij de ijzertjes onder de neuzen van zijn schoenen hard op het beton klikten. Hij rende via Lower Thames Street en Fish Street Hill naar Cannon Street waar hij zijn ontbijt haalde bij Birley's. Van daaruit snelde hij naar de krantenkiosken op Eastcheap om Marlboro-sigaretten te kopen. Hij brak een van zijn regels en kocht twee pakjes. Hij probeerde altijd om onder de twintig sigaretten per dag te blijven, maar het beloofde vandaag een lange dag te worden en hij zou de nicotine hard nodig hebben.

Toen hij op de afdeling aankwam, zat Sarah Jensen al achter haar schermen met een sigaret tussen haar vingers. Ze knikte hem kort toe en richtte zich toen weer op de computers. Arnott negeerde haar het grootste gedeelte van de dag. Tot zijn opluchting bemoeide ze zich ook niet met hem. Ze leek in gedachten verzonken.

Hij zat daar maar te roken terwijl hij zich afvroeg wat hij Karl Heinz Kessler die avond moest vertellen. Hij kon hem de waarheid vertellen en dan wist hij zeker dat er een vreselijke woedeuitbarsting zou volgen. Of hij kon liegen en het voor hem verborgen houden. Maar dan zou Kessler er toch een keer achter komen, dat wist hij absoluut zeker.

Om vijf uur had hij barstende hoofdpijn. Zijn handen trilden van de hoeveelheid nicotine die door zijn bloed stroomde. Hij moest nog tweeëneenhalf uur door zien te komen. Hij ging naar de bibliotheek om daar tot halfzeven kranten door te bladeren.

Daarna liep hij terug naar de afdeling, maar niet naar zijn eigen bureau. In plaats daarvan ging hij aan een van de bureaus van de back-office zitten. Normaal gesproken zat hij met zijn rug naar deze afdeling toe. Tussen de twee afdelingen was een grens opgebouwd die bestond uit computers en hoge stapels dossiers, zodat de werknemers elkaar niet konden zien.

Het aantrekkelijke van het bureau waar hij nu aan zat, was de computer van de jonge werknemer Andreas Rudding, daar zaten namelijk computerspelletjes op. Net als de meeste handelaren was Arnott verslingerd aan het snel bewegende Nintendo, maar dit strookte niet met zijn imago, dus speelde hij stiekem.

Hij keek om zich heen. De bureaus waren leeg, de hele afdeling was bijna verlaten. Arnott zette Ruddings computer aan en begon te spelen.

Halverwege het spel werd hij opgeschrikt door stemmen achter hem. Hij gluurde door een kier tussen de stapels dossiers en zag Scarpirato uit zijn kantoor komen met Jensen. Hij zette het geluid van het spelletje af en luisterde stilletjes en onzichtbaar naar het gesprek van Scarpirato en Jensen.

'Luister, je kunt niet van me verwachten dat ik doe alsof er niets gebeurd is. Ik wil weten wat er aan de hand is en beslissen wat we ermee doen.'

'O Dante, waarom vraag je toch zoveel?'

'Geef dan ook eens wat antwoorden. Toe nou, Sarah. Ik heb het recht te weten wat er is. Dus kom op. Vertel 't me. Nu.'

'Praat in vredesnaam niet zo hard.'

'Ach, er is toch niemand in de buurt. Nou...'

'Goed, ik zal het je vertellen. Maar niet hier. Laten we naar buiten gaan en ergens een borrel pakken.'

Arnott zat verstijfd. Hij staarde naar het woest flikkerende scherm voor zich. Jensen wist 't, Matsumoto wist 't en Scarpirato nu ook. Het liep uit de hand. Hij zou het Kessler moeten melden en de consequenties moeten aanvaarden. Met pijn in zijn maag wachtte hij tot Sarah en Scarpirato verdwenen waren en belde toen Kessler op. Na drie keer rinkelen nam Kessler op.

'Karl Heinz, je spreekt met Matthew. Ik moet je direct spreken.'

'Vanwaar die haast? Het is hier nu nogal druk. Dit is geen goed moment. Kan het geen half uurtje wachten?'

'Nee, dat kan niet.'

Kessler hoorde Arnotts angst nu en reageerde alert. 'Ik kom eraan.'

Een paar minuten later was hij op de afdeling. Hij knikte naar Arnott die hem volgde naar Scarpirato's kantoor.

'Wat is er aan de hand?'

Arnott lichtte hem van begin tot eind in. Kessler staarde hem sprakeloos aan. Na een hele tijd opende hij zijn mond.

'Dus er zijn nu drie mensen die het weten: Jensen, Matsumoto en Scarpirato.'

Arnott slikte. 'Ja. Maar Jensen is er zelf ook bij betrokken. Ze zit er...'

Kessler viel hem honend in de rede. 'Hoe bedoel je, bij betrokken? Ze heeft een transactie afgesloten waarbij ze over haar limiet is gegaan. Dus ze heeft een paar regeltjes overtreden, dat is alles. Ze zou kunnen zeggen dat ze zag dat jij lires kocht, dat het haar een goed idee leek en dat zij er toen ook ingestapt is. Dat is niet verboden. Stommeling. Ze heeft niets te verliezen, snap je dat dan niet...'

Arnott keek naar de grond. Kessler keek recht vooruit en stond toen op.

'Nou ja, het is nu gebeurd. Het enige dat je kunt doen, is je mond houden en mij meteen inlichten als er iets gebeurt. In de tussentijd zal ik Catania moeten inlichten.'

'Wat denk je dat hij zal doen?' vroeg Arnott stotterend.

'Hij zal wel iets doen, maar hoe moet ik dat verdomme weten,' vloekte Kessler. 'Hij heeft meer te verliezen dan wij. Hij is tenslotte tussenpersoon èn participant. Hoeveel staat er op zijn rekening?'

'Ik heb er net nog acht miljoen dollar op gestort,' zei Arnott, 'dus er zal nu in totaal zo'n dertig miljoen op staan. Genoeg om iedereen die erachter komt te laten denken dat hij een volledig en vrijwillig meewerkend deelnemer is.'

'Nou, je zult me moeten bedanken voor die vooruitziende blik van me.'

Zonder zijn afkeuring en minachting te verhullen, keek Kessler Arnott aan. Onzeker stond Arnott op. Hij pakte zijn koffertje en mompelde zachtjes een groet. Plotseling keek Kessler hem verschrikt aan.

'Je hebt dit kantoor toch ook gecontroleerd, hè?'

'Hoe bedoel je, gecontroleerd?'

Op Kesslers voorhoofd begon een ader te kloppen, het zag ernaar uit dat hij ging barsten. 'Met de microfoondetector.'

Arnott voelde zijn knieën knikken. 'Nee, dat heb ik niet gedaan. Ik dacht dat ze achter mij aanzat. Waarom zou ze Scarpirato's kantoor willen afluisteren?'

'Heb je dat ding nu bij je?' vroeg Kessler ijzig kalm. Arnott haalde de detector uit zijn koffertje. Kessler griste hem uit zijn handen, zette hem aan, stopte het microfoontje in zijn oor en begon aan de frequentieknop te draaien. Binnen een paar seconden sprongen de lampjes aan.

'We zijn afgeluisterd,' zei Kessler. Hij hoorde zijn eigen stem terug in zijn oor.

Een halve kilometer verderop zaten Sarah en Dante aan een hoektafeltje bij Pig and Poke te praten.

'Ik snap nog steeds niet waarom je me nou niet meer wilt zien.' Dante leunde naar voren. Zijn gebruikelijke onverstoorbare blik had plaats gemaakt voor grote twijfel.

Sarah keek gekweld. 'Goed dan, ik zal het je uitleggen. Ontrouw. Jij hebt een vriendin en ik heb een vriend. Het heeft geen zin om het te ontkennen. Ik heb jullie samen gezien.' Sarah giste. Scarpirato was de afgelopen weken vast wel eens samen met zijn vriendin ergens naartoe geweest. Ze hield zijn gezicht goed in de gaten. Hij zei niets. 'Je kunt het maar beter toegeven, Dante. Het is voorbij tussen ons. Mijn vriend is het land uit geweest. Hij komt morgen terug.' Ze wilde dat het waar was.

'Dus er is geen hoop voor ons?'

Sarah streek zachtjes over zijn wang. 'Nee, lieverd. Geen hoop.'

Verdrietig keek hij haar aan. Hij pakte haar hand vast.

'Vrienden?'

Ze kneep in zijn hand. 'Ja, vrienden.'

Terwijl Sarah en Dante samen bij Pig and Poke zaten, zat Karl Heinz Kessler achter in zijn zwarte Mercedes die door Leonard, zijn chauffeur, langzaam door het drukke verkeer op Lower Thames Street gemanoeuvreerd werd. Toen de auto Londen uitreed, zat Kessler nog steeds stil en gespannen na te denken op de achterbank.

Twee uur later was Kessler in Berkshire, vlakbij Lambourn dat bekend is om de paardenrennen op de vlakke baan die daar gehouden worden. De Mercedes reed over smalle landweggetjes langs weilanden vol pony's en gepensioneerde renpaarden. De auto minderde vaart bij een groot metaalgevlochten hek dat een klein stukje van de weg af stond. Even later draaide de Mercedes een lange oprit op die aan beide zijden afgebakend was door hoge kastanjebomen. De oprit was precies anderhalve kilometer lang. Aan het einde ervan stond een groot wit huis, omgeven door glooiende weilanden.

De auto stopte voor het huis en Kessler sprong eruit voor de chauffeur kans zag de deur voor hem te openen. Hij wenste hem kortaf een goede avond en liep naar de voordeur.

Zijn huishoudster, Janet, verscheen in de deuropening en liet hem binnen. Hij begroette haar nors en liep rechtstreeks door de echoënde hal naar de bibliotheek. Hij liet zich in een oude stoel tegenover de niet-brandende open haard zakken en hoorde hoe het geluid van de Mercedes wegstierf.

Hij overdacht de feiten nog een keer: Jensen, Matsumoto en Scarpirato wisten er nu van. Catania had het meest te verliezen als alles aan het licht kwam. Zijn vrouw zou hem verlaten als ze erachter kwam dat hij een minnares had gehad. Hij zou onmogelijk kunnen zeggen dat hij er niet bij hoorde. Een gedeelte van deze chantagezaak die Kessler zo ingenieus had opgezet, was ontworpen om Catania op een overtuigd en toegenegen lid van de samenzwering te laten lijken; hij ontving een kwart van alle illegale winsten. Arnott stortte dat geld telkens op een van Catania's geheime bankrekeningen. Opsporingsambtenaren zouden de Zwitserse rekening binnen de kortste keren vinden. Het echte bankgeheim bestond al lang niet meer. De rechercheurs die Catania's goedgevulde rekening vonden, zouden nooit geloven dat hij geen onderdeel van het komplot was. Zijn politieke carrière zou op slag vernietigd zijn. Hij zou zijn vrouw en kinderen, zijn kapitaal en waarschijnlijk ook nog zijn vrijheid verliezen.

Kessler stak een arm uit naar de telefoon die naast hem op een bijzettafeltje stond. Hij zette hem op schoot, stak zijn hand in een binnenzak en haalde een klein donkerblauw adresboekje te voorschijn. Hij bladerde naar de c en toetste een nummer in. Het was Catania's probleem. Hij moest het maar op zien te lossen.

Giancarlo Catania was halverwege zijn maaltijd met Donatella toen Kessler belde. Ella, de huishoudster, klopte aarzelend op de deur van de eetkamer en stapte naar binnen. Het was Signore Kessler, kondigde ze aan. En het was dringend.

Catania keek Ella boos aan, excuseerde zich bij Donatella, stond op en liep door de hal naar zijn werkkamer. Ella had de pauzeknop ingedrukt. Catania drukte de toets opnieuw in en zei bars: 'Wat is er zo belangrijk dat het niet tot na het eten kan wachten?' Hij sprak met een Italiaans-Amerikaans accent. Hij had zijn Engels geleerd van Amerikaanse films.

Kessler had Engels leren spreken op de duurste Duitse scholen. Zijn Engels was vlekkeloos, al bleven de scherpe medeklinkers uit zijn moedertaal duidelijk hoorbaar. De Amerikaanse uitspraak van Catania irriteerde hem mateloos.

'We hebben een probleem. Een nogal groot probleem. Ons kleine spelletje is niet langer een geheim. Er zijn drie mensen van op de hoogte: Sarah Jensen, Mosami Matsumoto en Dante Scarpirato. Ze kennen het hele verhaal. Alle details.'

Catania uitte een stroom Italiaanse vloeken.

'Hoe is dit gebeurd?'

'Heel eenvoudig. Afluisterapparatuur.'

'Had je dat niet gecontroleerd?'

'Nee.'

'Wie heeft dat geplaatst?'

'Jensen. Ze is een collega van Arnott. Ze was jaloers en wilde iets vinden om tegen hem te gebruiken.'

'Geloof je dat?'

'Ja, dat geloof ik inderdaad. Ze is geen infiltrant als je daar soms bang voor bent. Ze heeft zelf ook een grote transactie gedaan met onze informatie. Het is gewoon een smerig, hebberig type.'

'Net als jij,' zei Catania.

'Net als ik,' beaamde Kessler.

Catania kneep zo hard in de hoorn dat het plastic begon te zweten en opbolde. Er waren drie mensen op de hoogte. Hoe lang zou het duren voordat de informatie bekend werd bij de autoriteiten en bij de mafia, bij Antonio Fieri?

Beide mannen dachten aan de consequenties die hun ontdekking zou kunnen hebben. In Kesslers geval betekende het schande, gevangenschap en inbeslagneming van zijn illegale fortuin. Het geld was verspreid over een heleboel genummerde rekeningen, maar als de autoriteiten hard genoeg zochten, zouden ze het kapitaal wel op het spoor komen.

Maar in Catania's geval was er maar een gevolg: de dood. De mafia zou hem laten vermoorden voordat hij belastende verklaringen zou kunnen afleggen. Hij kende te veel mafiageheimen die hij zou kunnen ruilen tegen immuniteit. Ze zouden hem niet in leven laten. Fieri koesterde al argwaan. De president van de Bundesbank ook. Er gingen geruchten. Catania staarde naar het plafond. Zijn besluit stond vast. Hij had niets te verliezen.

'Ik regel het wel,' zei hij tegen Kessler.

21

De zwaar geblondeerde vrouw lag naakt in bed om een andere vrouw gekruld naar een video te kijken toen de telefoon ging. Ze trok haar gespierde benen onder de lakens vandaan, wikkelde zich in een roodzijden ochtendjas en liep de trap af naar de bibliotheek. De telefoon die naast haar bed stond, rinkelde niet, die was voor privé-gesprekken. De telefoon in de bibliotheek was voor zakelijke gesprekken. Ze ging in een donkerrode leren stoel zitten en pakte de hoorn op.

'Pronto!'

Het was een man. Een Italiaan met een barse stem. Hij wilde haar ontmoeten. Hij had een zakelijk voorstel.

'Met wie spreek ik? Hoe heet je?'

'Dat doet er niet toe. Een vriend van Antonio Fieri. Is dat genoeg informatie?'

'Voorlopig wel.' Fieri was een van de weinige mensen die haar zakelijke telefoonnummer had. Bijna iedereen die haar belde, was verzekerd van zijn vertrouwen. 'Goed, laat me eens raden. Je wilt afspreken op een neutrale en discrete plek. Wat dacht je van het Hassler?'

Het Hassler was een prachtig oud hotel met uitzicht op de Spaanse trappen in het hartje van Rome.

'Prima. Kunnen we elkaar daar morgen om twee uur ontmoeten?'

'Ik zal zien of ik kan reserveren. Ik bel je straks terug om het kamernummer door te geven. Dan kun je doorlopen zonder dat je je hoeft te melden bij de receptie.'

Aan de andere kant van de lijn bleef het stil.

'Wat is je telefoonnummer?'

Hij gaf haar zijn nummer en hing op. Ze maakte een aantekening in haar agenda. Vijf minuten later belde ze terug. 'Nummer 151. Ik zie je morgen om twee uur.' Ze hing op, deed het licht uit en bleef in het donker naar buiten zitten staren. Wie was het? De stem klonk haar bekend in de oren. En wat zou hij willen? Ze glimlachte naar haar spiegelbeeld in het donkere raam.

Ze was al in de kamer toen hij om kwart over twee binnenkwam. Een koelbloedige blonde vrouw van gemiddelde lengte – ongeveer een meter vijfenzestig – maar krachtig gebouwd. Hij wierp een blik op haar elegante kuiten, de bewegende spieren boven de smalle enkels. Ze stond bij het raam, schouders naar achteren en borst vooruit; levendig en zelfverzekerd. Hij had haar nog nooit eerder gezien, maar hij wist alles van haar.

Ze had een fabelachtige reputatie. Antonio Fieri sprak vol lof over haar. Hij had zich beklaagd over het feit dat ze gestopt was met werken. Maar ondanks haar pensionering bezweek ze toch af en toe onder druk van Fieri en nam ze nog een opdracht aan. Dit laatste was hun goed bewaarde geheim waar Catania niets van wist.

Ze stond bekend als Christine Villiers, een Amerikaanse stuntactrice. Niet haar echte naam en niet haar werkelijke beroep, maar het was een handige dekmantel. Jaren geleden was Catania achter haar nummer gekomen. Hij had het genoteerd voor het geval hij het ooit nodig zou hebben en was nu blij met zijn vooruitziende blik.

Nu stond ze voor hem. Onverstoorbaar en afwachtend. Hij keek haar taxerend aan. Ze glimlachte, ze herkende hem direct.

'Wat kan ik voor u doen, president?'

'Ik zal je goed betalen. Het dubbele van je gebruikelijke tarief. In ruil daarvoor verwacht ik onvoorwaardelijke geheimhouding.'

Ze knikte. 'Uiteraard.'

'Ik wil dat je drie mensen voor me opruimt.'

Om halfvier kwam Christine thuis in haar appartement aan de elegante, met bomen geflankeerde straat Passeggiata di Ripetta. Ze vergrendelde de deur, trok de stekker uit haar privé-telefoon en begon een plan te ontwikkelen.

In Londen, een paar uur later, zat Jacob in Sarahs woonkamer te wachten tot ze thuiskwam van haar werk. Om tien over zeven kwam ze binnen. Jacob keek haar ongerust aan.

'Waar was je?'

Sarah reageerde verbaasd. 'Ik heb een uurtje getraind in de sportschool, dat had ik even nodig. Het was een vreselijke dag. Arnott heeft me de hele dag raar aangekeken. Niet verwaand of hatelijk zoals anders, maar hij leek bang.' Ze bestudeerde Jacobs ongeruste gezicht. 'Hé, wat is er aan de hand?'

Jacob liep naar haar toe en legde een hand op haar schouder. 'Luister, Sarah. Deze hele toestand loopt vreselijk uit de hand.'

'Hoe bedoel je?'

'Er is nog een gesprek opgenomen op de bandjes. Karl Heinz Kessler en Arnott hebben gisteren een gesprek gevoerd in Scarpirato's kantoor. Scarpirato heeft er niets mee te maken. Kessler is de derde man en Catania is nummer vier. Kessler en Arnott hebben een Zwitserse bankrekening voor Catania geopend. Een kwart van de winst gaat naar die rekening, zodat het lijkt alsof hij een volwaardige deelnemer van het komplot is. Het is een manier om hem in de hand te houden.'

Sarah kneep in de sporttas die nog steeds aan haar schouder hing. 'Allemachtig Jacob, dit wordt me te veel. Ik wist dat Arnott en Kessler veel met elkaar optrokken, maar ik dacht dat Arnott gewoon zijn loopjongetje was. Ik dacht dat Kessler hierboven zou staan. Je weet wel, de alom gerespecteerde president van een van de beste handelsbanken. Het is een paar keer bij me opgekomen, maar ik heb de gedachte uit mijn hoofd gezet. Op de een of andere manier kon ik het niet geloven.' Ze verzonk in stilzwijgen.

'Het wordt nog erger,' zei Jacob. 'Arnott heeft Kessler over jou en Mosami verteld. Hij zei dat jullie allebei van de samenzwering af weten. Hij denkt dat Scarpirato het ook weet. En ze hebben het microfoontje gevonden. Het is dus uit met het spel. Wederzijdse ontdekking. Niemand kan zich meer verbergen. Kessler zei dat hij Catania zou inlichten en dat hij er "iets aan zou moeten doen".'

Sarah liet haar sporttas op de grond vallen en plofte op de bank. Ze graaide in haar tas naar een sigaret en stak hem met trillende handen op.

'Ik denk niet dat ik dit nog aankan.'

Ze belde de president van de Bank op zijn kantoor en in zijn appartement. Er werd niet opgenomen.

Later die avond landde vlucht AZ286 van Alitalia vanuit Rome met stuiterende banden op een van de landingsbanen van Londen Heathrow. Het was de laatste aansluiting van de dag en het vliegtuig zat vol. De twee passagiers die hun vlucht pas 's middags hadden geboekt, konden alleen nog maar terecht in business class. Ze kwamen uit het vliegtuig en liepen naar de douane. Ze reisden allebei met een vals paspoort. Als ze zenuwachtig waren, was dat niet aan hen te zien; ze hadden de beste vervalsingen die te koop waren.

Ze glimlachten naar de dame van de paspoortcontrole die vluchtig door hun documenten bladerde. Ze gebaarde hen verder te gaan. Een klein stukje verder haalden ze hun bagage op. Iedereen die keek, zou denken dat ze elkaar niet kenden. Ze hadden niets gemeen, afgezien van het vermogen te doden.

Ze liepen door de douane naar de taxistandplaats en stapten allebei in een andere taxi. De man, Gianni Carudo, reed naar het Dorchester in Park Lane in het centrum van Londen. De vrouw, Christine Villiers, ging naar haar huis aan St Leonard's Terrace in Chelsea.

Het derde lid van het team, Daniel Corda, bevond zich al in Londen. Hij woonde al zijn hele leven in Londen, al dertig jaar. Hij was Christines Britse contactpersoon. Rome was haar thuisbasis, al had ze een huis in Londen, en ze had iemand nodig met eersteklas kennis en mogelijkheden. Ze belde Corda om te zeggen dat ze aangekomen was en dat alles in gang gezet kon worden. Ze vroeg hem om middernacht naar haar huis te komen zodat ze hem volledig in kon lichten.

In de stilte van hun kamers dachten Villiers, Carudo en Corda aan hun opdrachten. Christine zou Dante Scarpirato doden. Vrouwen vermoordde ze niet, daar huurde ze mannen voor in. Gianni Carudo zou Sarah Jensen voor zijn rekening nemen en Daniel zou voor Matsumoto zorgen. Christine had de mannen ook nodig omdat er zoveel haast bij de opdracht zat.

Catania had gezegd dat de doelwitten onmiddellijk tot zwijgen moesten worden gebracht. Ze hoopte het binnen drie dagen te doen, tijdens het weekeinde. Er zouden twee dagen voor nodig zijn om de personen te bestuderen, hun huizen te verkennen en de strategie te bepalen. Eigenlijk hadden ze daar minstens een week voor nodig, maar dit was hun opdracht en ze wisten hoe ze snel moesten handelen. Ze hadden het eerder gedaan.

Een paar uur later gingen de drie moordenaars op pad in de donkere en bedompte Londense nacht om een eerste glimp van hun slachtoffers op te vangen.

Nadat Jacob was vertrokken, zat Sarah nog tot in de vroege uurtjes te lezen op de bank, met in haar ene hand het boek en naast haar een glas whisky. Ze voelde zich rusteloos en stond telkens op om een rondje door de kamer te lopen. De gordijnen waren open. Van buitenaf gezien was ze goed te zien in de verlichte kamer. Ze had geen idee dat haar bewegingen door een paar donkere ogen gevolgd werden.

Verborgen tussen de struiken aan de rand van de tuin hield

Gianni Carudo haar in de gaten. Ze was mooi. Dit werd een leuke klus. Hij zou morgenavond laat terugkomen met zijn mes en haar wakker maken. Hij bleef kijken tot ze opstond, het licht uitdeed en verdween. Hij nam aan dat haar slaapkamer aan de achterkant van het huis lag. Zachtjes glipte hij weg.

Sarah werd de volgende ochtend uitgeput wakker. Met veel pijn en moeite sleepte ze zichzelf naar haar werk.

Tijdens het ochtendoverleg zat ze tegenover Dante Scarpirato. Ze wisselden een blik van verstandhouding. Ze had hem verkeerd beoordeeld; hij was onschuldig, en na hun gesprek van woensdagavond kon ze zich eindelijk ontspannen in zijn aanwezigheid.

Glimlachend keek hij hoe ze met haar voeten op de vergadertafel tegenover hem zat - mooi maar ontoegankelijk. Er flitste een herinnering door zijn gedachten. Hij verdreef de gedachte. Het was beter zo. Hij keek om zich heen. Arnott en Wilson kwamen binnen. Arnott keek hem eigenaardig aan. Hij haalde zijn schouders op en opende de vergadering.

Arnott zat gespannen te wachten. Scarpirato deed verontrustend gewoon. Gelukkig zelfs. Hij wachtte zeker zijn tijd af, dacht Arnott. Misschien wilde hij net als Jensen meedoen aan het geheel. Waarschijnlijk leken ze daarom zo hecht. Ze hadden het woensdagavond vast allemaal besproken onder het genot van een drankje. Hij vroeg zich af wat Kessler en Catania eraan gingen doen.

Toen de bespreking afgelopen was, bleef Sarah treuzelen in de vergaderkamer. Ze deed de deur achter de anderen dicht en pakte direct de telefoon om Barrington in zijn appartement te bellen. Er werd weer niet opgenomen. Ze belde zijn kantoor. Er was niemand. Om acht uur nam zijn secretaresse eindelijk op.

'Kunt u me alstublieft doorverbinden met de president? U spreekt met Sarah Jensen.'

De stem was kil en zakelijk. 'Het spijt me. De heer Barrington is voor zaken naar het buitenland.'

Sarah probeerde de paniek uit haar stem te weren. 'Het is dringend. Ik moet hem spreken.'

'Ik beloof u dat ik uw berichtje door zal geven als hij belt.'

'Kunt u hem niet bellen? Als hij nu eens niet belt?'

De stem lachte een beetje gepikeerd. 'Zoals ik net al zei, mevrouw Jensen, als hij belt zal ik de boodschap doorgeven.'

Sarah raakte in paniek. 'Ik ben bang dat u het niet begrijpt. Ik moet hem onmiddellijk spreken.'

De stem aan de andere kant van de lijn klonk nu boos. 'Luister, mevrouw Jensen. De heer Barrington zit in New York. Het is daar nu midden in de nacht. U zult toch echt moeten wachten, of u het nou leuk vindt of niet.'

Sarah hing op en streek met haar handen over haar blote armen. Ze voelde zich plotseling erg eenzaam.

De ochtend gleed rustig voorbij. De markt was tot rust gekomen. Sarah las de kranten en probeerde Barrington uit haar hoofd te zetten. Arnott zat haar aan haar linkerkant nog steeds vreemd aan te kijken. Ze was te moe om er iets van te zeggen.

Het kantoor van Cordillon et Cie is gevestigd in een met keien geplaveide straat in het hart van het oude Genève, in een voormalig woonhuis. De enige verwijzing naar handel is een kleine bronzen plaat met daarop de letter C. Alleen degenen die het aangaat, kennen de aanwezigheid van een van de belangrijkste Zwitserse banken achter deze gevel.

Een groot gedeelte van het pand, met name het gedeelte dat de klanten te zien krijgen, is als een woonhuis ingericht met smaakvolle schilderijen, mooie ontvangstkamers en gezellige werkkamers. Het moderne gedeelte van de bank is goed verborgen. Computers, faxmachines en een enkel Reuter-scherm zijn weggewerkt in functionele ruimtes op de bovenverdieping. De wat jongere account-managers en administrateurs zitten daar achter toetsenborden, leggen af en toe iets vast in het register en passen op miljarden dollars geheim geld. In een volgende tegemoetkoming aan het moderne leven hangen er vier klokken aan de wand die de tijd in Genève, Londen, New York en Tokio aangeven.

Peter Jaeggli, een achtentwintigjarige opklimmende account-manager, keek op naar de Genève-klok. Het was twaalf uur. Tijd voor een kop versgezette koffie. Hij liep dwars door de ruimte naar het kleine keukentje en schonk een beker extra sterke Colombiaanse koffie in. Af en toe een slokje nemend liep hij voorzichtig terug naar zijn plek, ging zitten en richtte zijn aandacht weer op de papieren die op zijn bureau lagen. Het waren voor het dossier bedoelde duurzame kopieën van elektronisch geboekte transacties.

Jaeggli fronste zijn wenkbrauwen en schudde zachtjes met zijn hoofd, alsof hij het getypte overzicht niet wilde geloven. Woorden, cijfers en instructies glinsterden hem toe. Hij maakte een snel rekensommetje. Het netto resultaat van deze overboekingen was een winst van drie miljoen dollar, gestort op rekening LS236190X. Het geld was gisteren gestort, donderdag, twee dagen nadat de transactie had plaatsgevonden. Vanwege hun omvang en lichte afwijking had een van de administrateurs de papieren doorgegeven aan Jaeggli.

Hij nam een slok koffie en staarde naar het plafond. Er moest een onschuldige verklaring voor zijn. Een foutje misschien. Hij moest zich niet te snel een oordeel vormen. Eerst moest hij vragen stellen. Oordelen en in actie komen kon later wel. Ja, dat was het minste dat hij kon doen. Hij wachtte tot zijn collega's van de aangrenzende bureaus weg waren of druk in gesprek zaten en toetste toen een telefoonnummer in.

Simon Wilson brulde over de afdeling naar Sarah: 'Een mof op lijn twee.'

Sarah liep terug en nam op.

'Sarah, met Peter Jaeggli. We moeten praten.' Hij klonk ernstig.

Met een schok realiseerde Sarah zich waarom hij belde. Haar illegale handel; een instroom en afvoer van enorme bedragen, meer dan er oorspronkelijk op haar rekening stond, met als resultaat een winst van drie miljoen dollar. Cordillon zou er vast voor gezorgd hebben dat de geldstroom in goede banen was geleid zodat ze niet rood had gestaan, maar desondanks was haar gedrag niet netjes te noemen, om niet te zeggen volslagen verdacht. Geen wonder dat Jaeggli zo serieus klonk. Aan de andere kant werd er van Zwitserse banken verwacht dat ze verdachte handelingen oogluikend toestonden en er meestal zelfs blind voor waren. Maar Sarah vermoedde dat haar storting te bijzonder was om gemakshalve over het hoofd te worden gezien.

'Ja, Peter. Ik geloof het ook.'

'Ik stel voor dat je zo snel mogelijk naar Genève komt. Er is een...'

Sarah viel hem in de rede. 'Wat? Ik naar Genève? Is dat niet een beetje overdreven?'

Gespannen zei hij: 'Nee, gezien de omstandigheden niet. Ik zou het echt niet vragen als het anders kon.'

Sarah hield de hoorn een stukje van haar oor vandaan en staarde vol verwarring naar haar bureau. Ze kende Jaeggli al acht jaar. Ze hadden samen op Cambridge gezeten en samen met Alex had ze bij hem gelogeerd en in de Alpen geskied en geklommen. Ze had hem nog nooit zo gehoord; het maakte haar ongerust en bracht haar in verwarring.

'Luister Peter, normaal gesproken zou ik komen, maar het is nu niet het juiste moment. Ik kan hier echt niet weg.'

Hij gaf geen duimbreed toe. 'Het spijt me, Sarah. Ik moet je met alle geweld spreken, als je me ziet begrijp je het wel.'

Nadenkend staarde ze naar het plafond. Uiteindelijk zei ze: 'Goed Peter, ik kom.'

'Er gaat om vijf over drie een Swissair-vlucht vanaf Heathrow. Ik pik je op het vliegveld op.'

Om halftwee was Gianni Carudo op Carlyle Square. Hij droeg een spijkerbroek, een spijkerjack, een wit T-shirt, sportschoenen en een honkbalpet; een uniform dat gegarandeerd niemand op zou vallen op King's Road.

Hij wandelde naar Sarahs huis. Niet te langzaam en niet te snel. Hij deed niets waardoor hij de aandacht trok. Hij keek omhoog naar de lege ramen. Het duurde nog een paar uur voor ze thuiskwam; ze hadden hem verteld dat ze tussen vier en zeven stopte met werken. In de tussentijd ging hij een beetje rondscharrelen, haar huis van boven tot onder bekijken, het terrein verkennen. Later zou hij het huis van een afstandje in de gaten houden en opletten of ze bezoek kreeg.

Hij vroeg zich af hoe de avond zou verlopen. Misschien kwam ze alleen maar thuis om zich te verkleden en ging ze daarna weer weg. Maar wat er ook gebeurde... vroeg of laat kwam ze thuis, en hij zou op haar wachten. Hij was er nu ook klaar voor; een mes met een lemmet van vijftien centimeter zat onder zijn spijkerbroek aan zijn kuit gebonden. Maar de nachtelijke uren waren het best. In het donker voelde het beter.

Zijn sleutelbos rammelde in zijn zak terwijl hij liep. Hij had een verzameling van de beste lopers die er te krijgen waren. Ze zouden ervoor zorgen dat hij binnen een paar seconden in haar huis stond.

Hij liep over het plein in de richting van Old Church Street. Hij zou een tijdje opgaan in de drukte van King's Road en zijn rondje later nog eens maken. Nu was het tijd voor een ander soort verkenning. Het was niet absoluut noodzakelijk, maar hij hield graag een oogje op zijn slachtoffers en hij kwam graag met ze in contact – hoe oppervlakkig dan ook – om zichzelf vast aan te kondigen.

Hij stapte een telefooncel op King's Road binnen. Hij dacht aan haar gezicht en zijn hartslag versnelde.

Sarah legde aan Scarpirato uit dat ze een vrije middag nodig had om dringende persoonlijke zaken te regelen.

'Prima,' zei hij glimlachend. 'Ik denk toch niet dat je deze vrijdagmiddag veel uit zou voeren.'

Opgelucht liep Sarah terug naar haar bureau, pakte haar schoudertas en stond net op het punt te vertrekken toen Wilson haar riep.

'Wacht even. Ik heb een telefoontje voor je. Klinkt Italiaans. Lijn een.'

Sarah greep haar telefoon en drukte de knop geïrriteerd in. Ze sprak in het niets: 'Hallo! Hallo!' Maar er was niemand aan de lijn.

Opgesloten in de telefooncel lachte Gianni Carudo in zichzelf. Sarah Jensen was op kantoor, zoals het hoorde. Voor zover zij wist, was het tenslotte een gewone dag. Ze hoefde niet te weten dat het haar laatste zou zijn. Carudo verkneukelde zich bij de gedachte.

Nijdig gooide Sarah de hoorn op de haak. Als je haast had, was er altijd wel een idioot die belde. Ze greep haar tas die ze tijdens het telefoontje weer had neergelegd en verdween snel naar buiten voordat dezelfde persoon haar nog een keer probeerde te bellen.

Op Lower Thames Street hield ze een taxi aan en gaf de chauffeur opdracht naar Carlyle Square te rijden, waar hij vijf minuten moest wachten voordat hij haar naar de luchthaven Heathrow moest brengen. Hij knikte gretig; dit was een goede rit. Minstens veertig pond, rekende hij uit.

Een half uur later reed hij Carlyle Square op en vond een parkeerplaatsje net om de hoek van Sarahs huis. Sarah snelde naar binnen om haar paspoort te pakken, een paar dingen in een koffer te gooien en Jacob te bellen om te laten weten waar ze naartoe ging.

De taxichauffeur parkeerde zijn auto en zette de motor af. Vanuit de taxi keek hij naar de tuin met een overdaad aan kleurige bloemen. Er kwam een schriele jongeman met een honkbalpet op zijn hoofd naar hem toe gewandeld. Hij had iets onplezierigs over zich, een soort kwaadaardige blik. Opgelucht zag hij hoe de man voorbijliep en in de menigte op King's Road verdween.

Er werd op zijn raampje geklopt en hij sprong op. De jonge

vrouw was terug met een kleine koffer in haar hand. Ze stapte in de taxi.

'Vertrekhal nummer twee, alstublieft.'

Hij startte de auto en draaide King's Road op. Sarah zat achterin met gebogen hoofd verdiept in de *Evening Standard* die iemand op de achterbank had laten liggen.

De taxichauffeur reed langs de man met de honkbalpet. Hij keek recht voor zich uit en zag de prachtige vrouw die een paar meter naast hem in de taxi voorbijreed niet.

De Swissair-vlucht 833 arriveerde om vijf over halfzes op het vliegveld van Genève. Peter Jaeggli stond zoals beloofd in de ontvangsthal te wachten. Hij begroette Sarah stijfjes en nam haar mee naar zijn auto – een metallic blauwe Alfa Romeo Spyder. Het dak was naar beneden, het was nog steeds warm in de late middag.

Ze reden zonder iets te zeggen. Door de wind waaiden Sarahs haren de hele tijd in haar gezicht, totdat ze vaart moesten minderen omdat ze in de avondspits terechtkwamen. Een half uur later draaiden ze een klein, met keien geplaveid straatje op in het oude Genève, ongeveer een kilometer van Peters kantoor vandaan. Glimlachend parkeerde hij voorzichtig en draaide handig achteruit een klein plekje op. Nog steeds zonder iets te zeggen, nam hij Sarah mee naar zijn appartement op de eerste verdieping. Hij deed de deur voor haar open en liet haar voorgaan. Zijn bewegingen waren houterig en ongemakkelijk. Zijn verantwoordelijkheden als gastheer en vriend kwamen niet overeen met zijn zakelijke taken. Hij gaf haar een whisky, schonk voor zichzelf ook een groot glas in en ging naast Sarah op de bank zitten.

Hij speelde met zijn glas. De spanning was te snijden. Sarah deed geen enkele poging om met hem te kletsen. Hij moest maar zeggen wat hij op zijn hart had, dan konden ze daarna misschien als oude vrienden weer gewoon doen.

Hij schraapte zijn keel.

'Dit is een beetje moeilijk voor me, Sarah...' zei hij en keek haar aan. Hij zag er neerslachtig en verontschuldigend uit, maar ook vastbesloten. Ze glimlachte en haalde haar schouders op; ze vergaf het hem bij voorbaat al.

'De drie miljoen die je pas hebt verdiend op de financiële markten, dat moet ik aan mijn chefs melden. En ik moet je vragen hoe je het gedaan hebt.'

Sarah zuchtte bijna onmerkbaar, leunde naar achteren en keek Jaeggli aan alsof ze verwachtte een verklaring in zijn ogen te zien.

Dit was raar. Ze zou net zoveel geld moeten kunnen opnemen en storten als ze wilde zonder dat ze daarvoor verantwoording af hoefde te leggen aan haar account-manager. Het was de bedoeling dat hij op haar rekening lette, dat hij ervoor zorgde dat betalingen en ontvangsten afgehandeld werden, dat ze rente kreeg wanneer haar dat toekwam en al die andere dingen die hij hoorde te doen. En nu zat hij zich hier te gedragen als de een of andere beschermengel van haar financiële onkreukbaarheid. Ze merkte dat ze kwaad werd. Ze nam een grote slok whisky en voelde de woede weer zakken. Ze probeerde rustig en rationeel na te denken, maar een groeiend gevoel van onrust nam bezit van haar, alsof ze daar het antwoord in moest zoeken.

Voor zover ze wist, mochten de autoriteiten alleen vragen stellen of rekeningen in de gaten houden als Zwitserse banken werden verdacht van het verbergen van drugsgelden of een ander evenredig zwaar misdrijf. Jaeggli gedroeg zich meer als een politieagent dan een account-manager, dus was er ergens iemand die vermoedde dat haar drie miljoen op oneerlijke wijze verkregen waren. En dan niet op de gematigde illegale manier die door de meeste Zwitserse banken zonder vragen geaccepteerd wordt, maar geld dat voortkwam uit zware criminele activiteiten. Haar hersens werkten op volle snelheid.

'Ik denk dat je me maar beter kunt vertellen waar dit allemaal over gaat.'

Nu was het Jaeggli's beurt om verbaasd te zijn. Op Sarahs gezicht lag een resolute en onverbiddelijke uitdrukking.

'Ik hoor dit eigenlijk met niemand te bespreken. In feite had ik je hier helemaal niet mogen uitnodigen.'

'Dat geloof ik graag. Maar dat heb je wel gedaan en je krijgt niets van me te horen voordat je me jouw verhaal hebt verteld, dus je kunt het net zo goed vertellen.'

Jaeggli was een tijdje stil en begon toen met zijn uitleg.

'Het is twee maanden geleden begonnen. De algemeen manager, Herr Hoffman, riep me bij zich en vertelde me dat de Britse en Duitse autoriteiten opdracht aan Cordillon hadden gegeven om een aantal dingen te onderzoeken. Hij vroeg me om in de gaten te houden of er na bepaalde data grote ontwikkelingen plaatsvonden op mijn accounts. Hij heeft geen uitleg gegeven over die data en wilde ook niet zeggen wat de reden van het onderzoek was, maar na een paar weken kwam ik erachter dat de autoriteiten op zoek waren naar verschuivingen van grote bedragen na belangrijke economische gebeurtenissen zoals veranderingen van rentetarieven en belangrijke inmenging van de G7 op de valutamarkt.' Jaeggli hield een adempauze. 'En toen kwam jouw drie miljoen binnen, twee dagen nadat de Banca d'Italia het disconto met een punt had verhoogd.'

Jaeggli zuchtte diep alsof er een grote last van zijn schouders was gevallen. Hij stond op, liep naar een bijzettafeltje en pakte een zwart doosje Davidoff-sigaretten. Hij liep terug en bood Sarah er ook een aan. Ze namen allebei lange trekken van hun sigaret.

Sarah dacht snel na. De gevolgtrekking van Jaeggli's verklaring bracht haar van haar stuk. De Britse autoriteiten vermoedden dat er een lek zat bij de G7 en dat er ergens iemand op de valutamarkt zat te handelen met voorkennis. De Bank of England moet dat geweten hebben. Anthony Barrington moet dat geweten hebben. En toch had hij haar niets verteld, hij had haar zelfs geen enkele hint gegeven. Waarom niet? Sarah overwoog de mogelijkheden.

Het was niet logisch dat hij ervan op de hoogte was maar haar niets vertelde. Maar als hij niets wist van ICB en Arnott en Vitale, dan wist hij wel dat er iemand handelde met voorkennis die afkomstig was van de G7. Ineens sloeg de realiteit als een klap in haar gezicht. Er moest meer aan de hand zijn dan een klein komplot van mensen die handelden met informatie van de G7. Barrington vermoedde dat er bij ICB een vertakking zat van een organisatie die hij al kende. Maar waarom had hij daar niets over gezegd? Vertrouwde hij haar niet of was er een andere reden om haar in het ongewisse te laten? Ze wendde zich tot Jaeggli.

'Die autoriteiten, waren die op zoek naar iemand in het bijzonder, waren er bepaalde rekeningen waar je op moest letten?'

Jaeggli staarde naar de grond. Na een tijdje keek hij op en begon langzaam en terughoudend te praten. Door met haar te praten en haar dit te vertellen, brak hij met alle regels van het vertrouwen dat in hem gesteld was.

'Nou, ik heb natuurlijk alleen met Hoffman gesproken en hij was ontzettend voorzichtig. Hij duwde me in de richting van bepaalde rekeningen. Hij heeft zich denk ik niet gerealiseerd dat ik de identiteit van een aantal van die rekeninghouders kende. Het zijn geheime rekeningen met alleen maar nummers zonder namen, maar een paar maanden geleden – voordat dit gedoe begon –

heb ik een paar dossiers van een van de rekeningen op zijn bureau zien liggen, en toen zag ik dat hij ze meenam naar een afspraak met een cliënt. Ik heb de cliënt ook gezien. Ik herkende zijn gezicht omdat ik zijn foto in de kranten had gezien. Het was Antonio Fieri. Het waren onder andere zijn rekeningen waar ik later op moest gaan letten.'

Sarah keek hem niet begrijpend aan. De naam zei haar niets.

'Ze zeggen dat hij een mafiabaas is,' zei Jaeggli.

Hij keek Sarah aan. Haar gezicht werd strak en bleek, alsof ze een masker droeg. Binnen in haar raasden paniek, verwarring en angst door elkaar. Toen werd ze langzaam maar zeker overmand door woede.

'Ga je me nu vertellen wat er aan de hand is?' Jaeggli's stem drong uit de verte tot haar door. Ze keek hem afwezig aan, toen kwam er een klein beetje van de oude vertrouwde warmte terug in haar gezicht.

'Dat kan ik niet. Ik kan je alleen maar vertellen dat ik ook voor de autoriteiten werk.'

Hij keek haar aan. Er was iets in haar stem dat ervoor zorgde dat hij haar geloofde.

'Dat geld dat ik verdiend heb, heeft ermee te maken. Het is beter als je er geen aandacht op vestigt. Ik weet dat het veel gevraagd is...' In de stilte die volgde, keek ze hem aan. Nauwelijks ademend wachtte ze zijn antwoord af. Om de een of andere reden was ze er zeker van dat hij aan niemand iets had verteld over haar drie miljoen. Het was dezelfde intuïtie die haar ervan had weerhouden het aan Barrington te melden.

Jaeggli spreidde zijn handen en staarde naar zijn vingers. 'Goed. Ik zal mijn mond houden. Als ik er geen aandacht op vestig, valt het niemand op. Maar Sarah...'

'Ja?'

'Ik zou het niet nog een keer doen als ik jou was.'

Ze leek ver weg. Hij schonk nog een glas whisky voor haar in. Ze dronk er met kleine slokjes van zonder iets te zeggen. Hij schoof naar haar toe en woelde door haar haren.

'Zeg, nu je hier toch bent, laten we proberen dit te vergeten. Waarom blijf je dit weekend niet hier? We kunnen gaan wandelen in de bergen.'

Sarah draaide zich naar hem toe en glimlachte. Hij voelde dat ze weer een beetje bijkwam.

'Dat lijkt me een fantastisch idee.'

De Swissair-vlucht 838 van Genève naar Londen Heathrow steeg zondagavond om vijf over acht op. Aan haar stoel vastgegespt, staarde Sarah door het raam naar buiten toen het vliegtuig opsteeg. In de verte waren de Alpen te zien.

Ze had een heerlijk weekend gehad met Peter. Ze hadden geklommen, gegeten en gedronken, net als vroeger met Alex erbij. Het was haar even gelukt al haar angsten uit haar hoofd te zetten.

Ze keek door het raam naar de uitstekende pieken en dacht aan haar broer en haar vriend die duizenden kilometers verder waren, ver buiten haar bereik in de wildernis van de Himalaya. Ze vroeg zich af hoe het met hen ging, of ze haar misten. Opnieuw voelde ze zich eenzaam en bang.

Om kwart voor negen plaatselijke tijd kwam ze aan op Heathrow. Ze liep door de douane naar een telefoon, vond er een die niet bezet was, gooide er vijftig pence in en belde Dante. Na drie keer rinkelen nam hij op.

'Dante, met Sarah.'

'Ha, je bent weer terug. Hoe is het met je dringende persoonlijke zaken gegaan?'

'Luister, Dante. Kan ik langskomen? Ik moet met iemand praten. Je bent toch alleen, hè?'

Hij lachte. 'Ja, ik ben alleen. Kom maar.'

22

Gianni Carudo vloekte in stilte. Sarah Jensen was niet thuis. Ze was een weekendje weg, zoveel was hem wel duidelijk. Er was geen teken van leven. De lichten waren uit, het antwoordapparaat stond aan. Ze had een goede stem: krachtig en uitdagend. Daar hield hij van. Hij belde om het half uur. Ze was er nog steeds niet. Na een tijdje begon hij een hekel te krijgen aan haar stem.

En toch moest ze een keer thuiskomen - waarschijnlijk vanavond - en als het zover was dan was hij er klaar voor. Langzaam maar zeker stegen zijn woede en ongeduld.

Christine Villiers voelde de opgewonden rillingen over haar rug lopen. Ze had het huis het hele weekeind in de gaten gehouden en eindelijk was de vriendin vertrokken. Ze wist zeker dat Scarpirato nu alleen was. Ze keek om zich heen. De straat was verlaten. Ze was er klaar voor. Ze glimlachte en liep naar zijn deur.

Binnen had Scarpirato net een glas wodka ingeschonken en een sigaar opgestoken. Hij zat op Sarah Jensen te wachten. Het had hem niet verbaasd dat ze belde. Hij had geweten dat ze vroeg of laat weer bij hem terug zou komen.

Er werd aarzelend op de deur geklopt. Hij liep naar de hal en opende de voordeur. Er stond een volslagen onbekende. Hij keek haar verbaasd aan.

'Ja?'

Ze was van gemiddelde lengte, blond en erg knap. Haar lange haar zat in een paardestaart die aan de achterkant onder de honkbalpet vandaan kwam. Ze had een hoekig gezicht met hoge jukbeenderen, een rechte neus en een scherpe kaaklijn. Het was een krachtig gezicht dat er zelfs met een glimlach nog vastberaden uitzag. Haar ogen waren kil en deden niet mee aan de glimlach. Ze droeg een strakke spijkerbroek en een T-shirt, zodat ze er jonger uitzag dan de blik in haar ogen suggereerde. Ze stelde zich voor als Gabrielle, een vriendin van Sarah die met hem wilde praten.

Hij had een zwak voor blonde vrouwen en liet haar binnen. De deur viel achter haar in het slot. Hij liep voor haar uit door de lange gang. Hij kon op zijn minst naar haar luisteren.

Het was perfect. Lang en donker. Geen ramen en dikke muren.

Christine stak een hand in haar tas en haalde een .22 kaliber Ruger Mark II te voorschijn. Het was een automatisch pistool met geluiddemper. Ze zette haar beide voeten stevig op de grond, hield het pistool met twee handen vast, spande de haan en richtte op het hoofd drie passen voor haar. Dante draaide zich net om op het moment dat ze de trekker overhaalde. De woorden bestierven op zijn lippen. Toen hij tegen de trap aan stortte, viel de sigaar uit zijn vingers op het tapijt. Het kleed begon te smeulen, binnen een paar minuten zou het branden.

Christine bestudeerde het rokende pistool. Zorgvuldig stopte ze het terug in het geborduurde schoudertasje. Ze moest zich er nu van ontdoen. Gelukkig kon ze dankzij meneer Dante Scarpirato genoeg nieuwe kopen.

Ze controleerde haar kleding. Geen bloed. Ze had genoeg afstand genomen. De muur achter hem zat helemaal onder de spatten, maar op haar was niets terechtgekomen. Nonchalant stapte ze het huis uit en sloot de deur achter zich.

Ze wandelde naar King's Road en ging daar op in de massa. Via een omweg kwam ze na twintig minuten thuis. Ze pleegde twee korte telefoontjes: een zakelijk en een privé. Ze glimlachte verheugd, vanavond zag ze Nicole.

De taxi snelde over de A4 naar het centrum van Londen. De motor bracht een hoog, fluitend geluid voort dat in Sarahs oren bleef hangen. Het geluid verdween toen de auto van Cromwell Road naar Earls Court Road ging en vaart moest minderen voor de hoeveelheid verkeer en voetgangers op de weg.

Sarah liet haar ogen rusten op de zorgeloze drukte buiten. Over vijf minuten was ze thuis. Ze zou zich snel douchen, verkleden en dan naar Scarpirato gaan.

Ze zakte onderuit op de harde plastic bank en dacht aan wat Jaeggli haar had verteld. Het woord 'mafia' joeg beangstigend door haar hoofd.

Catania en Vitale waren Italiaans. Stonden zij in verbinding met de mafia? Gezien de overvloed aan schandalen in Italië waarbij de mafia, de regering en grote bedrijven betrokken waren, zou het verwonderlijk zijn als de mafia er niet bij betrokken zou zijn.

Het was bijna te veel om te kunnen bevatten. Het leek onwerkelijk, ongelooflijk. Sarah wilde haar ogen sluiten en haar gedachten stopzetten. Ze besloot rechtstreeks naar Dantes huis te gaan.

Ze zei tegen de taxichauffeur dat ze van gedachten veranderd was en gaf hem Scarpirato's adres, Wellington Square in Chelsea. Ze leunde naar achteren en deed haar ogen dicht.

Toen ze ze een paar minuten later opende, zag ze een grote chaos. De taxichauffeur was gestopt op de kruising van King's Road en Wellington Square. Het plein was afgesloten en stond vol brandweerwagens en politieauto's. Sarah zag dat er een huis in brand stond. De rook bleef hangen tussen de bomen op het plein. De brand was aan de andere kant van het plein, ze kon niet zien op welk huisnummer. Haar maag trok zich samen, ze hoefde het nummer niet te zien.

Er was een politieagent naar de taxi gekomen die nu door het raampje naar haar stond te kijken.

'Woont u hier, mevrouw?'

Ze hield haar stem onder controle. 'Nee. Ik was van plan om hier bij iemand op bezoek te gaan. Maar het geeft niet, het heeft geen haast.'

De agent knikte en draaide zich om; hij was al afgeleid door een andere auto die probeerde het plein op te draaien. Sarah voelde dat ze haar zelfbeheersing kwijt begon te raken. Ze boog zich naar de taxichauffeur. Ze gaf hem Jacobs adres en kroop toen in elkaar op de achterbank.

Ze wist dat het Dantes huis was dat in brand stond, en ze wist met absolute zekerheid dat hij dood was.

Jacob hoorde de taxi voor zijn deur stoppen en zag Sarah ineengedoken op de achterbank zitten. Hij liep naar buiten, betaalde de chauffeur en leidde Sarah naar binnen. Nadat hij Sarah op de bank had gezet en een glas whisky voor haar ingeschonken had, vroeg hij haar vriendelijk maar resoluut: 'Wat is er gebeurd?'

Sarah vertelde het verhaal automatisch waarbij ze grote stiltes liet vallen.

'Ik ben het hele weekeind bij Peter Jaeggli in Genève geweest. Hij wilde van alles weten over mijn drie miljoen dollar. Hij heeft me verteld dat hij de opdracht had gekregen om een aantal rekeningen in de gaten te houden op momenten dat de centrale banken zich op de markt hadden begeven en als er wijzigingen waren in de rentetarieven. De Britse en Duitse autoriteiten wilden dat kennelijk weten. Een van de rekeningen die Jaeggli in de gaten moest houden, is van Antonio Fieri, hij is een...' Ze stopte even.

Jacob zat in zichzelf te mopperen en keek haar aan.

'Fieri is mafia.'
'Dat weet ik.' Ze deed haar best rustig adem te halen. Na een paar minuten ging ze door.
'Dante is dood. Ik ben er net geweest. Er stonden allemaal brandweerauto's. Er stond een huis in brand. Het was zijn huis, Jacob.' De tranen rolden over haar wangen en ze begon te trillen.
'Misschien is er niets aan de hand. Je weet het niet zeker.'
Ze schudde haar hoofd.
Jacob staarde voor zich uit zonder iets te zien. Moeizaam stond hij op om hun glazen bij te vullen.
'We moeten hier uit zien te stappen, Sarah. Dit gedoe is vreselijk uit de hand gelopen. Om de een of andere reden ben jij in deze slangenkuil gegooid en zoals ik het zie, hebben ze je behoorlijk in de steek gelaten. Er is een heleboel aan de hand dat je had moeten weten en toevallig ben jij er per ongeluk achter gekomen. Er is iets smerigs aan de gang, en dan heb ik het niet alleen over Kessler, Catania en de mafia, ook al is dat op zich al erg genoeg. En dan nog dat met Scarpirato, hoewel ik hoop dat er niets met hem aan de hand is. Nee, we moeten het nog dichter bij huis zoeken, bij Barrington. Denk je niet dat het tijd wordt om de waarheid uit hem te persen?'
Hij zei het vriendelijk, maar duldde geen tegenspraak. In zijn ogen was woede te zien, gericht op degene die hier achter zat.
Langzaam dronk Sarah van haar drankje.
'Ik weet 't. Ik hoor er middenin te zitten maar ik snap er geen barst meer van. Het voelt al een tijdje niet zo lekker, maar nu ben ik doodsbang.' Ze haalde diep adem en tuurde in haar glas. 'Ik zal hem nu meteen bellen. Hij is naar New York geweest. Misschien is hij daar nog steeds...' Langzaam stierf haar stem weg.
Jacob gaf haar de telefoon en ze belde zijn privé-nummer. Er werd niet opgenomen. Ze maakte een hulpeloos gebaar met haar handen.
'Ik zal het morgen nog een keer proberen.'
Jacob liep op haar af en pakte haar hand vast.
'Ga maar lekker naar bed, meiske. Je kamer is klaar. Ik had er al een pyjama neergelegd, voor het geval dat.' Hij kuste haar welterusten en keek haar na toen ze opstond, haar glas meenam en naar de slaapkamer liep.
In de stilte van haar kamer goot ze de whisky naar binnen en viel in een diepe rusteloze slaap.
Jacob bleef tot diep in de nacht op en aaide Ruby die op zijn

schoot lag. Hij had zo zijn eigen ideeën en die waren niet bepaald optimistisch.

Aan de andere kant van de stad, zo'n tien kilometer verderop, was ook nog steeds iemand wakker. Christine Villiers zat in haar eentje thuis op nieuws te wachten. Nicole was gekomen en had haar op een plezierige manier een paar uur lang afgeleid, voordat ze net na middernacht vertrokken was. De nacht was donkerder en steeds stiller geworden, totdat het leek alsof er geen enkele auto meer op straat was en iedereen in bed lag. Ze zat zwarte koffie te drinken en naar de klok aan de wand te staren. Ze sloeg haar eenzaamheid als een mantel om zich heen.

Vroeg in de ochtend had Daniel al gebeld. Hij zei: 'Alles is in orde.' Matsumoto was dus dood. Scarpirato ook. Nu Jensen nog.

Het speet haar en tegelijkertijd was ze ongerust. Jensen was een intrigerende en mooie vrouw. Ze had een foto gezien die Kessler naar Catania had gefaxt en Catania op zijn beurt naar haar. Het was een zwart-witfoto die geplaatst was in een tijdschrift waarvoor Sarah een artikel had geschreven. Christine had een exemplaar aan Gianni Carudo gegeven en er een zelf gehouden. Ze haalde de foto uit een la. Ja, het was jammer. Ze had deze vrouw graag willen ontmoeten, maar voor een miljoen pond kon ze beter dood zijn.

Abrupt keek ze op haar horloge en fronste geïrriteerd. Carudo had allang moeten bellen. Jensen had een paar uur geleden al thuis moeten zijn. Carudo had haar moeten opruimen. Misschien was er iets fout gegaan. Ze begon zich zorgen te maken.

Om zeven uur 's morgens belde Carudo eindelijk. Hij klonk gespannen. Hun 'gast', zei hij eufemistisch, was niet thuisgekomen. Hij wachtte al de hele nacht. Wat moest hij nu doen? Stoppen, zei ze. Teruggaan naar het hotel en het 's avonds nog een keer proberen. Hun gast was kennelijk bij haar vriendje blijven slapen.

Sarah werd zoals gewoonlijk om zes uur wakker. Ze lag in het smalle eenpersoonsbed in Jacobs logeerkamer en staarde naar het plafond. Het angstige gevoel overspoelde haar direct weer. Ze dwong zichzelf om op te staan en te gaan douchen.

Toen ze druppend uit de badkamer stapte, was het nieuws op de radio. Ze wikkelde de handdoek om zich heen en stapte terug in bed. De woorden van de nieuwslezer gleden langs haar heen. Haar hersens werkten nauwelijks, totdat de woorden ineens met volle kracht tot haar doordrongen. Een verdachte brand... gisteravond... in Chelsea... een achtendertigjarige Italiaan. Dante Scarpirato. De politie... onderzoek naar vermoedelijke moord...

Ze rende de kamer uit en botste boven aan de trap tegen Jacob op. Ze deed een stap naar achteren en sloeg haar armen om zichzelf heen. Kreunend wiegde ze heen en weer. Haar scherpe nagels sneden net zo lang in haar bovenarmen tot het bloed ongemerkt langs haar ellebogen op de grond drupte. Toen stortte ze in.

Jacob drukte haar stevig tegen zich aan. Doordat ze zo hevig stond te schokken, trilde hij mee en zijn overhemd kwam onder het bloed te zitten. Langzaam, naar adem happend, vertelde Sarah hem over het nieuwsbericht. Dante was dood. Hij knikte. Hij had het ook gehoord.

Met gierende uithalen begon ze te snikken. Ze huilde tot haar ribben er pijn van deden. Jacob hield haar vast en liet haar huilen tot ze een beetje rustiger werd.

Er ging een uur voorbij. Aangekleed nu, zat ze tegenover Jacob aan de keukentafel met een dampende kop koffie in haar handen. De krant lag tussen hen in. Hij had haar zojuist gewezen op een klein berichtje. Er stond: 'In haar woning in het exclusieve Hay's Mews in Mayfair is gisteravond een dode vrouw gevonden. Waarschijnlijk is ze het slachtoffer van moord. De politie weigert haar naam vrij te geven voordat haar familie op de hoogte is gebracht.'

Sarah klemde haar handen zo vast om de mok dat ze ze bijna brandde. Ze keek Jacob aan, zijn gezicht stond grimmig. Ze wisten allebei dat het bericht over Mosami ging.

Sarah keek om zich heen naar het rustgevende interieur. Er hingen Chinese kopjes en borden aan een dressoir uit Wales, er stonden kasten vol glaswerk en op de vloer lag oud eikehouten parket. Ruby was net vanuit het rozenperk naar binnen gekomen en lag opgekruld in een hoek zonder zich iets aan te trekken van Sarahs gesnik.

Hoe lang zou het duren voordat degenen die Dante en Mosami hadden vermoord haar en Jacob ook gevonden hadden en hun levens kwamen vernietigen?

Langzaam duwde ze zich omhoog op de tafel.

'Ze zullen ons op moeten nemen. Barrington en wie er vanaf nu nog meer bij betrokken is. Ze moeten ons in veiligheid brengen en de rest arresteren. Ik ga hem nu bellen...'

Jacob knikte en volgde haar met zijn ogen naar zijn werkkamer. Hijzelf liep naar zijn slaapkamer en pakte daar een andere telefoon - een aparte lijn en ander telefoonnummer. Hij toetste een dertien cijfers tellend nummer in. Hij praatte kort, hing op en belde een ander nummer, dichter bij huis ditmaal. Binnen vijf minuten was alles geregeld.

Sarah Jensen belde naar het appartement van de president van de Bank of England. Na vier keer rinkelen nam er een vrouw op.

Sarah hield de hoorn stevig vast. Ze sprak langzaam en weloverwogen.

'Ik zou de president graag willen spreken.'

Er viel een korte stilte. 'Ik ben bang dat hij in bespreking is.'

Sarah deed haar best rustig te blijven klinken. 'Ik moet hem nu absoluut spreken.'

Weer stilte. 'Ik zal zien wat ik voor u kan doen. Een momentje alstublieft...' Mevrouw Barrington trok zich terug en ging haar echtgenoot storen tijdens zijn ontbijt. Een paar seconden later kwam Barrington aan de lijn.

Sarah werd doodkalm, alle emoties gleden van haar af.

'Dante Scarpirato en Mosami Matsumoto zijn dood. Mosami was mijn beste vriendin. Ze hielp me bij mijn onderzoek. Ik heb u vrijdag al geprobeerd te bellen om te zeggen dat Karl Heinz Kessler de derde man is. Catania zelf is de vierde, hij krijgt een kwart van de winst. De mafia is erbij betrokken. Ik geloof dat ze me proberen te vermoorden. U moet iets doen. U moet een vriend en mij bescherming bieden. En u moet Arnott, Vitale en Kessler onmiddellijk arresteren. U hebt genoeg bewijs. Dit gaat niet alleen om een financiële samenzwering. Het gaat nu om moord. En u moet contact opnemen met Italië, ze moeten Catania arresteren. En het gaat nog om iemand die Fieri heet, hij is er ook bij betrokken.'

Barrington reageerde geschokt. 'O god, Sarah. Dit is vreselijk.' Hij was een paar seconden stil. Toen hij verder praatte, vond Sarah dat hij erg gekunsteld sprak. 'Natuurlijk zullen we je beschermen. Ik zal het onmiddellijk regelen. Blijf waar je bent en blijf rustig. Ik moet je telefoonnummer hebben.'

Sarah noemde Jacobs nummer.

'Ik bel je zo terug.'

Sarah hing op en ging in de keuken op Jacob zitten wachten.

Het was haar nu pijnlijk duidelijk dat ze helemaal niet voor de president van de Bank of England werkte, maar voor een volslagen andere persoon; iemand die boven hem stond, van wie hij zijn opdrachten kreeg. Ze zag helemaal voor zich hoe ze nu zaten te overleggen wat ze met haar moesten doen. En dan belde Barrington haar zo terug om te vertellen wat ze moest doen, terwijl hij doorging met de schijnvertoning dat alle beslissingen van hem afkomstig waren.

Ze beeldde zich in dat een onzichtbare hand haar bespeelde als een marionet. Afgezien van haar angst voelde ze zich verscheurd en in de steek gelaten. Er kwam een vaag bekende woede in haar op.

Ze hield zichzelf in bedwang. Barrington zou terugbellen. Ze zou afwachten en hem nog eventjes het voordeel van de twijfel gunnen. Er moest een goede reden, een logische verklaring voor dit alles zijn. Daar klampte ze zich aan vast, en aan de hoop dat Jacob en zijzelf plotseling op een wonderbaarlijke manier in veiligheid gebracht zouden worden. Daarna zou de uitleg volgen en zou alles duidelijk worden. Kessler en zijn partners zouden worden gearresteerd, haar taak zou afgelopen zijn en dan waren Jacob en zij veilig.

En toch wist ze dat het niet op die manier zou gaan.

James Bartrop hoorde het nieuws gelaten aan. Hij had het nieuws van de moorden op Scarpirato en Matsumoto wel gehoord, maar het nog niet eerder in verband gebracht met Sarah Jensen. Hij zat net aan zijn rampenplan te denken toen Barrington belde. Zijn opdracht aan hem was eenvoudig: 'Bel haar op, zorg dat ze blijft waar ze is en laat haar weten dat je iemand stuurt om haar op te halen. Ik regel het verder.'

Barrington was niet in de stemming om over details van deze nachtmerrie te discussiëren. Jensen had onmiddellijke bescherming nodig, daar moest nu aan gewerkt worden. Bartrop zou het overnemen. De beschuldigingen konden wachten tot ze in veiligheid gesteld was. Het was een ramp, een puinhoop die over lijken ging, en waarom... Hij had er nooit bij betrokken moeten raken. Hij dacht aan de politie, aan alle vragen die er gingen komen en vroeg zich af hoe Bartrop dat allemaal in de hand ging houden.

Er zouden ongetwijfeld dingen uitlekken, onderzoeken gaan plaatsvinden, er zouden publieke protesten komen. Aan de andere kant was er nog nooit een president van de Bank of England uit zijn functie ontheven en Bartrop had aan de telefoon ook niet bepaald wanhopig geklonken. Hij klonk kalm en beheerst, hooguit een beetje verbaasd en opgewonden.

Hij belde Sarah terug. Ze nam meteen op.

'Het is allemaal geregeld, Sarah. Blijf vooral rustig. Ik moet weten waar je zit zodat ik mensen naar je toe kan sturen om je op te halen.'

'Wanneer? Wie? Waar herken ik ze aan? Wanneer komen ze? Ze moeten nu direct komen.' Als gevolg van angst en wantrouwen rolden de woorden ongecontroleerd naar buiten.

'Ze komen zo snel mogelijk, Sarah. Als je me je adres geeft, vertrekken ze meteen.'

Angstig en uitgeput ratelde ze Jacobs adres op en gooide ze de hoorn op de haak.

Op dat moment kwam Jacob binnen.

'Wat is er gebeurd? Aan wie heb je mijn adres gegeven?'

Geschrokken van de toon waarop hij dat tegen haar zei, antwoordde ze: 'Barrington. Hij stuurt mensen om ons op te halen. Om ons in veiligheid te brengen.'

Zijn vriendelijke ogen stonden nu kil en hij ging tegenover haar zitten. Ongelovig hoorde hij haar aan.

'Ze hebben je verteld dat je dit werk op eigen verantwoording moest doen. Dat niemand je zou kunnen helpen als er iets fout ging. En ondanks alles wat ze je niet verteld hebben, kom je erachter dat het helemaal niet om de een of andere inhalige Italiaan gaat, maar om een topbankier, de president van de Banca d'Italia en de mafia. Je collega en je beste vriendin zijn vermoord en nu ben jij van plan om doodleuk in mijn huis te gaan zitten wachten op een paar mensen die je helemaal niet kent. Mensen die je vanaf het begin hebben gezegd dat ze je niet zouden helpen.' Hij zag hoe ze op haar lippen zat te bijten en met een hand de tranen van haar wangen veegde.

Kwaad schreeuwde ze: 'Wat moet ik dan doen? Ik weet niet meer wat ik moet doen, wie ik nog kan vertrouwen.'

Jacob stond op, ging weer zitten en sprak nu iets vriendelijker, maar wel doordringend.

'Luister. Ik heb een paar vrienden die een tijdje voor ons zullen zorgen, totdat we weten wat er echt allemaal aan de hand is. Het is duidelijk dat je niet in dienst bent van Barrington. Dit gaat veel te ver voor hem. Hij is waarschijnlijk de woordvoerder van iemand anders en het zou me niets verbazen als dat de MI5 was. Om de een of andere reden willen ze je niets vertellen en gebruiken ze je als een pion in hun spel.' Hij stak een hand omhoog toen ze begon te protesteren. 'Mijn vrienden kunnen hier over tien minuten al zijn. Ze brengen ons naar het vliegveld. Je hebt je paspoort, dus we kunnen hier over twee uur ver vandaan zijn op een plek waar we veilig zijn en waar niemand ons zal vinden.' Hij zag de aarzeling op haar gezicht. 'Toe nou, Sarah. Denk je nou echt dat je die lui kunt vertrouwen?'

Ze keek in de donkere ogen die ze zo goed kende. Ze leken zo anders nu. Maar hij had gelijk. Barrington had haar bijna vanaf de eerste dag laten zakken en het resultaat daarvan was dat Dante en Mosami dood waren.

'Goed,' zei ze, 'ik ga mee.'

In het Century House noteerde Bartrop het adres dat Barrington hem net gegeven had. Toen belde hij Moira, zijn secretaresse, en vroeg haar of ze het hoofd van MI6, de *chief* die meestal C genoemd werd, voor hem wilde bellen en of ze Miles Forshaw naar hem toe wilde sturen. C kwam aan de telefoon. Bartrop hield het kort. 'We hebben een probleem met Gorgon (losse medewerkers krijgen traditiegetrouw een schuilnaam). Haar beste vriendin en haar collega zijn vermoord. Ze heeft nog veel meer ontdekt, waaronder het nodige over Fieri. Ik haal haar binnen, samen met een onbekende vriend.'

'Zo, dus nu komt alles misschien toch nog in orde. Het is mooie informatie, al is de prijs hoog. Ik was er vanaf het begin al niet zo zeker van of ze deze baan aan zou kunnen, maar daar is het nu te laat voor. Ik zal de raadsman van het ministerie van buitenlandse zaken op de hoogte moeten brengen, dan kan hij het vast melden aan de staatssecretaris. Je hebt het CNC volledig op de hoogte gebracht?'

'Ja, ze zijn zich nu aan het voorbereiden.'

'Prima. Red wat er te redden valt, Bartrop.'

Bartrop hing op. Een paar seconden later kwam Forshaw binnen.

'Ik wil dat je een ploeg naar dit adres in Golders Green stuurt.' Hij overhandigde Jacobs adres. 'Ik wil dat je Gorgon en degene bij wie ze is binnenbrengt. Doe het rustig zonder dat iemand er iets van merkt. En zet een paar mannetjes op de uitkijk. Vierentwintig uur. Neem het CNC mee en zeg ze dat ze iedereen die zich verdacht gedraagt op moeten pakken. Je weet maar nooit, misschien krijgen we wel een van Fieri's huurmoordenaars te pakken.'

'Denk je dat hij erachter zit?'

'Wie anders?'

Vijftien minuten later was er een speciaal team van MI6-agenten en waarnemers en twee mannen van het CNC onderweg naar Golders Green.

Terwijl Bartrop met Forshaw zat te praten, belde Christine Villiers met Catania in Rome. Ze las hem de kranteberichten over Scarpirato en Matsumoto voor. Hij vloekte hard en gaf haar de opdracht onmiddellijk achter Jensen aan te gaan. En hij verdubbelde het honorarium. Twee miljoen pond als ze voor het einde van de dag opgeruimd was. Christine vroeg zich voor de honderdste keer af wat Sarah Jensen in vredesnaam gedaan had dat haar zo gevaarlijk maakte en waarom haar stilzwijgen zoveel geld waard was. Vermengd met de opwinding over haar opdracht was ze meer dan een beetje nieuwsgierig. Ze besloot de kwestie in eigen hand te nemen. Ze hád geen tijd om Gianni Carudo in te lichten. Ze zou Sarah Jensen zelf vinden en vermoorden.

Ze belde ICB, waar ze een overstuur klinkende man van de valuta-afdeling sprak. Hij zei dat Sarah Jensen de hele dag nog niet op kantoor was geweest. Ze hing op en streek nadenkend met een vinger over haar lippen. Een vluchtplaats. Jensen moest een schuilplaats hebben.

Ze liep naar haar kluis, haalde daar een grote bos sleutels uit en ging naar de slaapkamer. Uit een kast trok ze een hele stapel pruiken en een grote make-updoos. De blonde pruik die ze gisteren voor Scarpirato had gedragen, lag bovenop. Ze graaide in de stapel en haalde een pruik met lang, golvend, donkerbruin haar te voorschijn. Voorzichtig schoof ze de pruik over haar eigen korte blonde haar en trok er een paar keer hard aan om er zeker van te zijn dat hij goed bleef zitten. Toen opende ze de make-updoos en haalde daar vier wattenstaafjes uit van het soort dat tandartsen gebruiken als ze hebben geboord of een kies hebben getrokken. Onder elke wang duwde ze twee van deze tampons. Haar spiegelbeeld was compleet veranderd. De harde blonde vrouw was veranderd in een vriendelijke, mollige brunette met een brede glimlach en vrolijke wangen.

Ze pakte haar tasje waar de .22 nog steeds in zat. Ze pakte het pistool eruit. Later zou ze het aan Daniel geven om het te laten verdwijnen, maar eerst legde ze het in de kluis waar ze het omwisselde voor een ander model; een automatische Browning, veel gebruikt door de SAS. Ze wilde niet dat de moorden met elkaar in verband gebracht werden. De kluis ging weer op slot en ze liep naar buiten.

Tien minuten later stond ze met een ongeruste uitdrukking op haar gezicht bij Sarah aan te bellen. Toen er achter haar iemand iets zei, maakte ze een sprongetje van schrik. Mevrouw Jardine stond met haar twee kinderen op de stoep.

'Op dit tijdstip zult u Sarah Jensen niet thuis treffen. Ze is nu op haar werk.'

Christine keek verdrietig en geschokt. 'Dat is nou juist het probleem,' zei ze. 'Ze is niet op haar werk en hier is ze ook al niet.' Ze zag er hulpeloos uit, het leek of ze ieder moment in tranen uit kon barsten. 'Ik moet haar vinden. Het gaat over haar broer, Alex. Hij is ernstig gevallen in de bergen. Het gaat heel slecht met hem. Ik moet het haar vertellen... ze zal er meteen heen willen.' Ze was nu bijna hysterisch. Heimelijk was ze echter doodkalm en triomfantelijk. Het was eersteklas achtergrondinformatie die ze van Catania had gekregen. En deze vrouw slikte het hele verhaal.

Geschrokken sloeg mevrouw Jardine haar hand voor haar mond. 'O god, de arme meid. Ja, natuurlijk zal ze naar hem toe willen, maar...' Christine viel haar in de rede. 'Ik moet haar vinden. Hebt u enig idee waar ze zou kunnen zijn?'

Mevrouw Jardine dacht diep na. Af en toe mompelde ze 'Tja,' of 'Ik geloof niet...' totdat haar gezicht ineens opklaarde. 'Jacob. Jacob Goldsmith. Dat is een vriend van haar. Een soort oom, hij zorgt ook altijd voor haar als ze ziek is. Ik geloof dat hij in Golders Green woont. Ik heb geen adres, maar hij zal wel in het telefoonboek staan.' Hulpeloos stak ze haar handen in de lucht. 'Het is het proberen waard, denk je niet?'

Christine hield haar gezicht in de plooi. 'Ja, ik hoop het.' Ze zond de vrouw een korte dankbare blik en rende toen naar de telefooncel op King's Road. Mevrouw Jardine keek haar na. Wat een attente jonge vrouw, dacht ze bij zichzelf.

Christine belde de inlichtingendienst. De dame aan de andere kant van de lijn kon haar wel het telefoonnummer van J. Goldsmith geven, maar niet het adres. Ze stelde voor dat ze daarvoor in een telefoongids moest kijken, daar zou het wel in staan. Christine stak rennend de straat over naar de man in de krantenkiosk aan de overkant van de straat. Ja, hij had wel een telefoonboek, als ze even geduld had zou hij het voor haar pakken.

Vijf minuten later kwam hij terug en Christine stortte zich op het boek. Er stonden twee J. Goldsmiths in Golders Green in. Ze noteerde beide adressen en telefoonnummers, riep nog een dankjewel over haar schouder en rende King's Road op waar ze een taxi aanhield om haar naar het eerste adres te laten brengen: Rotherwick Road.

Net voor Rotherwick Road liet Christine de taxi stoppen. Ze betaalde, stapte uit en wandelde kalmpjes de hoek om. Op het moment dat ze over de rustige, met bomen bezoomde straat liep, wist ze dat er iets fout zat. Tegenover nummer vierentwintig stond een busje van *British Gas* geparkeerd, maar er waren nergens werklui te zien. Er kwam een oude man van een jaar of zeventig langzaam en in zichzelf mompelend op haar af lopen. Hij keek haar vluchtig aan, maar al haar gevoel vertelde haar dat ze gevaar liep. Ze liep langs een kat en ineens zag ze haar kans op ontsnapping. Ze tilde de kat op en zei hardop: 'O Tacha, jij ondeugend ding.'

Ze glimlachte toen de man vlakbij haar was gekomen en ze knikte naar de kat. 'Ze ontsnapt altijd als het weer tijd is om naar de dierenarts te gaan. Werkelijk, alsof ze het weet...' Christine draaide zich om. De kat worstelde om vrij te komen en sloeg haar nagels in het dunne katoenen T-shirt zodat er een straaltje bloed over Christines borst liep. Ze onderdrukte een kreet, lette niet op de pijn en vervolgde haar wandelingetje. Toen ze er ongeveer een kilometer verder van overtuigd was dat ze haar niet in de gaten hielden, zette ze de kat neer, hield een taxi aan en reed ze terug naar Chelsea.

De oude man keek haar na terwijl hij de hele tijd door bleef mompelen. Het microfoontje in zijn jasje seinde zijn woorden door naar de waarnemers in het busje.

'Niets aan de hand. Gewoon een rijke Amerikaanse dame die haar kat kwijt was.'

Christine liet zich onderuit zakken op de achterbank van de taxi. Ze wist zeker dat ze gelijk had. Dat was geen onschuldig oud mannetje, dat was een politieagent. Het hele busje zat waarschijnlijk barstensvol met politie. Zij hadden Sarah Jensen het eerst te pakken gekregen. Helaas, maar ze had haar best gedaan. Nu was het tijd om te stoppen en naar Italië te verdwijnen. Ze zou de twee miljoen voor Scarpirato en Matsumoto ophalen en Daniel en Gianni ieder vierhonderdduizend geven. Sarah Jensen was nu verder Catania's probleem.

De waarnemers wachtten. Ze hielden het huis aan de voor- en achterkant in de gaten. Er was geen enkele manier waarop iemand ongezien het huis in of uit kon, maar tot nu toe hadden ze niets gezien. Na een half uur werden ze nerveus. Een van de twee agenten in het busje belde Forshaw, die op zijn beurt naar Bartrop belde. Ze besloten het huis van binnen te onderzoeken als er na een half uur nog steeds geen beweging te zien was. In de tussentijd moesten ze blijven waar ze waren.

Veertig minuten later meldden ze zich opnieuw bij Bartrop. Het huis was leeg. Sarah Jensen en haar onbekende vriend waren gevlucht.

Vijf minuten daarna ging er een bericht naar alle vliegvelden en havens. Alle paspoorten van vrouwen die voldeden aan de beschrijving van Sarah Jensen werden gecontroleerd, maar ze werd niet gevonden.

23

De Cessna vloog al tienduizend meter boven het Kanaal toen het opsporingsbericht van MI6 naar de luchthaven Heathrow gefaxt werd. Sarah Jensen zat in een luxe stoel, de veiligheidsriem hing er achteloos naast. Kettingrokend en met een glas whisky in haar hand hing ze onderuitgezakt tegen de kussens. Afgezien van de keren dat ze een nieuwe sigaret opstak of haar glas bijvulde, hield ze haar ogen gesloten.

Jacob maakte zijn riem los, stond een beetje wankelend op en liep door het smalle gangpad naar haar toe. Hij raakte haar schouder aan en vroeg hoe het met haar ging. Ze leek hem niet te horen. Haar ogen bleven dicht. Hij keek een tijdje op haar neer en liep toen terug naar zijn plaats, waar hij weer ongerust voor zich uit ging zitten kijken.

Hij bracht haar naar een veilige plek, maar het was een schuilplaats met gebreken. Hoe lang kon hij haar nog beschermen? Hoe konden ze uit dit drassige moeras komen waar ze de weg niet kenden?

Sarah zou een tijdje veilig zijn en tegelijkertijd in grote onzekerheid verkeren. Op deze manier kon ze niet opnieuw beginnen. Ze zou kunnen proberen de moorden te vergeten, maar hoe moest ze verder? Op zijn best kwam ze in een machteloze situatie terecht.

Hij wist dat ze op de een of andere manier een plan zou moeten ontwikkelen en er haar persoonlijke stempel op moest drukken. Als ze dat niet deed, zou ze wegglijden in een zinloze modderpoel.

Het vliegtuig schudde heen en weer toen het midden in turbulentie de daling inzette. Sarah opende haar ogen, nam een grote slok van haar whisky en ging toen naar buiten zitten kijken. In de verte zag ze bergen en onder zich een vliegtuig dat schitterde in de felle zon. Ze zag een vliegveld en een landingsbaan. Het vliegtuig dook naar beneden en kwam met piepende banden op het asfalt terecht.

Langzaam taxiede de Cessna naar een kleine terminal. Een geüniformeerde piloot kwam uit de cockpit. Hij glimlachte en vroeg Sarah of ze een prettige vlucht had gehad. Ze hoorde haar eigen stem uit de verte antwoord geven alsof hij van een ander was. 'Ja, dank u,' zei de stem rustig en beleefd voordat het weer stil werd. De man wenkte haar naar voren. Wankel stond ze op. Haar benen voelden als pap en leken niet te doen wat ze wilde. Ze werd overmand door vermoeidheid. Met grote moeite bewoog ze zich in de richting van de man in uniform. Jacob volgde haar en zag hoe ze zich als een gewond kind naar de geopende deur achter de cockpit bewoog.

De piloot sprong op de grond en begroette een andere man die buiten stond te wachten. Het was een donkergekleurde man met een blauw uniform aan. Hij glimlachte naar de twee reizigers en zei: 'Welkom in Marokko.' Marokko. Sarah hoorde het matig geïnteresseerd aan en liep toen de drie treden af de hitte in.

De donkere man pakte de koffers aan van de piloot en bracht Sarah en Jacob naar de terminal. Op de vloeren lagen wit-grijs gevlekte tegels die het geluid van hun voetstappen weerkaatsten. Sarah vond het geluid ondraaglijk hard klinken. Ze keek om zich heen. Overal zag ze Arabisch schrift. Vroeger werd ze daar vrolijk van, nu vond ze dat het er onheilspellend uitzag. Overal liepen mensen; vriendelijk glimlachende mannen met grote krulsnorren en vrouwen die dingen droegen die op gereedschapskisten leken. Het waren beauty-cases, bedacht ze ineens. Vier, vijf, zes van die koffertjes werden rondgezeuld door veel te zwaar opgemaakte vrouwen. Ze keek naar haar eigen spiegelbeeld in een glazen afscheidingswand en wendde zich snel af.

Hun begeleider liep met hen mee tot aan de douane. Hij schudde hun hand en nam afscheid. Ze lieten hun paspoorten zien en liepen toen door de aankomsthal naar buiten.

Sarah kneep haar ogen dicht tegen de felle zon. Wat deed ze hier? Net toen ze dat aan Jacob wilde vragen, pakte hij haar arm, groette een man die op hen af kwam lopen en liep met Sarah naar hem toe.

De twee mannen omhelsden elkaar. Jacob draaide zich lachend om naar Sarah en stelde haar voor aan Jack Kohl. Kohl keek haar met nieuwsgierige ogen glimlachend aan. Hij was gebruind, klein, mager en kalend. Zijn bruine ogen sprankelden levendig. Sarah keek in die donkere ogen en merkte dat ze zijn glimlach beantwoordde. Toen Kohl dat zag, begon hij breeduit te grijnzen.

'Welkom in Marrakech.' Hij pakte hun koffers en nam ze mee naar een glimmende witte Mercedes.

Sarah keek om zich heen en had het idee dat ze nu een vakantiegevoel zou moeten hebben. De ontvangst, de zon, de brandende hitte. Opnieuw vroeg ze zich af wat ze hier deed. Ze dacht aan haar werk. ICB. De gedachte deed pijn. Ze deed haar uiterste best niet in tranen uit te barsten en stapte in de auto.

De bekleding was van leer. Binnen was het lekker koel. De frisse lucht spoelde als een glas koud water over haar heen; het kippevel stond op haar armen. Ze keek naar buiten en de tranen begonnen weer over haar wangen te stromen.

Jacob, die naast haar zat, bekeek haar vanuit zijn ooghoeken. Opgelucht zag hij de tranen. Het was niet meer het gekwelde gesnik van een paar uur geleden, maar berustende overgave.

Jack ging achter het stuur zitten, deed zijn gordel om en reed van de parkeerplaats naar een asfaltweg. Na een paar minuten draaide hij een zandweg op waar hij fietsers op rammelende oude fietsen en karretjes die door magere pony's getrokken werden inhaalde. Sarah deed haar ogen dicht en probeerde te slapen.

Een tijdje later werd ze wakker omdat de auto op een bochtige weg reed. Ze reden midden in de bergen. Langs de weg zag ze sparrebomen, cactussen en stoffige okerkleurige aarde aan de ene kant, en aan de andere kant steile randen die naar onzichtbare valleien leidden. Jack reed behendig. Af en toe stuurde hij de auto naar de kant van de weg om een zware vrachtwagen te laten passeren.

Nadat ze ongeveer een uur hadden gereden, maakte de auto een scherpe bocht naar rechts en stonden ze stil voor een hoog, witgeschilderd, ijzeren hek. Jack pakte een klein zwart apparaatje uit het dashboardkastje en het hek zwaaide open. Hij gaf gas en voor hen strekte zich een lange oprijlaan uit, met aan weerszijden fleurige bloemen; rode, oranje, roze en gele bloemen over een lengte van een kilometer. Sarah staarde naar de bloemen en draaide zich nog net op tijd om om het hek achter de auto te zien sluiten. Ze was benieuwd waar het water voor deze overdaad vandaan kwam. Ze draaide het raampje naar beneden en ademde een golf van warme, geurende lucht in.

De auto minderde weer snelheid en stopte met een wijde boog voor een groot huis. Het was een paar verdiepingen hoog en was gebouwd van plaatselijke materialen. Het had een diepe okergele kleur. Voor de ramen hingen donkere houten luiken met prachtige, fijn uitgesneden versieringen. Rondom het huis stonden bloemen en planten. Van het huis naar de auto liep een reeks brede trappen.

Jack stapte uit en hield de deur open voor Sarah. Ze stapte uit en wachtte even voordat ze de trappen opliep. Bovenaan, bij het huis, waren een man en een vrouw verschenen die nu naar beneden kwamen om de koffers op te halen.

'Angelo en Mariella,' kondigde Jack aan met een hoofdbeweging naar het echtpaar. 'Ze zijn al twintig jaar bij me in dienst. Eerst in Spanje en toen ik hierheen verhuisde, zijn ze meegegaan.'

Het stel knikte Sarah en Jacob vriendelijk toe en liep toen met de koffers de trappen weer op.

Langzaam liep Sarah naar boven. Daar aangekomen, draaide ze zich om en bewonderde het uitzicht. Langs de oprit zag ze bloemen en struiken die over stenen paadjes hingen. Naast die terrasvormige perkjes lag een weelderige tuin met grote palmbomen die in de middagzon korte schaduwen op het gras wierpen, en ook hier een overdaad aan bloemen. In de verte was rondom de tuin een hoge stenen muur te zien, door zoveel mogelijk planten en struiken zo goed mogelijk aan het gezicht onttrokken. Tussen al dat groen lagen onzichtbare rollen prikkeldraad. Nog verder, achter de muur, waren bergen zichtbaar, begroeid met kleine groene boompjes. Sarah keek Jack aan.

'Waar zijn we?'

'Ouirjane, aan de voet van het Atlasgebergte.'

'Het is prachtig hier.'

Hij glimlachte haar toe. 'Als je een beetje tot rust gekomen bent, dan moet je de omgeving maar eens gaan verkennen.' Ze knikte zachtjes. Hij nam haar bij de arm en liep met haar naar het huis. Ze was doodmoe en liet zich gewillig meevoeren. Jacob volgde.

De drie gingen het huis binnen en kwamen in een grote, koele hal van tien meter hoog met aan beide kanten een trap. Aan de andere kant van de hal lag een binnenplaats met bloemen en fonteintjes.

Jack leidde Sarah door een koele, schaduwrijke gang met veel ramen. Er kwam een briesje binnen door de luiken die dichtzaten vanwege de felle zon. Jack stopte voor een donkere rozehouten deur, opende hem en nodigde Sarah uit naar binnen te stappen.

'Als je iets wilt hebben kun je Mariella bellen. Ze zit op toestel nummer vijf. Ik zit op één en Jacob op vier.' Hij glimlachte en draaide zich om.

Jacob pakte haar hand vast. 'Tot straks.'

Sarah beantwoordde zijn handdruk en volgde hem met haar ogen naar de deur. Hij trok de deur achter zich dicht en toen was het stil.

Sarah keek om zich heen. Ze stond in een grote, koele kamer. Op de houten vloer lagen Perzische tapijten. Langs de muren stonden kasten vol boeken en er hingen schilderijen en foto's. Sarah liep ernaartoe en zag bergen, bloemen, de zee en portretten van onbekende mensen. Ze vroeg zich af wie het waren. Ze kneep haar ogen een beetje dicht voor een sepiatekening die in het zonlicht hing dat door de luiken filterde.

Ze liep door naar de slaapkamer. Achter de geopende deuren lag een met bloemen omzoomd terras. Dunne gordijnen wapperden heen en weer in het briesje. De witte lakens op het bed lagen opengeslagen alsof iemand had voorzien hoe moe ze was. Het was te uitnodigend. Ze gooide haar kleren op een stoel en kroop onder de schone lakens. Zoals altijd viel ze snel in slaap.

Jacob zat samen met Jack in de bibliotheek achter een glas whisky.

'Ik waardeer het erg dat je dit geregeld hebt, het vliegtuig enzo.'

'Ach, het was een kleine moeite. Trouwens, in al die jaren dat ik je ken, heb je me nooit ergens om gevraagd. En volgens mij had je het nodige van me te goed...'

Jacob lachte. Als je het op die manier bekeek, had Jack inderdaad gelijk. Zijn vriend was tien jaar jonger en was vroeger zijn leerling geweest. Hij had hem alles geleerd wat hij wist, al was Jack er in het begin niet helemaal zonder kleerscheuren vanaf gekomen. Hij had een paar keer bij Jacob aangeklopt omdat hij een alibi nodig had, of hulp bij andere zaken. Jacob lachte toen de herinnering daaraan hem te binnen schoot. Hij keek om zich heen.

'Ik ben blij te zien dat het je goed gaat. Je hebt je leraar lang geleden al ingehaald.'

Jack protesteerde. 'Ik ben gewoon wat roekelozer geweest. Daarbij komt dat jij je ook best zoiets zou kunnen veroorloven als je jezelf ertoe zou kunnen zetten weg te gaan uit Golders Green.'

Jacob keek hem met grote, verontwaardigde ogen aan. 'Waarom zou ik? Ik heb daar alles wat ik nodig heb. En nu we het er toch over hebben, ik heb nooit behoefte gehad aan een schuilplaats in een vriendelijk land zonder uitwisselingsverdrag.'

Nu was het Jacks beurt om te doen alsof hij verontwaardigd was. 'Hé, ik ook niet. Ik heb dit gekocht voor het geval ik het ooit nodig zou hebben, gewoon voor de zekerheid. En toen kwam ik erachter dat ik het hier leuker vond dan in Golders Green, wat op zich niet zo vreemd is.' Op serieuze toon ging hij verder. 'En trouwens, af en toe is een schuilplaats toch wel handig.' Hij liet een stilte vallen en zei toen een beetje onzeker: 'Je hoeft me niets te vertellen als je dat niet wilt... En wat je ook zegt of juist niet zegt, je kunt blijven zolang je wilt. Maar ik zou je misschien kunnen helpen als ik iets meer wist.'

Jacob staarde met een verwrongen gezicht een tijdje naar zijn handen voor hij zijn vriend weer aankeek.

'Het is een lang verhaal waarvan ik de helft zelf niet eens weet. Wat ik er wel van weet, is behoorlijk smerig. Ze zit vreselijk klem, die arme meid. Twee van haar vrienden zijn opgeruimd. Ze denkt dat de moordenaars ook achter haar aan zitten en ik denk dat ze daar gelijk in heeft. Als het goed is, staat er een aantal fatsoenlijke lui aan haar kant, maar ik vertrouw ze niet. Ik blijf het gevoel hebben dat ze belazerd is. Ik heb geen idee over het hoe en waarom. Er gebeuren vreemde dingen, en totdat we weten wat er precies aan de hand is leek het me beter om een tijdje te verdwijnen. Ik heb echt geen idee wat we moeten doen, maar in ieder geval zijn we hier... veilig.' Hij kon het woord 'voorlopig' nog net inslikken. Hij keek naar Jacks vragende gezicht. Hij zag dat hij geen andere keuze had dan hem het hele verhaal te vertellen.

James Bartrop zat alleen in zijn kantoor en rolde een potlood tussen zijn vingers heen en weer. Zijn ogen knipperden snel bij alle gedachten die door zijn hoofd schoten. Er lag een verwonderde glimlach om zijn mond.

Sarah Jensen was verdwenen, twee van haar beste vrienden waren vermoord; gebeurtenissen die tegelijkertijd afschrikwekkend en veelbelovend waren. Er zou een politieke twist komen. Bartrop - en C als zijn chef - zouden het hard te verduren krijgen tijdens ondervragingen door de ministers van buitenlandse zaken en van justitie en mogelijk ook de premier. Met twee doden van buitenlandse afkomst stond hij er slecht voor, maar als het spoor inderdaad naar Fieri liep en als hij dat kon bewijzen, was het probleem niet onoplosbaar. De moorden waren op hun eigen vreselijke manier hoopgevend en veelbelovend. Koelbloedige, professionele contractmoorden wezen naar de mafia, naar Fieri. Volgens Barrington had Jensen Fieri bij naam genoemd en Bartrop was nu volledig overtuigd van zijn betrokkenheid.

Alles wat hem dichterbij Fieri bracht, was een meevaller, dus de moorden gaven hem een vreemd gemengd gevoel van verbijstering en opwinding. Hij probeerde het gevoel van ontzetting terug te dringen. Dood was dood, hij kon nu niets meer voor hen doen. Heel even zag hij het beeld van een hopeloos verdrietige en angstige Sarah Jensen voor zich. Er schoot een schuldige steek door hem heen. Maar aan de andere kant was ze zelf ook niet helemaal onschuldig. Ze was over de streep gegaan door gevaarlijke activiteiten te ontplooien en het gevaar te tarten. Poging tot moord. Toch had ze dat nooit kunnen vermoeden en Bartrop wist dat daarin zijn eigen aansprakelijkheid lag. Ze was een beginneling, hij had haar misbruikt, ze was ontdekt en nu rende ze voor haar leven. Het was een behoorlijke puinhoop, maar wel een veelbelovende.

Jensen was waarschijnlijk achter de betrokkenheid van de mafia gekomen, misschien door de schakel van Catania; in ruil daarvoor hadden ze haar ontdekt. En nu ruimde de mafia iedereen op die vermoedelijk op de hoogte was. Het was noodzakelijk dat hij haar het eerst vond om te horen wat ze had ontdekt. Al zijn agenten in het buitenland hadden de opdracht gekregen haar te zoeken. Interpol, de FBI en de douane over de hele wereld hielden havens en vliegvelden in de gaten.

Vroeg of laat zou hij haar vinden en dan begon het gevoelige werk pas echt. Hij was niet van plan haar binnen te brengen, maar hij zou haar goed en discreet laten bewaken. Met een beetje geluk en handigheid kon hij dan de moordenaars op het spoor komen. Daarmee riskeerde hij haar leven, maar hij had er goed over nagedacht en er stond een grote beloning tegenover. Als de moordenaars doorsloegen en Fieri's naam noemden, was het het allemaal waard.

Moira onderbrak zijn gedachten. 'C wil je spreken.'

Bartrop stond op en liep naar het kantoor van zijn baas op de volgende verdieping. C's secretaresse knikte ten teken dat hij door kon lopen. Hij ging naast C's eikehouten bureau zitten.

'Wat is er voor nieuws?'

'Ik ben bang dat Jensen verdwenen is.'

'En nu? Hebben we nog ander lokaas?'

'We hebben Arnott en Vitale hier, en Catania in Italië. Ik zal zorgen dat ze in de gaten worden gehouden. Ik heb al met onze mensen in Italië gesproken. En Jensens huis wordt ook bewaakt.' Hij dacht in stilte na. 'Ik geloof niet dat we de zaak goed zouden doen als we nu mensen gingen arresteren. Er is nog steeds te veel dat we niet weten. Ik denk dat we de meeste kans maken om achter het hele verhaal te komen en belastend materiaal over Fieri te krijgen als we de boel nu gewoon goed in de gaten houden. Geloof je ook niet?'

C krabde nadenkend aan zijn kin. 'Dat klinkt redelijk. En wat doen we met Italië? Wat heb je met onze mensen besproken?'

'Dat we het voorlopig even binnenshuis houden. Het risico dat de mafia ook bij de Italiaanse inlichtingendienst zit, is te groot. Ze zouden deze hele operatie kunnen verpesten. Vroeg of laat zullen we ze in moeten schakelen, maar als je het niet erg vindt, stel ik dat liever zo lang mogelijk uit.'

'Ik ben het met je eens. Laten we ze er voorlopig maar buiten houden. Maar je hebt Interpol en een aantal anderen op de uitkijk gezet. Wat heb je ze verteld?'

'CNC houdt zich bezig met Interpol. Voor zover zij weten, gaat het om een criminele aangelegenheid. Dus de rest van de wereld weet niet beter of Sarah Jensen is een crimineel.'

C glimlachte zwakjes. 'Goed James. Ik heb kopieën van alle belangrijke dossiers nodig. Ik zal met het bestuur moeten praten.'

Het bestuur waar hij het over had, stond bekend als het VSGD – het vaste secretarisbestuur van de Geheime Dienst. Het VSGD bespreekt algemene belangrijke zaken, mogelijke politieke complicaties en schandalen. Het Catania-komplot moest gezien worden in het licht van de beide laatstgenoemde onderdelen. Het kabinetslid en de secretarissen van binnenlandse en buitenlandse zaken – die allemaal permanente zitting hielden in het VSGD – zouden het verhaal van C afwegen en beslissen of ze het onder de aandacht van de minister van buitenlandse zaken en de premier zouden brengen.

'Houd me op de hoogte, James. Het is allemaal een beetje link. Als we niet voorzichtig zijn, lopen we grote schade op. Maar dat hoef ik je niet uit te leggen, hè? Hoe eerder je Sarah Jensen vindt, hoe beter.'

24

Sarah werd langzaam wakker uit een diepe slaap. Ze deed haar ogen open en keek omhoog naar het onbekende plafond. Langzaam begon ze het zich te herinneren. Dante, Mosami, Jacob, Marokko, Jack. Ze stak haar hand uit naar het horloge dat op een tafeltje naast het bed lag. Het was zeven uur 's morgens. God, ze had geslapen vanaf gistermiddag. Wanhoop verspreidde zich door haar lichaam. Slapen. Dagen, weken, maandenlang kunnen slapen. Het was eerder gebeurd. Haar lichaam en geest zouden zich in de vergetelheid willen storten.

Toen al die herinneringen in haar opkwamen, zat ze plotseling rechtop en haar ogen vlogen door de kamer. Niet nog eens, alsjeblieft niet weer. Ze kon dit geen tweede keer aan. Maar toen ze zich verder overgaf aan haar herinneringen ebde de paniek langzaam weg. Ze had er destijds ook een oplossing voor gevonden. Het had jaren geduurd, maar het had gewerkt. Het zou nu ook werken. Alleen zou ze er deze keer geen jaren overheen laten gaan. Dat kon niet, want dat zou haar dood betekenen. Ze slingerde haar benen uit bed en stond een beetje duizelig op.

Ze liep over een van de kleden naar de aangrenzende badkamer en stapte op het koele marmer. Afgezien van de drie manshoge ramen die waren versierd met uitgesneden houtwerk leek de badkamer op een mausoleum: marmeren vloer, marmeren muren, alles wit. In het midden van de badkamer lag een verzonken whirlpool, in een van de hoeken zaten de douche, het ligbad en de sauna.

Sarah stapte onder de douche, draaide een knop naar het blauwe gedeelte en opende de kraan met een flinke draai. Ze sloeg haar armen voor haar borst toen het ijskoude water over haar heen stroomde, haar haren doorweekte en in haar ogen spatte.

Ze stapte onder de douche vandaan, droogde zich af en trok met een vies gezicht haar kleren van gisteren weer aan. Ze kamde haar haren en stapte het terras op, de frisse ochtendlucht in.

De tuin was een oase en ze had hem helemaal voor zichzelf, met uitzondering van de kwetterende vogeltjes die om haar heen vlogen terwijl ze het pad afliep. Overal stroomde water in kleine stroompjes door de tuin. Ze kwam bij een grote vijver vol karpers die bewaakt werd door twee grote stenen katten. Sarah keek hoe de zwaarlijvige vissen door het water gleden. Ze vroeg zich af of de katten de reigers op afstand hielden, of dat de vogels zich niets van de beelden aantrokken en zich te goed deden aan de vissen. Genietend van de stilte liep ze verder naar de andere kant van het huis.

Ze hoorde een zacht gekletter van bestek en zag Jack op een van de lager gelegen terrassen achter zijn ontbijt zitten. Ze liep naar hem toe. Hij keek glimlachend op toen hij haar aan hoorde komen.

'Wat doe jij zo vroeg op? Ik dacht dat ik de enige was die op zulke rare tijden opstond.'

'Het is veel te mooi om in bed te blijven liggen.'

Jack gebaarde naar de tafel. 'Wat dacht je van een ontbijtje, nu je toch wakker bent?'

Sarah keek naar de verzameling croissants, gesneden mango en papaja en de grote kan verse jus d'orange. Ze snoof de geur van verse koffie op en ging tegenover Jack aan tafel zitten. 'Dat lijkt me heerlijk.'

Jack duwde op een knopje en een paar seconden later verscheen Angelo. Even later kwam ook Jacob aangewandeld.

'Nog twee ontbijtjes graag, Angelo. O ja, hoe staat het met de kleren?'

'Goed, Mr. Jack. Mariella is over een uurtje klaar.'

'Fijn, dat is aardig van haar. Zou je ze naar de kamer van de jongedame willen brengen?'

Sarah merkte op dat hij haar naam niet gebruikte. Ze nam aan dat Jacob hem alles had verteld. En nu verhulde hij haar identiteit.

'Welke kleren?' vroeg ze.

'Nou, je kunt hier niet de hele tijd in blijven lopen, hè? Mariella is een paar dingen van zichzelf voor je aan het vermaken. Het is natuurlijk maar gewoontjes, maar het staat je vast prachtig. En je hoeft in ieder geval niet te gaan winkelen in Marrakech.'

Sarah keek hem vanaf de andere kant van de tafel aan. Onvoorstelbare voorzichtigheid. Dus het was de bedoeling dat ze zich hier schuil zou houden zonder een spoor achter te laten voor de buitenwereld, alsof ze niet bestond. Er sloeg een golf van woede, gevolgd door angst door haar heen. Ze zag naamloze gezichten voor zich die iedereen vragen stelden op zoek naar haar.

Ze bestudeerde de vreemdeling tegenover haar en vroeg zich af hoeveel hij wist. Een zorgelijke gedachte drong haar hoofd binnen, maar ze verdrong hem snel. Jacob had haar hier niet heen gebracht als hij Jack niet volledig vertrouwde. Ze zou hem ook moeten vertrouwen.

Op dat moment verscheen Jacob aan tafel. Hij groette haar zwierig met een panamahoed.

'Goedemorgen, lieverd. Heb je lekker geslapen?'

Sarah glimlachte om de bezorgdheid die hij zo goed probeerde te verbergen.

'Ja, dank je, Jacob. Ik heb ruim vijftien uur liggen maffen.'

'Goed zo, zo hoort het ook.' Hij wendde zich tot Jack en keek hem breed grijnzend aan.

'Ik heb je hoed even geleend. Ik wilde gaan wandelen en het leek me niet zo'n goed idee om mijn kleine restje hersens te verbranden.'

'Tja, je kunt niet voorzichtig genoeg zijn.'

'Dat moet jij zeggen, voorzichtig genoeg...' zei Jacob spottend en hij draaide zich naar Sarah. 'Niet te geloven, overal waar ik liep, werd ik bekeken door spiedende oogjes, je weet wel, van die knipperende rode lichtjes. Ik maakte de fout om lekker in de schaduw langs de muur te gaan lopen. Het lijkt hier verdorie wel een fort: een muur van vijf meter hoog, prikkeldraad, camera's. Ik durfde niet eens tussen de struiken te pissen omdat ik bang was dat het alarm af zou gaan...'

Sarah en Jack schaterden het uit. 'Maar goed dat je dat niet gedaan hebt. Er gebeurt niets in deze tuin zonder dat ik het zie. Ik heb de beste camera's die er zijn. Infrarood, daglicht, alarmlichten, sensoren en weet ik wat nog meer. En dan heb ik Yap natuurlijk nog.' Alsof het zo gepland was, kwam de woeste Yorkshireterriër de trap af lopen achter Mariella, die de twee extra ontbijtjes bracht.

Mariella zette het blad neer, mopperde op Yap die wild op en neer aan het springen was en verdween het huis weer in. Yap volgde haar met zijn ogen en kwam toen aan Sarah snuffelen. Ze boog voorover en knuffelde hem. In volledige overgave ging hij op zijn rug liggen zodat ze zijn witte buik kon strelen.

'Nou, je hebt het helemaal gemaakt bij hem,' lachte Jack. 'Dat doet hij nooit bij mensen die hij nog niet kent. Meestal moet ik hem in de gaten houden want hij kan behoorlijk gemeen uithalen.'

'Je hebt groot gelijk hoor, Yap.' Sarah ging rechtop zitten en keek de beide mannen grijnzend aan. Lief van Jacob om haar op zijn typische manier duidelijk te maken dat ze hier veilig was, zonder de aandacht te vestigen op het gevaar dat ze liep. En Jack ook, die met zijn bevestiging voorzichtig mee had gedaan.

Haar hart drukte nog steeds als een zware steen op haar maag, maar het lukte haar in ieder geval om het angstige gevoel op afstand te houden. En ze kon tot haar grote vebazing nog steeds lachen. Het was een begin. Plotseling schrok ze op uit haar overpeinzingen toen ze merkte dat Jack tegen haar zat te praten.

'Mariella gaat straks boodschappen doen, je weet wel, eten enzo. Als je iets nodig hebt, moet je het maar tegen haar of mij zeggen.'

Sarah kon niets bedenken en begon haar hoofd te schudden tot haar iets te binnen schoot.

'Eh ja, een ding. Een paar kranten, als dat kan. Ik zou graag willen zien of er iets...'

'Natuurlijk,' zei Jack. 'Angelo gaat ze meestal om een uur of één halen. Ze komen om drie uur aan, dus hij gaat altijd iets eerder zodat hij wat kan drinken met zijn vrienden. Alsof ik dat niet in de gaten heb. Ha! Hij zou toch moeten weten dat ik hier alles in de gaten heb.'

Om vier uur kwam Angelo terug met een stapel Britse en Italiaanse kranten.

'Was het leuk in de kroeg? Hoe was het met je maatjes?' vroeg Jack grijnzend.

'Ja hoor, alles in orde, Mr. Jack,' lachte Angelo terug in antwoord op de grap die al zo oud was als hun vriendschap. Hij bracht de kranten naar een tafel in de schaduw op het terras aan de achterkant van het huis, en spreidde ze uit als een dek kaarten. Jack bedankte hem en vroeg of hij de jongedame wilde waarschuwen dat de kranten er waren.

Jacob en Sarah kwamen een paar minuten later aan lopen. Sarah had zich verkleed in een van de dingen die Mariella voor haar had vermaakt; een lange witte rok en een wijde witte blouse. Jack staarde haar met grote ogen aan. Met haar haren in een staart en haar bleke gezicht zonder make-up leek ze op een jong meisje dat haar eerste communie ging doen. Maar toen ze dichterbij kwam, werd die illusie verstoord. In de plaats van onschuld waren de druk van het leven en het gewicht van haar problemen te zien. Haar gezicht stond vermoeid, haar armen hingen slap langs haar lichaam en ze liep met zware tred. Toch zag ze er vreemd genoeg niet verslagen uit; ze hield haar hoofd rechtop en haar ogen sprankelden trots.

Jacob en zij gingen bij Jack aan tafel zitten en gedrieën begonnen ze vastberaden door de kranten te bladeren. Sarah las *Corriere della sera*, *La Stampa* en de *Times*. Jack pakte de *Daily Mail* en de *Guardian*, Jacob de *Independent* en de *Daily Telegraph*. Niemand zei een woord. Ononderbroken zaten ze te lezen, op zoek naar hetzelfde verhaal. Maar het stond er niet in.

Geen kop, geen paragraaf en geen regeltje verwees naar de arrestatie van Karl Heinz Kessler, Matthew Arnott of Carla Vitale. Binnen een paar seconden nadat ze de kranten hadden opengeslagen, wisten ze dat Catania niet was gearresteerd, want dat zou absoluut met grote koppen in de Italiaanse kranten hebben gestaan. Toch speurden ze alle pagina's af.

Na een half uur slingerden er stapels kranten op de grond.

'Ze hebben vierentwintig uur de tijd gehad. Meer zelfs. Waarom hebben ze niets gedaan?' Sarah speurde beide bezorgde gezichten af naar een antwoord. Het was even stil voordat Jacob uitlegde: 'Misschien hebben ze hen wel gearresteerd. Ik weet niet met welke deadline de kranten werken, maar misschien is het te laat gebeurd om het nieuws nog in de kranten op te nemen.'

'Ja, dat zal het zijn,' zei Sarah hoopvol. 'Als ze hen gisteren hebben opgepakt, kan het pas morgen in de krant staan. We kunnen beter naar het nieuws kijken, misschien is daar wat te zien.'

Op een grote televisie in een donkere kamer keken ze naar *Sky News*. Niets. Sarah zette de tv uit en liep met grote passen heen en weer.

'O god, ik kan dit niet uitstaan. Wat is er aan de hand? Waarom hebben ze hen nog niet gearresteerd?' zei ze klagend. De twee mannen wisselden een snelle blik.

'Misschien ligt het niet zo eenvoudig. De politie en allerlei anderen zullen erbij betrokken moeten worden. Iedereen heeft natuurlijk zijn eigen schema. Misschien hebben ze wel een goede reden om nog even te wachten,' zei Jack.

'Een goede reden,' brulde Sarah. 'Er zijn twee mensen dood. Is er nog een betere reden?'

'Misschien willen ze hen een tijdje volgen om te kijken waar het spoor heen voert,' zei Jacob. 'Er is natuurlijk een heleboel dat ze nog steeds niet weten. Het lijkt me niet onlogisch.'

'Ja natuurlijk, en daar komt dan nog bij dat degene die Dante en Mosami vermoord heeft nog steeds losloopt op zoek naar mij.'

Sarah viel stil. Plotseling werd ze weer enthousiast. 'Er schiet me ineens iets te binnen...'

De beide mannen gingen rechtop zitten en vroegen tegelijk: 'Wat dan?'

'Barrington heeft de bandjes nog niet. Die waarop de gesprekken met Kessler en Catania staan. Ik heb hem er wel over verteld aan de telefoon, maar dat is geen keihard bewijs. Dat bewijs heeft hij wel als hij de bandjes heeft. Jij hebt ze toch meegenomen, hè Jacob? Ik geloof tenminste dat ik heb gezien dat je ze in je tas stopte.'

Jacob knikte.

'Ik ga die bandjes kopiëren. We kunnen ze naar hem toe sturen met Federal Express. We moeten maar eens kijken wat er dan gebeurt. Als hij ze arresteert, kan ik hem vertrouwen, anders niet.'

Jack en Jacob schoven ongemakkelijk heen en weer in hun stoelen. Sarah had gelijk maar ze hadden weinig zin om dat tegen haar te zeggen. Het leek erop dat ze Barrington wilde testen, of misschien zelfs een val voor hem wilde opzetten. Misschien had ze een geheim plan waarbij ze hun medewerking nodig had.

'En wat doe je in dat laatste geval?' vroeg Jacob.

Sarah glimlachte alleen maar.

Het pakje van Sarah Jensen arriveerde de volgende dag op het bureau van de president van de Bank of England. 's Morgens vroeg was Angelo ermee naar Londen gevlogen, had bij Federal Express contant betaald zodat hij niet te achterhalen was en gevraagd of ze twee uur konden wachten voordat ze het bezorgden. Daarna nam hij de eerste de beste vlucht terug naar Marrakech. Toen het pakje op Barringtons bureau terechtkwam, vloog Angelo al boven Spanje.

Op het pakje stond met de hand geschreven in blauwe inkt: 'Persoonlijk en vertrouwelijk. Alleen te openen door de geadresseerde.' Barrington scheurde het open. Er viel een crèmekleurig vel papier uit. Hij las:

> Geachte President,
> Het bijgevoegde bandje bekrachtigt mijn bewijs. Nu u deze informatie in uw bezit hebt, ga ik ervan uit dat u deze doorgeeft aan de desbetreffende autoriteiten – wie dat dan ook mogen zijn – en dat u de benodigde arrestaties zult verrichten. U zult begrijpen

dat ik me grote zorgen maak over mijn veiligheid nu deze mensen nog vrij rondlopen. Ik vertrouw er daarom op dat u met de nodige haast zult handelen. Tot die tijd blijf ik op de plaats waar ik in ieder geval verzekerd ben van een zekere mate van bescherming.
Hoogachtend,
Sarah Jensen

Barrington belde Ethel. 'Ik wil voorlopig niet gebeld worden.' Met een ongerust voorgevoel haalde hij de cassetterecorder uit een bureaula en stopte het bandje erin.

Hij luisterde een half uur, zette de cassettespeler uit en bleef daarna zwijgend zitten. Goddank leefde Sarah Jensen nog, maar haar terugkeer – al was het dan per brief en bandje – kwam op z'n zachtst gezegd ongelegen. Hij had gehoopt dat hij zich stilletjes uit deze puinhoop terug kon trekken, maar haar laatste onthullingen trokken hem er juist nog dieper in. Het was niet zijn probleem dat Catania er actief bij betrokken was, maar Karl Heinz Kessler was president van een prominente Citybank die onder zijn jurisdictie viel. Als dit uitlekte, zou het de reputatie van de City en zijn eigen leidinggevende positie ernstige schade toebrengen. Verslagen hoopte hij dat het Bartrop zou lukken om dit alles uit de kranten te houden, en dat er geen rechtszaak zou komen maar dat alles achter de schermen opgelost kon worden. Tegelijkertijd wist hij dat de moorden dat onmogelijk hadden gemaakt. Hij zou zeer behendig moeten schipperen als hij zijn reputatie en carrière wilde behoeden.

Nadat hij vijftien minuten diep in gedachten verzonken had gezeten, belde hij Bartrop.

'Je kunt beter even langskomen,' zei hij. 'Sarah Jensen heeft van zich laten horen.'

Bartrop las de brief, luisterde naar het bandje en leunde met een zorgelijke frons achterover.

'Wat denk je ervan?' vroeg Barrington.

Bartrop slaakte een diepe zucht. 'Nou, aan de ene kant is het goed. Ze is nog in leven en ze geeft ons tamelijk concreet bewijs over Kessler en Catania. Die rekening waar Kessler en Arnott het over hadden, zouden we eenvoudig moeten kunnen opsporen en dan zitten we goed wat Catania betreft. Aan de andere kant leidt dit ons nog steeds niet direct naar Fieri en dat maakt het moeilijk voor ons.'

'Om haar terug te laten komen, bedoel je?'

'Dat niet zozeer. We vinden haar wel. Maar ze schijnt het op een akkoordje te willen gooien: eerst moeten alle samenzweerders gearresteerd worden en dan komt ze pas terug. Het is overduidelijk dat ze iets weet over Fieri en betrokkenheid van de mafia, dus dat zal ze ons hoogstwaarschijnlijk dan wel vertellen. Maar als we iedereen nu gaan arresteren, laten we mogelijk hoogwaardige informatie onbenut in ruil voor materiaal van haar dat misschien niets waard is. Als dat het geval blijkt te zijn, is onze beste kans om Fieri te pakken te krijgen verkeken. Dat is dus het probleem.' Bartrop staarde naar de binnenplaats.

'Wat ben je van plan?'

Bartrop schrok op uit zijn overpeinzingen. 'Ik weet het nog niet. Ik moet er even over denken.'

'Wat doe ik als ze belt?'

'Ik denk niet dat dat gebeurt. Ze is slim genoeg om te weten dat we haar dan zo opgespoord hebben. Dat brengt me op iets anders waar ik me zorgen over maak. Ze heeft het over "de desbetreffende autoriteiten". Ze heeft duidelijk een vermoeden dat er meer aan de hand is dan wat jij haar hebt verteld. Waarschijnlijk heeft ze een theorie ontwikkeld over een komplot op hoog niveau.'

Barrington lachte snuivend. 'Daar heeft ze dan geen ongelijk in.'

Bartrop keek hem zuur aan en ging weg. Voordat hij de deur achter zich dichttrok, zei hij over zijn schouder: 'Mocht ze inderdaad bellen, houd haar dan aan de praat en probeer zoveel mogelijk uit haar te krijgen. Zeg maar dat ze terug moet komen en dat alles opgelost wordt.'

Barrington keek kwaad naar de dichte deur, alsof Bartrop er nog stond. Hij hoopte bijna dat Sarah Jensen bleef waar ze zat, al was het maar om Bartrop te ergeren.

Hij keek chagrijnig de binnenplaats op, zelfs het mooie uitzicht kon hem niet opvrolijken. Zijn enige troost was dat Bartrops positie nog slechter was dan de zijne.

Vanochtend had hij de minister van financiën gesproken en hem de hele situatie uitgelegd. De minister van financiën had met de premier gesproken, de premier met de secretarissen van binnenlandse en buitenlandse zaken, die op hun beurt naar de vaste secretarissen en kabinetsleden waren gestapt. Zo was er een stroom hectische telefoontjes en gesprekken ontstaan die vanavond om zes uur zou resulteren in een bijeenkomst in het regeringsgebouw waar iedereen, behalve de premier, aanwezig zou zijn om vragen te stellen aan de directeur-generaal, C, Bartrop en de minister van justitie. De beschuldigingen, verdedigingen en toelichtingen zouden niet van de lucht zijn. Zijn aanwezigheid werd niet nodig geacht en het was inderdaad verstandig dat hij zich op de achtergrond hield. Ze zouden het zwaar te verduren krijgen. Bartrop en C moesten er samen maar voor opdraaien.

Bartrop werd door Munro in zijn Rover door het drukke verkeer naar huis gebracht. Hij zat achterin en trok met een woest gebaar zijn stropdas los. Hij had het warm en voelde zich ongemakkelijk. De das voelde aan als een echte strop.

Hij kon er slecht tegen de zaken niet onder controle te hebben. De Catania-zaak, die zo veelbelovend begonnen was, glipte nu door zijn vingers. Eerst die moorden, toen Sarah Jensens verdwijning en nu die vreselijke vergadering waar hij net uit ontsnapt was.

De bijeenkomst had een uur geduurd. In de gezichten tegenover hem was het stilzwijgende genoegen te zien geweest. Het zag er somber voor hem uit; twee moorden op allochtonen, een grootschalige internationale fraude op politiek hoog niveau en de altijd aanwezige angst dat er iets van naar de media zou uitlekken. Toen hij Sarah Jensens laatste ondekkingen had onthuld, was er een schok van ontzetting door de zaal gegaan die snel verborgen werd achter verontwaardiging over haar manier van communiceren.

'Wat denkt ze wel? Zich schuilhouden, bandjes sturen en ons opdrachten geven. Het is geen spelletje,' had de secretaris van binnenlandse zaken gesputterd. Bartrop had erom moeten lachen, het was het enige lichtpuntje van de hele bijeenkomst.

Toch was de situatie niet onherstelbaar. Hij had toestemming gekregen om door te gaan met zijn onderzoek, mits hij zich vanaf nu aan de regels hield. Hij was gewaarschuwd om geen onnodige risico's te nemen en er de grootste zorg voor te dragen dat er niets zou uitlekken naar de pers. En hij moest Sarah Jensen zo snel mogelijk opsporen.

In de tussentijd kreeg CNC de opdracht nog harder op zoek te gaan naar de moordenaars van wie tot dusver geen spoor gevonden was. De enige informatie die ze hadden, was dat de moorden door twee verschillende professionele moordenaars waren uitgevoerd.

Er was geen enkel moordwapen gevonden. Geen vingerafdrukken, geen enkel spoor van de moordenaars – afgezien van de lijken, waarvan er een een kapotte halsader had en de ander een kogel in de rechterslaap. De kogel was verwijderd en vrijgegeven voor uitgebreid onderzoek, dat had uitgewezen dat hij was afgevuurd met een Ruger Mark II die nog niet eerder was gebruikt in een geregistreerde misdaad. Elk pistool laat heel kleine sporen na op de kogel die wordt afgevuurd. Hiervan worden over de hele wereld gegevens bijgehouden die net als vingerafdrukken vergeleken kunnen worden. Maar dit wapen had geen geschiedenis.

Er waren geen getuigen. Niemand had iets ongewoons of verdachts gezien. De moorden waren uiterst nauwkeurig uitgevoerd.

Er ging een schok door Bartrop heen toen Munro voor zijn huis stopte, snel uitstapte en de deur voor hem opende. Bartrop stapte uit, wenste Munro een prettige avond en trok zich terug in zijn huis. Hij ging naar zijn werkkamer en schonk een flinke whisky in die hij aanlengde met water uit een kan die elke dag door Mabel, zijn huishoudster, ververst werd. Hij opende een kastje waarin vier rijen zeer gevarieerde cd's stonden, koos voor Lester Young en ging achter zijn bureau zitten terwijl de kamer zich vulde met rokerige jazzmuziek.

De duwende en trekkende stem en saxofoon namen bezit van zijn gedachten. Hij dronk zijn glas leeg en schonk een nieuw in dat hij tussen zijn handen liet draaien terwijl hij door het raam keek en naar de muziek luisterde.

Langzaam begon hij weer na te denken. Gedachten, zorgen, vooroordelen en obsessies, ze kwamen allemaal boven. Hij herkende ze allemaal, maar een nieuw onbekend gevoel maakte de meeste indruk op hem: verwarring. Hij kon de onzichtbaarheid van huurmoordenaars begrijpen, maar Sarah Jensens talent en wens om volledig te verdwijnen boeide hem. Ze was een beginneling maar gedroeg zich niet als zodanig. Hij realiseerde zich dat ze zich al vanaf het begin met een zenuwslopende perfectie had gedragen. En nu was ze hem gesmeerd, uit blinde angst of afschuwelijke sluwheid.

Hij was benieuwd wie die vriend was, naar wie ze in het gesprek met Barrington had verwezen. Daar zou hij snel achter komen, zoals achter wel meer zaken. Meteen toen hij van haar verdwijning op de hoogte was gebracht, had hij een diepgaand onderzoek naar haar laten instellen, beginnend bij haar jeugd. Ze was natuurlijk wel doorgelicht voordat Barrington haar had aangesteld, maar lang niet zo goed als Bartrop nu wenste en herkende als een noodzakelijkheid. Er ontbrak informatie over Sarah Jensen, dat wist hij zeker. Maar hij zou het snel vinden, en haar ook.

Een zacht klopje op zijn deur onderbrak zijn gedachten. Het was Mabel.

'Uw eten is klaar, meneer. Zal ik het voor u neerzetten?'

'Ja graag, Mabel.'

Hij liep achter haar aan naar beneden. In de woonkamer stond een tafeltje voor de televisie gedekt voor een persoon. Bartrop ging zitten. Mabel keerde terug met vissoep, gehakt met aardappelpuree en een kaassoufflé. Troostrijk voedsel. Slim van haar.

Toen Bartrop klaar was met eten ging hij terug naar de bibliotheek. Een paar seconden later belde Nigel Southport, hoofd van de Italiaanse afdeling. Hij deelde mee dat de waarnemers hun plaatsen hadden ingenomen en nu van een discrete afstand de huizen van Antonio Fieri en Giancarlo Catania in de gaten hielden. Hij had om assistentie van de veiligheidsdienst van de Carabinieri gevraagd, en die ook gekregen. Dit was de enige Italiaanse veiligheidsdienst die Bartrop vertrouwde. Zich realiserend dat de 'Vrienden' te weinig capaciteit hadden om hun twee doelen adequaat in de gaten te houden, had Bartrop Southport toestemming gegeven om de Carabinieri te benaderen, die zonder al te veel te vragen hun hulp hadden toegezegd. Gunsten in ruil voor gunsten, vertrouwen in ruil voor vertrouwen.

25

De zon stond hoog aan de hemel boven het Atlasgebergte toen Sarah, Jacob en Jack opnieuw bij elkaar kwamen om de kranten te lezen. Ze namen hun plaatsen rond de houten tafel in, knikten elkaar toe en begonnen te lezen. Het was een dagelijks terugkerend ritueel; hoop bij het ontbijt, zenuwen tijdens de lunch, kranten om vier uur, teleurstelling, de rest van de middag zwijgen over het onderwerp, totdat de volgende ochtend weer hoopvol begon - al werd dat elke dag minder.

Sarah probeerde er de eerste paar dagen niet aan te denken. Jack had een stal vol prachtige Arabische en Berberse hengsten waar ze elke ochtend samen met Angelo een paar uur op ging rijden in de omliggende heuvels. Wanneer ze terugkwam, wandelde ze door de tuinen en hield ze lange siësta's. Maaltijden en de komst van de kranten gaven de tijd aan.

Maar op zondagavond nadat Jack naar bed was gegaan, verbrak ze haar zwijgzaamheid. Zij en Jacob bleven op, werden dronken van oude Armagnac en zaten tot diep in de nacht te speculeren.

Jacob herhaalde zijn vermoedens dat de MI5 er op de een of andere manier bij betrokken was.

'Wat was je nou tenslotte? Een infiltrant. En wie is er meestal verantwoordelijk voor dat soort dingen? MI5.'

Jacob praatte rustig en geduldig. 'Ze hielden allerlei dingen voor je achter. Zoals het feit dat de mafia erbij betrokken was en dat ze allang wisten van het handelen met voorkennis. Maar hebben ze je dat verteld, of je op zijn minst gewaarschuwd dat het gevaarlijk zou kunnen zijn? Nee, ze hebben je een of ander kletsverhaal op de mouw gespeld en daar ben jij mee akkoord gegaan; om als spion voor de president van de Bank of England aan de slag te gaan.' Jacob sloeg zijn ogen op naar het plafond. De irritatie was in zijn stem te horen. 'Wie heeft er nou ooit zoiets gehoord.' Hij keek Sarah kalm aan. 'Om wat voor reden dan ook hebben ze jou misleid en gebruikt. En ik durf te wedden dat het alles te maken heeft met de veiligheidsdienst en helemaal niets met de Bank of England.'

Sarah was een tijdje stil voordat ze antwoord gaf. 'Ik weet het ook allemaal niet, Jacob. Ik zou de president morgen kunnen bellen en het hem kunnen vragen, maar als het inderdaad zo is als jij zegt, zou hij het me nooit vertellen, denk je wel?'

Het was niet de eerste keer in de afgelopen dagen dat Sarah zich afvroeg waarom Barrington haar aangenomen had. Waarom had hij er de afdeling fraudebestrijding niet op afgestuurd, of andere mensen die er verstand van hadden? Hij had haar alle ruimte gegeven en nooit gevraagd hoe ze aan haar informatie kwam. Zolang ze resultaten boekte, was hij tevreden.

Barrington had haar alle ruimte gegeven om uit te zoeken wat hij wilde weten, maar tijdens dat onderzoek had ze de wet een paar keer overtreden. Op welk moment was dat onverantwoord geworden? Wat zou er gebeuren als ze lucht kregen van haar illegale miljoenen?

De status van de Bank of England en de man zelf hadden al haar twijfels verdreven, maar nu was ze achterdochtig geworden en het veilige muurtje was aan het instorten. Sarah begon de man los van zijn functie te zien.

Al die tijd had ze gedacht dat hij haar beschermde en dat hij haar activiteiten rechtvaardigde, maar er was niets dat wees op een relatie tussen hen. Er stond niets op papier en er waren geen getuigen.

Ze voelde zich steeds eenzamer. Zonder de erkenning van de president was ze een crimineel. Zonder zijn bescherming was ze vogelvrij. Ze kon zich niet eeuwig blijven verbergen bij Jack en Jacob. Het was hier prachtig, maar het bleef een soort gevangenis en door haar angst heen begon ze last van claustrofobie te krijgen. Ze werd heen en weer getrokken tussen de drang om alles te vergeten en te verdwijnen naar het Himalayagebergte waar ze zich bij Eddie en Alex kon voegen zonder dat iemand haar ooit zou vinden, en aan de andere kant de behoefte om terug te gaan naar Londen om Barrington te spreken en erachter te komen wat er nou werkelijk aan de hand was.

Ze was haar kant van de afspraak nagekomen; ze had een misdrijf ontrafeld en Barrington prachtig bewijs in handen gespeeld, maar het vergrijp en de criminelen waren veel verraderlijker dan hij haar had doen geloven. Hij moest het geweten hebben. En nu die moorden. Twee stuks tot nu toe. En nog steeds deed hij niets. Waarom? Als een raket suisde het woord door haar hoofd.

Ze herinnerde zich de opwinding toen de president haar had gevraagd voor hem te gaan werken. Ze was gevleid en onder de indruk van de opgelegde geheimhouding. En wat was het resultaat? De dood, en vernietiging van het leven dat ze zo zorgvuldig had opgebouwd.

Tot nu toe had ze geen aandacht geschonken aan het gevoel bedrogen te zijn, maar nu begon het als vergif door haar aderen te vloeien.

Ze wenste Jacob welterusten en ging naar bed, maar ze kon niet slapen. De volgende ochtend was haar vertrouwen in Barrington volledig verdwenen en kookte ze van woede.

Nadat ze in haar kamer had ontbeten, in de tuinen had gewandeld en gezwommen had - al die tijd stormachtig nadenkend - ging ze naar Jack en Jacob. Haar besluit stond vast. Ze discussieerde een half uur lang zeer hevig met hen.

Ze haalden haar over om nog twee dagen te wachten. Met tegenzin stemde ze toe.

Nog twee dagen verkeerde ze in het ongewisse. In die tijd probeerde ze niet al te diep na te denken en te genieten van haar omgeving.

Zoals ze al had verwacht, stond er nog steeds niets in de kranten.

De derde dag, woensdag, brak aan en de adrenaline pompte door Sarahs lijf. Ze was misselijk van opwinding. Ze had niet ontbeten en tussen de middag op haar kamer gegeten terwijl ze de hand legde aan de laatste voorbereidingen en voor de laatste keer wachtte op de kranten.

Het autoportier dat om vier uur dichtgegooid werd, kondigde Angelo's terugkomst aan. Sarah, Jacob en Jack kwamen uit hun kamers en schaarden zich rond de tafel in de schaduw aan de achterzijde van het huis. Angelo stapelde de kranten op in het midden van het witte tafelkleed; de *Financial Times*, de *Times*, de *Guardian*, de *Independent*, de *Daily Telegraph*, *Corriere della sera* en *La Stampa*.

Sarah, Jacob en Jack knikten elkaar bemoedigend toe en vielen aan op de kranten. Ze bestudeerden elke pagina aandachtig en met steeds minder hoopvolle blikken op hun gezicht legden ze de gelezen kranten op de grond, totdat de tafel uiteindelijk leeg was.

Sarah veegde de drukinkt die aan haar handen zat aan een servet af. Ze klonk rustig te midden van de chaos van verkreukelde kranten.

'Nog een laatste kans dus?' Er werd vastberaden geknikt.

Jack riep wat dingen naar Angelo, die prompt daarop aan kwam lopen met een draadloze telefoon die Angelo een paar maanden geleden in Zuid-Frankrijk had gekocht. Hij stond geregistreerd op naam van een bedrijf van een vriend van Jack vlakbij Villefranche. Erg handig om gesprekken mee te voeren die niet herleid mochten worden naar zijn huis in Marokko. Aan de telefoon was een klein opnameapparaatje bevestigd dat beide kanten van het gesprek opnam en doorgaf aan de hoofdrecorder in huis.

Jack gaf de telefoon aan Sarah. Ze keek op haar horloge; in Londen was het nu halfvier. Laat hem thuis zijn, dacht ze. Laat het alsjeblieft snel voorbij zijn zonder dat ik er al te lang over hoef na te denken.

Ze toetste Barringtons privé-nummer in. Na drie keer rinkelen, nam hij de telefoon op. Ze wilde hem graag geloven, dat zou alles zoveel makkelijker maken. Ze riep zichzelf tot de orde en begon vragen op hem af te vuren.

'Meneer Barrington, u spreekt met Sarah Jensen. Ik vind dat u me een uitleg verschuldigd bent. Waarom is er niemand gearresteerd?' Ze sprak kortaf, koel en zakelijk.

'Sarah, waarom vertel je me niet waar je zit. Dan halen we je op, brengen we je naar een veilige plek en dan leggen we je alles uit.'

Sarah snoof ongelovig. 'En u denkt dat ik daar in trap? U hebt vanaf het allereerste moment stelselmatig tegen me gelogen. En nu verwacht u dat ik u vertrouw?'

Zijn stem leek zich te verharden. 'Luister Sarah, het is allemaal veel te ver gegaan en...'

Sarahs stem werd nu ijskoud. 'Ja, dat is het inderdaad. Mosami is dood, Dante is dood en als ik niet oppas, ben ik de volgende. Ik wil gewoon een antwoord op mijn vraag. Waarom is er niemand gearresteerd?'

Hij sprak nu langzaam en pedant. 'Zo eenvoudig ligt dat niet. We kunnen nog niemand oppakken... er zijn wat problemen met de bewijsvoering.'

Sarah kon zich niet langer inhouden. 'U hebt vanaf het begin gezegd dat de bewijsvoering niet tot in de puntjes perfect hoefde te zijn. Dus wat is dan precies het probleem?'

Hij lachte haar uit. 'Goed, als je het dan per se wilt weten: jij vormt een onderdeel van het probleem. Je zit er tot aan je nek in, is het niet Sarah? We zijn achter die drie miljoen van je gekomen, en zo zijn er nog een of twee andere dingetjes. Daarom heb je me maar de helft van de informatie gegeven, hè? Zonder alle informatie kan ik niets doen en jij weigert verder mee te werken. Je kunt niet van me verwachten dat ik selectief te werk ga. Op het moment dat ik Catania laat oppakken, zal ik hetzelfde moeten doen met iedereen die met hem mee heeft gedaan. En op dit moment hoor jij daar ook bij. Nu valt daar wel iets aan te doen, maar daar moeten we het dan wel over hebben. Je begrijpt dat ik me in een moeilijke positie bevind. Ik kan niets doen voordat je me vertelt waar je zit en me alle ontbrekende informatie verschaft, en tenzij je scherp onder de loep genomen wilt worden, raad ik je aan zeer voorzichtig te zijn. Je bent nou niet bepaald de ideale, onbevlekte getuige.'

Overspoeld door angst en woede zat Sarah verstijfd te luisteren. Barrington vervolgde zijn betoog nu op vriendelijker toon, alsof hij zich realiseerde dat hij te hard van leer getrokken was.

'Luister, Sarah. Het lijkt me het beste om ergens af te spreken en dit rustig te bepraten, denk je ook niet?'

'Ik ben bang dat het daar nu te laat voor is.'

Ze hing op en dacht in stilte na over zijn beschuldigingen. Ze dwong zichzelf kalm te blijven terwijl ze over zijn woorden nadacht en zocht naar aanwijzingen. Hoe ze het ook bekeek, er zat geen enkele logica in zijn passiviteit. Ze kende zijn werkelijke drijfveren niet, noch wist ze de reden waarom hij ze op zo'n agressieve manier voor haar verborg. Hij had besloten vuil spel met haar te spelen en bewees daarmee dat hij haar vijand was.

Ze wist precies waarmee hij haar bedreigde. Nou, hij moest zijn best maar doen, dacht Sarah minachtend, hij kon toch niets bewijzen. Ondanks de teleurstelling lachte ze bij zichzelf. Wat een stommeling. Nu hij bepaalde zaken over haar wist, zou hij zich moeten realiseren dat zijn bedreigingen geen enkel resultaat zouden hebben. Nu had ze haar bewijs en ze zou het gebruiken ook.

Haar gezicht verhardde zich toen ze zichzelf toesprak. Vaarwel president en veel succes.

Jacob en Jack keken toe hoe het scala van emoties over haar gezicht speelde. Sarah vertelde hen wat Barrington allemaal had gezegd. 'Volgens mij heeft hij zijn laatste kans gehad, denken jullie ook niet?'

Met zwijgend geknik werd haar rampenplan in werking gezet. Ze proefde de bitterzoete smaak van hun samenzwering.

Sarah bukte zich naar haar koffertje dat naast haar op de grond stond, haalde er een geelbruine envelop uit en legde hem op tafel. Naam en adres die er met dikke viltstift op geschreven stonden, staarden hen aan.

HILTON SCUDD ESQ.
THE TIMES
NO I VIRGINIA STREET
LONDON E1 9BD

Het was allemaal al voorbereid. In de envelop zat een brief die Sarah gisteren had geschreven over het Catania-komplot en haar eigen rol daarin, plus bewijzen. Jacob had alle bandjes meegebracht waarop belastend materiaal van de samenzweerders stond. Sarah had ze gekopieerd en alle belangrijke gedeeltes op een bandje gezet. Na haar gesprek met Barrington voegde ze nog een P.S. toe aan de brief. Daarna pakte ze haar adresboekje en sloeg het open bij de 'S'. Ze toetste een nummer van dertien cijfers in. De verbinding kwam tot stand en ze ging rustig zitten wachten tot er opgenomen werd. Na twaalf keer rinkelen galmde de stem van Hilton Scudd over de lijn.

Sarah en Hilton waren al zeven jaar bevriend. Ze kenden elkaar van Cambridge, waar Hilton voor de universiteitskrant werkte terwijl hij deed alsof hij biochemie studeerde. Hij was actief, aardig en abnormaal knap; ongeveer een meter negentig lang en aan de magere kant. Gespierdheid vond hij iets voor vrachtwagenchauffeurs. Hij had een dikke bos glanzend zwart haar, dat aan de zij- en achterkanten kortgeknipt was en aan de voorkant in een lok over zijn voorhoofd viel.

Sarah noemde haar naam en luisterde toen naar de stroom beschuldigingen over diverse opdrachten en omissies. Ze was blij dat ze de speaker van de telefoon niet had aangezet. Uiteindelijk lukte het haar om hem door haar eigen lachbui heen in de rede te vallen.

'Hilton, houd nou eens eventjes je mond. Je mag zoveel straffen voor me bedenken als je maar wilt, maar dit is een zakelijk gesprek. Ik stuur een pakje naar je toe met Federal Express. Als het goed is, heb je het morgenochtend om elf uur. Er zitten bandjes en een brief in. Misschien stuur ik je in de komende dagen nog meer. Ik wil dat je de spullen goed in de gaten houdt.'

Met een ernstig gezicht ging ze verder met haar verhaal. 'Heb je ooit van Mosami Matsumoto gehoord? Nou, je zou haar naam moeten kennen, want jullie hadden vorige week een artikel over haar. Ze was mijn beste vriendin. En Dante Scarpirato... Hij was mijn collega en minnaar. Hij is ook dood. Dezelfde mensen die hen vermoord hebben, zijn nu op zoek naar mij. Ze moorden om hun geheimen te beschermen. Ja, grote geheimen. Je hoort het allemaal wel op de bandjes.' Sarah begon ongeduldig te raken.

'Vraag me niet waarom ik niet naar de betreffende autoriteiten ben gestapt, want dat heb ik namelijk wel gedaan. Ze weten precies wie hier achter zit. Ze hebben bewijzen genoeg, maar ze doen niets. Alleen de pers kan me nu nog helpen. Als jullie de geheimen van deze mensen levensgroot naar buiten brengen, hebben ze geen enkele reden meer om mij te vermoorden, behalve dan uit wraakzucht misschien. Ik kan je nu niet meer vertellen, Hilton. Het pakje zal je alle uitleg geven.' Ze hoorde dat hij zijn adem inhield. 'Je kunt mij niet bereiken, maar ik zal regelmatig contact met je opnemen, maak je daar geen zorgen over. Ik wil dat je het verhaal publiceert, zo uitgebreid mogelijk, en houd mij erbuiten.' Haar stem klonk ongewoon scherp voor haar doen. 'Doe het zo snel je kan.'

Hilton Scudd hing op, zijn huid tintelde. Hij stond op van achter zijn metalen bureau en liep over de overzichtelijke afdeling naar het kantoor van Clement Stamp, zijn redacteur.

Stamp was een pezige, in Wales geboren Engelsman die de kwaliteiten van beide volken bezat. Hij had een instinctmatig gevoel voor roddels, maar tegelijkertijd kon hij heel discreet zijn. Zijn beste uiterlijke kenmerk was een hoofd vol ontembare grijze haren. Hij zag eruit als een van die stripfiguren die zijn vingers in het stopcontact had gestoken. Het enige dat daaraan ontbrak, was het zwarte gezicht. Sarah had hem twee keer ontmoet en was tot de conclusie gekomen dat het kwam door alle vreemde verhalen; zijn haar fungeerde als uitlaatklep voor alle emoties. Het was een aantrekkelijk personage; geniaal en eerlijk, met een innemend tikje sluwheid.

Stamp zat op een Bic-pen te kauwen toen Scudd binnenkwam. Hij legde de verminkte pen neer en keek van achter zijn bureau naar Scudd die op een klapstoeltje was gaan zitten.

'Ken je Sarah Jensen nog, die vriendin van mij van Cambridge die nu in de City werkt?'

Stamp knikte. 'Allicht.'

'Ze denkt dat iemand haar probeert te vermoorden.'

Stamp trok zijn wenkbrauwen vragend op.

'Herinner je je de artikelen nog die we vorige week geplaatst hebben over Dante Scarpirato en Mosami Matsumoto?'

De wenkbrauwen zakten en Stamp boog naar voren.
'Matsumoto was haar beste vriendin. Scarpirato was haar collega en minnaar.'
Stamp stond op. 'Wat is er aan de hand, Hilton?'
'Sarah stuurt een pakje naar ons op. Als het goed is, hebben we het morgen. Ze zegt dat er bewijs van een groot komplot in zit. Ze wil dat we het zo groot mogelijk brengen.'

Sarah stond op van tafel en ging achter Jack en Jacob staan. Ze legde haar handen op hun schouders.
'Hilton is een goede vent, laten we maar eens kijken wat hij hiermee kan doen.' Ze zag er meelijwekkend uit. 'Het punt is alleen dat ik meer bewijs nodig heb. Het bandje van Barrington is goed, maar niet goed genoeg.'
Jacob keek haar geschokt aan. 'Dat ga je toch niet gebruiken? Al die insinuaties die daar op staan...'
Sarah haalde haar schouders op. 'Chantage. Dat is het enige wat het is. Loze beschuldigingen. Hij kan me nergens op pakken. Nou ja, die drie miljoen, maar hij kan mij niet aanklagen zonder dat bij iedereen te doen en het lijkt me nogal duidelijk dat hij dat niet van plan is.'
'Maar als die vriend van je bij de *Times* een artikel schrijft en alles openbaar maakt, zullen er wel processen volgen. En dan zou jij met de rest meegesleurd kunnen worden.'
'Ik denk niet dat het zover komt. En trouwens, het bandje van mijn gesprek met Barrington geeft me enige mate van bescherming. Ik denk niet dat hij me tegenover zich wil hebben in de rechtszaal.'
'Maar je denkt toch niet dat een levensgroot artikel op de voorpagina van de *Times* jou geen schade toe zal brengen?'
'Nee, dat weet ik wel. Maar ik heb weinig keus. Ik vertrouw Barrington niet. Ik had mijn mening bijna herzien, maar...' Ze schokschouderde. 'Ons laatste gesprek heeft dat onmogelijk gemaakt. En ik kan hier niet eeuwig blijven. Mijn enige kans is een paginagroot artikel, zodat Catania en zijn mafiamoordenaars misschien worden gearresteerd waardoor ik veilig zal zijn.'
De beide mannen knikten somber. Sarah keek hen aan en voelde zich plotseling hulpeloos. Als de *Times* haar verhaal niet drukte, wat moest ze dan? Ze begon door haar ideeën heen te raken. Als de geheime dienst er nou eens bij betrokken was? Konden zij publikatie tegenhouden? Konden ze niet zoiets als een *D-notice*

uitvaardigen? Toch leken er tegenwoordig allerlei soorten geheimen uit te lekken. Ze was benieuwd hoeveel verhalen achtergehouden werden, welke geheimen er door middel van sancties van officiële instanties uit veiligheidsoverwegingen uit de kranten werden geweerd en in de doofpot werden gestopt. Ze vroeg zich voor de duizendste keer af wie haar tegenstanders waren.

Sarah keek de twee mannen recht aan. 'Weten jullie wat ik echt goed zou kunnen gebruiken?'

'Wat?' vroegen ze gelijktijdig.

'Meer bewijs. Wat ik heb, is nog steeds een beetje een samengeraapt zootje. Ik denk dat de *Times* meer nodig heeft dan dat.'

Jack keek op. 'Zoals wat bijvoorbeeld?'

'De videobanden...'

'Welke videobanden?'

'De films waarmee ze Catania chanteren. Ik denk dat ze nogal gedetailleerd zijn. Je weet wel, Catania en Carla samen in bed.'

'Weet je waar ze zijn?' vroeg Jack.

Geboeid door de blik in zijn ogen keek ze hem aan. 'Ze liggen in Carla's flat, hè Jacob? Arnott had het er toch over op de bandjes?'

Jacob keek van de een naar de ander. 'Ja, daar liggen ze en daar had hij het inderdaad over.' Stilletjes grijnsden ze elkaar samenzweerderig toe.

'Waar woont ze?' vroeg Jack.

Jacob noemde het adres. Hij was er een paar keer wezen kijken voordat hij de afluisterapparatuur besteld had bij zijn vriend.

'En hoe ziet ze eruit? Je moet me alles vertellen wat je over haar weet.'

Na een paar minuten stond Jack op.

'Als jullie me willen excuseren, ga ik eventjes een paar telefoontjes plegen.'

Sarah en Jacob keken elkaar grijnzend aan. 'Ik heb nooit geloofd dat hij echt met pensioen was gegaan,' zei Jacob.

'Maar goed ook.'

'Maak je geen zorgen. Hij is blij met het excuus. Wat is er beter dan misdaad met een goede reden?' Jacob lachte boosaardig.

Plotseling verscheen Angelo aan hun tafel. Hij had de cassette met het gesprek tussen Barrington en Sarah bij zich. Ze stopte het bandje bij de andere dingen in de envelop en gaf hem aan Angelo. Hij vertrok met de dikke envelop naar het postkantoor in Marrakech. Het waren geen keiharde bewijzen en als het aan haar lag, zou het nooit een rechtszaak worden, maar niettemin zou het een oordeel vellen.

De waarnemers rondom Onslow Square zagen Carla Vitale om halfzes uit haar flat komen. Ze had een sporttas bij zich en zou dus wel een paar uur wegblijven. Een paar mannen gingen achter haar aan, de rest bleef waar ze waren.

Een paar minuten nadat Carla naar buiten was gekomen, kwam de oudere heer die in de flat onder haar woonde terug van een lange, vloeibare middag op de club. Achter hem liep een vrouw van achter in de zestig met grijze haren en een schort voor; een schoonmaakster die een zware stofzuiger met zich meezeulde en een grote handtas. De oude man hield de deur galant voor haar open en volgde haar naar binnen.

De schoonmaakster, Carol Abrahams, liep langzaam en bleef een paar keer stilstaan op de trap om zich ervan te verzekeren dat de man zijn flat in gegaan was en dat er niemand anders in het trappehuis was. Ze stopte voor de deur van een flat op de vierde verdieping. Voor de zekerheid klopte en belde ze nog aan. Geen antwoord. Niemand thuis. Ze stak een hand in haar tas en haalde er een grote bos sleutels uit waarmee ze nauwgezet aan het werk ging. In minder dan twee minuten had ze de deur open.

Verbazingwekkend behendig sprong ze naar binnen. De stofzuiger hield ze hoog boven haar hoofd zodat er geen vezels van de vloerbedekking op konden komen. Ze pakte een plastic tas uit haar uitpuilende handtas, legde die op de grond en zette de stofzuiger erop. Dit alles in een tijd van vijf seconden. Ze wachtte een paar minuten met zwetende handen, biddend dat er geen alarminstallatie was. De seconden tikten voorbij. Stilte. Niets. Geen alarm.

Ze haalde een paar keer diep adem om tot rust te komen en ging toen aan het werk. Haar instructies waren duidelijk en eenvoudig, erg jammer onder deze omstandigheden. Haar opdracht was om elke video uit de flat mee te nemen en niets anders aan te raken. Gelukkig waren er maar weinig banden. Er lagen er vier onder de televisie en drie in de kluis die ze in minder dan vijf minuten had opengemaakt. In de kluis lag ook een hoeveelheid van de meest extravagante sieraden die Carol in lange tijd had gezien. Met haar handen in een paar felgele rubberen afwashandschoenen gestoken die ze die ochtend voor een pond negenennegentig bij de supermarkt had gekocht, liet ze een dozijn kettingen door haar vingers glijden.

Het kostte vreselijk veel moeite, maar haar opdracht was heel duidelijk en ze wist heel goed dat ze zich aan de afspraak moest houden. Ze legde de sieraden terug, pakte de videobanden en stopte ze bij de andere in de stofzuiger. Toen verliet ze snel de flat.

Terugvallend in haar rol van schoonmaakster waggelde ze de trap af en de stoep op. Vlakbij de flat zag ze een paar mannen in een busje van *British Telecom* zitten. Ze bekeken haar. Ze wierp hun zo'n grote grijns toe dat ze al haar tandstompjes konden zien en strompelde de straat af.

Net om de hoek deed ze haar auto van slot en stapte ze in. Ze zette de stofzuiger op de stoel naast haar en nadat ze gecontroleerd had of er niemand keek, haalde ze de videobanden eruit en stopte ze in een weekendkoffertje dat voor de passagiersstoel stond. Toen startte ze de auto en reed naar Heathrow. Twee uur later zat ze in een Boeing 737, onderweg naar Marrakech.

Jack stond op het vliegveld op haar te wachten. Hij leidde haar naar zijn auto. Ze gingen allebei achterin zitten en met een verwachtingsvolle grijns opende Carol haar koffertje en overhandigde ze haar buit.

'Er lagen een heleboel mooie glimmedingetjes,' zei ze met glinsterende ogen. Jack keek haar even geschrokken aan, maar moest lachen toen hij haar gezicht zag. Carol werkte al twintig jaar voor hem en daarvoor zat ze al twintig jaar in het vak. Ze kon het nooit laten hem te pesten.

'Maak je niet dik,' kakelde ze. 'Ik heb ze netjes laten liggen.'

'Goed gedaan, meiske,' lachte Jack. 'Je ziet Angelo over een paar dagen. Hij regelt alles verder met je.'

'Laat ik het hopen, want anders ga ik achter die mooie dingetjes aan.'

Nog steeds lachend, gingen ze voorin zitten en reden ze naar het centrum van Marrakech, naar Avenue Bab Jdid. Jack zette Carol af bij het grootste hotel van Marrakech, Mamounia.

'Misschien krijg je morgen nog een pakje van me om mee terug te nemen. Er is niets mee aan de hand, het is geen smokkelwaar.'

'Dat is je geraden ook. Het is al erg genoeg om helemaal hierheen te vliegen en dan de volgende dag weer terug te moeten. Ik lijk wel een verdomde pakezel.'

Jack moest lachen om haar half gemeende en half spottende opmerking. Carol had graag een paar dagen over de soek willen slenteren voordat ze weer naar huis ging.

'Ik bel je morgen zo gauw ik iets weet.'

'En je wilt zeker dat ik op je telefoontje ga zitten wachten, hè?' Carols opstandige houding met haar benen wijd en handen in haar zij werd teniet gedaan door een grote grijns.

'Ik betwijfel of je al wakker bent als ik bel. Zorg er in ieder geval voor dat je in goede staat bent om te reizen morgen. Laat de fles maar een beetje met rust. Dat is alles.'

Jack knipoogde, trok de deur dicht voor ze antwoord kon geven en reed nog steeds glimlachend weg.

Minachtende opmerkingen, zelfs als ze als grapje werden verpakt, maakten Carol razend. Ondanks haar enigzins rimpelige voorkomen, was ze een van de meest professionele inbrekers die er bestonden. In haar meer dan veertig jaar durende loopbaan in het criminele circuit was ze nog nooit in aanraking geweest met de politie. Net als Jack was ze eigenlijk gestopt met werken, maar af en toe liet ze zich overhalen om een klusje te doen. Het hing ervan af of het goed betaalde en wie het vroeg. Voor Jack zou ze bijna alles doen en voor een kwart miljoen pond ook.

Om een uur 's nachts kwam Jack terug in Ouirjane. Jacob en Sarah waren nog op. Ze draaiden om hem heen in de bibliotheek. Grijnzend haalde hij met een zwierig gebaar de videobanden uit zijn weekendtas.

'Ik weet niet of dit binnen de categorie "alle leeftijden" valt, maar laten we het maar eens proberen.' Toen liet hij, alsof Carol hem besmet had, een luide kakelende lach horen.

Sarah en Jack schaterden het uit.

'Nou, laten we maar eens kijken.' Elkaars gedachten lezend, spurtten Sarah en Jacob allebei naar de beste plaats recht voor de tv. Sarah won. Jacob keek berustend.

'De jeugd van tegenwoordig... Helemaal geen respect meer voor de ouderen.' Ze zaten nog steeds te lachen toen de eerste beelden op het scherm kwamen. Ze bleven lachen. Carla en Catania waren te zien in een uitgebreide hoeveelheid compromitterende standjes. Beter bewijs van chantage hadden ze niet kunnen vinden.

Jack kopieerde de banden. Sarah schreef een kort briefje aan Hilton en stopte het toen samen met de banden in een grote gewatteerde envelop. Ze gaf hem aan Angelo die hem de volgende ochtend bij Carol zou bezorgen. Carol zou ermee naar Londen vliegen en hem door een koerier bij de *Times* laten bezorgen.

Sarahs gedachten dwaalden terug naar de scherpe beelden die ze had bekeken. Carla's prachtige gezicht was duidelijk te zien geweest; kil, berekenend en onbetrouwbaar. Sarah voelde slechts lichte afkeer voor haar. Het was de andere acteur die gevoelens in haar opwekte. Ze begon een onverbiddelijke haat te ontwikkelen tegen Giancarlo Catania. Ze had de flikkering in zijn donkere ogen gezien en wist dat hij in staat was tot extreme wreedheid. Niet dat hij zijn eigen handen vuil zou maken, maar hij was iemand die volmachten gaf om te doden. Sarah kon het zich gemakkelijk voorstellen.

Ze wenste Jacob en Jack welterusten en ging naar haar kamer. Ze stapte het terras op en ademde de nog steeds warme lucht in. De geur van jasmijn werkte bedwelmend. Ze hield haar hoofd schuin en keek naar de grote, fonkelende sterren. Haar gezicht was ingevallen - ze had al een paar dagen bijna niet gegeten - maar vastberaden. Nu ze een doel had, begon de pijn weg te ebben.

26

Het Federal Express-pakje landde met een blikkerig plofje in de postkamer van de *Times*. Leroy Grey, een van de medewerkers van de postkamer, stak met een sloom gebaar zijn hand uit naar de telefoon.

'Hoi Hilton, het pakje van Federal Express is er. Ja hoor, ik breng het wel even, geen probleem.'

Hilton pakte het pakje van hem aan en liep ermee naar Clement Stamps kantoor. Stamp maakte de envelop open en Hilton keek over zijn schouder mee. Hij hield het pakje boven het bureau ondersteboven zodat alles eruit viel. Er zaten twee cassettebandjes van negentig minuten in en een getypte brief.

Het papier was verkreukeld geraakt tussen de bandjes. Stamp streek het glad op zijn bureau. Hilton las over zijn schouder met hem mee.

> Beste Hilton,
> Doe wat je kunt hiermee. Je kunt het natuurlijk laten zien aan Clement, hij is een fantastische redacteur. Hij is te vertrouwen. Laat het niet aan advocaten zien want dan komt het nooit in de krant. Zoals we allebei weten, hebben ze geen lef en leiden ze liever een rustig leventje. Ga er niet mee naar de politie of de autoriteiten. Je zult begrijpen waarom ik geen vertrouwen in ze heb en zelfs als je een goede zou vinden, ben je grijs en kaal tegen de tijd dat ze eindelijk actie ondernemen. Zoals ik je heb verteld, zit ik in de tussentijd met gevaar voor mijn leven ondergedoken. Dezelfde mensen die Dante en Mosami hebben vermoord, zijn op zoek naar mij.
> Mijn rol in dit geheel is die van een infiltrant, aangesteld door de president van de Bank of England. Hij werkt samen met iemand anders, ik weet niet wie. Mogelijkerwijs de geheime dienst. Hoe dan ook, ik heb mijn werk gedaan en de schuldige partijen en het bewijs daarvoor aangedragen, maar om de een of andere reden doen ze niets; geen arrestaties, helemaal niets. Dus de samenzweerders en de moordenaars lopen nog steeds vrij rond. Mijn enige hoop is dat jij het verhaal publiceert en hun identiteit openbaar maakt. Dan hebben ze geen enkele reden meer om te moorden, afgezien van wraakgevoelens.

Verder bevatte de brief een beschrijving van de gepleegde fraude en een lijst van alle betrokken partijen. Een P.S. suggereerde dat de mafia er ook bij betrokken zou kunnen zijn.

Stamp en Scudd keken elkaar met glanzende ogen aan. Stamp haalde een cassetterecorder uit een la. Verbijsterd luisterden ze in stilte naar de bandjes. Daarna stopte Stamp de bandjes en de brief terug in de envelop en legde hem in de ingebouwde kluis van zijn kantoor.

Er klopte een ader op zijn slaap. 'Wat een verhaal; sex, corruptie en dood in het hart van het Italiaanse parlement met betrokkenheid van de City, Threadneedle Street en waarschijnlijk ook nog de veiligheidsdienst. En de samenzweerders zwemmen nu in het geld. En Sarah Jensen is er ingeluisd en op de vlucht.'

Hilton wreef in zijn ogen en zei voor zich uit starend: 'Wat gaan we hiermee doen?'

Clement stond op en greep Hilton met glimmende ogen stevig bij zijn schouder.

'Publiceren, zoveel mogelijk. Ik wil dat je een artikel schrijft dat we kunnen gebruiken als lokaas. Laten we maar eens kijken welke reacties we krijgen. Houd het voorlopig even stil.'

Hilton keek hem lachend aan.

'En jij, wat ga je doen?'

'Ik,' antwoordde hij met een grote grijns, 'ga de bandjes laten onderzoeken op autenticiteit.'

Hilton keek hem afkeurend aan en liep weg.

'Zelfbescherming,' riep Stamp hem na.

De bandjes werden onderzocht en Hilton was halverwege zijn artikel toen het tweede pakje arriveerde.

Het was gebracht door een koerier op een motorfiets die van helm tot laars in het zwart gekleed was, een neefje van Carol Abrahams. Leroy Grey die het pakje in ontvangst genomen had, zei dat de jongen onherkenbaar was.

Het pakje lag een uur in de postkamer voordat Leroy het eindelijk naar Hilton bracht. Hilton kreeg een rolberoerte toen hij het handschrift herkende. Hij greep het pakje en stormde ermee naar Stamps kantoor, waar hij midden in een vergadering viel. Stamp keek van Scudds gezicht naar het pakje en weer terug en beëindigde toen de bespreking met de vier journalisten. Beledigd liepen de vier naar buiten.

Hilton ging tegenover Stamp zitten, knipte de gewatteerde envelop open en keerde hem boven de tafel om. Er viel een verzameling video's en bandjes uit. Scudd stak een hand in de envelop en haalde Sarahs brief eruit. Er stond weinig in; alleen maar dat ze moesten kijken en luisteren en alles moesten gebruiken.

Stamp trok de rolgordijnen voor zijn glazen wanden en deur naar beneden, pakte een videoband en stopte hem in de videorecorder in de hoek van het kantoor.

Een zangerige, vrouwelijke, Italiaans sprekende stem kondigde de tijd, datum en plaats aan; kwart voor drie 's middags, 26 oktober 1992, Rome.

Er werd een kamer zichtbaar, een slaapkamer. Er waren twee mensen. Een ervan was de president van de Banca d'Italia, Giancarlo Catania. De ander, die Stamp en Scudd niet bekend voorkwam, was een brunette van achter in de twintig die er vanuit elke invalshoek prachtig uitzag.

Ze hadden geslachtsgemeenschap. Pijnlijke sex. De eerste band besloeg de hele ontmoeting. Er waren nog vier andere banden die waren opgenomen in Londen, New York, Genève en Riyadh. En dan was er nog een cassettebandje waarop een aantal gesprekken stond tussen de melodieuze stem en Catania. Het eerste gesprek zette de eisen van de chanteur uiteen. Scudd, die redelijk Italiaans sprak, vertaalde. Als Catania niet meewerkte, zou zijn vrouw de banden te zien krijgen. In ruil voor geheimhouding van de banden zou Catania details van inmenging van de G7 of de EG op de financiële markten doorgeven - zoals koersveranderingen en inmenging van de centrale banken.

De daaropvolgende gesprekken waren elke keer kort. Catania was te horen terwijl hij opdracht gaf om ponden, dollars, lire, etcetera te kopen.

Stamp zette de cassetterecorder en de televisie uit. Hij streek met zijn handen door zijn warrige haar en slaakte een diepe zucht alsof hetgeen hij zojuist gezien had hem te veel werd. Hij stond op en begon heen en weer te lopen door zijn kantoor.

'Het is godverdomme een prachtig verhaal. Maar kunnen we dit wel publiceren? We kunnen een behoorlijke politieke rel verwachten. Voor Italië is dat niet erg, daar zijn ze eraan gewend; gewoon het zoveelste schandaal. Maar hier ligt het anders en hoe je het ook wendt of keert, er zit een luchtje aan dit verhaal. De president van een belangrijke bank wordt aangemerkt als crimineel, de president van de Bank of England gaat een gevaarlijke samenwerking met de geheime dienst aan. Samen installeren ze een infiltrant die ze later weer laten vallen en waarschijnlijk proberen te verbergen. Er ligt fantastisch bewijs, maar er is niemand aangehouden. Het lijkt wel of het zaakje zelfs voor hen te duister is. Ik kan me voorstellen dat ze weinig zin hebben om hier een rechtszaak van te maken. Het is meer hun stijl om de oplossing binnenskamers te zoeken, maar zoals het eruitziet is zelfs dat niet gebeurd; niemand heeft zich plotseling teruggetrokken vanwege een "slechte gezondheid" en er gaan geen geruchten over een zoektocht naar vervangende kandidaten. Ik snap er helemaal niets van, jij wel?'

Scudd schudde zijn hoofd. Stamp ging door.

'En dan hebben we Sarah Jensen zelf nog. Barrington zegt dat ze er tot aan haar nek in zit. En dan heeft hij het verder nog over drie miljoen en dat ze geen ideale, onbevlekte getuige is. Hij zegt dat hij nog wat dingetjes over haar heeft ontdekt. Weet jij wat ze heeft gedaan?'

'Ik heb geen flauw idee.'

'Nou ze zal de wet in ieder geval een paar keer overtreden hebben; ze heeft die lui afgeluisterd en ik durf te wedden dat die video's gestolen zijn.' Hij ging achter zijn bureau zitten. 'En toch, wat ze ook gedaan heeft, twee van haar vrienden zijn dood en de man die haar hoort te beschermen, schijnt het leuker te vinden om haar te bedreigen.'

'En ze vraagt ons om hulp. Daar komt het allemaal op neer, is het niet?'

Stamp legde zijn hoofd in zijn nek en staarde naar het plafond.

'Goed, wat doen we hieraan?' vroeg Scudd.

'Lieve hemel, ik heb geen idee. Ik wil er even over nadenken. Ga jij maar gewoon door met je verhaal. Pak maar een van de vergaderruimtes om te werken en gebruik een wachtwoord voor al je kopij. Laat het aan niemand anders zien dan aan mij. Ik zou moeten gaan praten met Barrington, maar ik weet niet zeker of we hem nu al moeten inlichten. Laat me je artikel zien zo gauw je het af hebt. Misschien brengt het me op een idee.'

Stamp zuchtte diep. 'Het probleem is dat ik echt geen idee heb of het ons zal lukken om dit te publiceren. Waarschijnlijk krijgen we een *D-notice* op het moment dat Whitehall of de Bank hier lucht van krijgt. Dus om die reden wil ik ze eigenlijk nog niets vertellen. Misschien kunnen we het verhaal zo opblazen dat het daarna te laat is om nog met een *D-notice* aan te komen zetten. Ik weet 't niet.'

'Maar we moeten wel iets doen. Ik geloof Sarah als ze zegt dat ze denkt dat zij als volgende aan de beurt is.'

'Denk je dat ik het niet geloof? De mafia, Catania, ze hebben alle reden om haar uit de weg te ruimen.'

'En niemand doet iets om haar te helpen.'

Hilton Scudd stond op, snelde het kantoor uit en sloot zichzelf op in een van de vergaderruimtes aan de andere kant van de afdeling. Hij zette de computer in het midden van de kamer aan, bedacht een wachtwoord en begon woest te typen. Zijn haar viel voor zijn ogen. Na elke paar woorden streek hij het over zijn voorhoofd naar achteren en na een paar seconden viel het telkens weer naar voren.

Met een tevreden gezicht leunde Giancarlo Catania achterover in zijn stoel. De obers haalden de restjes van een buitengewoon goede lunch van tafel. Bresaola met mosterd en Parmeggiano Regiano gevolgd door picatta di vitello en tiramisu als toetje. Dat alles begeleid door een fles Tignorello. Een aantal van de beste restaurants in Rome kon hier niet aan tippen. Niet dat ze dat wisten... Er waren twee eersteklas koks en twee obers die bedienden in de grote zonovergoten eetzaal, maar het was geen restaurant. Het was in geen enkele gids te vinden en aan de smaakvolle buitengevel was niets te zien. Geen enkele nieuwsgierige voorbijganger kon hier binnenkomen. Alle gasten waren bekend bij de eigenaar. De politici en ambtenaren waar Catania in het dagelijks leven mee omging, kwamen hier nooit, in ieder geval zouden ze dat nooit toegeven.

Het grote huis aan Via Appia Antica lag ongeveer zeven kilometer uit het centrum van Rome en was omstreeks 1930 gebouwd uit roze steen. Het was laag en zeer uitgebreid met een zwembad aan de achterkant. Aan de voorkant lag een grote tuin die de privacy van de gasten waarborgde. Het huis was van Antonio Fieri. Elke maand lunchten hij en Catania in de grote eetzaal met het lage plafond, die uitkeek op de tuinen aan de achterkant van het huis.

Catania werd altijd bij de Banca d'Italia opgehaald door een van Fieri's chauffeurs in een auto die geregistreerd stond op naam van een bedrijf op de Cayman Eilanden, voor het geval iemand de kentekenplaten zou willen natrekken. Catania kon zijn officiële auto niet gebruiken; iedereen die hem kende, zou de nummerplaten herkennen. Fieri's auto had getint, kogelvrij glas, net als de rest van zijn wagenpark. De chauffeur parkeerde in een ondergrondse garage aan de zijkant van het huis. Zo kon Catania de trap oplopen zonder dat hij van buitenaf gezien werd. Het was een ritueel waar hij zich vandaag niet prettig bij voelde.

Catania zag op tegen deze ontmoeting. Hij wist dat hij gewoon moest doen en tegelijkertijd Fieri kritisch in de gaten moest houden op zoek naar tekenen dat hij misschien iets wist of vermoedde over Carla, Scarpirato, Matsumoto of Jensen; het rijtje leek eindeloos. Er waren te veel geheimen en ze werden steeds moeilijker te bewaren.

Fieri's eigen geheime dienst was groot en de man zag alles. Catania wist dat zenuwachtig gedrag meteen opviel. Fieri schepte er een waar genoegen in om mensen nerveus te maken, gewoon om te zien wat er gebeurde en te kijken of mensen tegen grote druk konden.

Maar Fieri had gewoon een goed humeur zonder dat Catania argwanend hoefde te zijn. Hij was bijzonder tevreden over de laatste G7-operatie omdat die de *Unione* zestien miljoen dollar had opgeleverd. In verhouding tot de totale omzet was het niet veel, maar het was niet slecht voor risicoloze handel.

Catania begon zich te ontspannen in het bijzijn van de Capo. Fieri was gelukkig met de gedane zaken en leek joviaal en zorgeloos. Hij scheen niets te weten van het gedoe met Carla, de moorden op Matsumoto en Scarpirato en de verdwijning van die Jensen. Ze was hem gesmeerd, bang geworden door de dood van haar vrienden; als ze het bij de autoriteiten zou hebben gemeld, zou er allang op zijn deur geklopt zijn. Dus tot nu toe was er niets aan de hand, maar hij nam geen risico's. De opdracht om haar uit de weg te laten ruimen, bleef van kracht. Christine Villiers moest in Londen blijven tot haar prooi weer opdook. Vroeg of laat zou ze haar krijgen.

In de loop van hun samenzijn verdwenen Catania's angsten en groeide zijn zelfvertrouwen. Fieri was zo gelukkig met de gedane zaken dat hij ongewoon vrijgevig was. Hij zei tegen Catania dat hij een extra miljoen dollar op zijn Zwitserse bankrekening had gestort. Normaal gesproken kreeg Catania tien procent van de winst. Dat kwam neer op $1,6 miljoen. Catania glimlachte. $2,6 miljoen hielp bij het betalen van Christine Villiers. Hij putte zich uit in dankbetuigingen. Met een hooghartige glimlach hoorde Fieri de bedankjes aan, stond op om hem te omhelzen, gaf hem op elke wang een zoen en vertrok toen naar een volgende afspraak.

Catania leunde achterover. Het begon er allemaal een stuk beter uit te zien. De lunch was een succes en zijn kleine plaatselijke probleempjes leken onder controle te zijn. Hij lachte hardop, sprong op en liet de chauffeur komen. Hij was klaar voor vertrek.

Terwijl Catania zich wentelde in zijn eigen geluk, zat Giovanna Cheri, zijn persoonlijke assistente, kettingrokend te proberen twee telefoons tegelijk te beantwoorden. Rita, haar baas, had allang terug moeten zijn in plaats van haar hier met de ellende op te schepen. Ze was gaan lunchen met haar vriendje Glauco, daarna zou ze gaan winkelen op Via Condotti - waar je minstens drie uur voor nodig had, en zelfs dat was kennelijk niet genoeg. *Cattiva*. Rita bleef altijd lang weg als er "lunch met Sg C" in Catania's agenda stond.

Catania kwam zelden voor vijven terug van deze afspraken. Giovanna was benieuwd wie deze Signor C. was. Misschien was het een vrouw. Ze haalde haar schouders op. Iedereen had minnaressen. Waarom hij niet? Voor een man van zijn leeftijd zag hij er helemaal niet slecht uit. Giovanna stopte met gissen en pakte een exemplaar van *Vogue*. Ze zat er net een minuut in weg te dromen toen de telefoon ging. Het was de rode telefoon die vrijwel alleen door belangrijke ministers gebruikt werd.

Het was een redacteur van de *Times* uit Londen, de heer Stamp. Ze herinnerde zich dat ze hem wel eens eerder had gesproken. Een aardige man, heel beleefd. Daar kon haar baas nog wat van leren. Wat kon ze voor hem doen? Hij wilde iets belangrijks met de president bespreken. Kon ze hem het nummer faxen waar haar baas later die avond te bereiken zou zijn?

Ma certo. Maar natuurlijk. Ze schreef Stamps faxnummer op en herhaalde het. Tien minuten later lag er een fax op Clement Stamps bureau.

Hilton zat nog steeds woest te typen. Hij had het artikel ondergebracht achter het wachtwoord 'Cambridge'. Alleen degenen die het wachtwoord kenden, konden het opvragen; in dit geval waren dat Clement Stamp en Christopher Fisch, een van de aan de krant verbonden advocaten. Normaal gesproken ging alle kopij naar het algemene systeem zodat elke journalist van de *Times* het op kon vragen. Maar dit verhaal niet. Het gevaar voor roddels was te groot. Vanwege het belang van het artikel en het welzijn van Sarah Jensen wilde Stamp geen lek.

Normaal gesproken vervulde een groot verhaal Stamp met nerveuze opwinding, maar nu voelde hij zich ongemakkelijk en ongerust. Het was niet alleen het verhaal zelf, maar ook zijn eigen rol in het publiceren ervan – als dat ooit gebeurde. Het zou hem van journalistiek redacteur tot katalysator en uitdrager van gerechtigheid maken. Het zou niet de eerste keer zijn dat hem of zijn krant dat overkwam, maar in dit geval ging het om een bijna onverdraaglijke dubbelzinnigheid; er zaten te veel leugens en weglatingen vermengd met de waarheid in, er waren te veel achterliggende motieven. Het was het klassieke spiegelverhaal: een perspectief dat van alle kanten vervormd werd, er was niemand met een volkomen duidelijke visie. Maar door alle onbegrijpelijkheid heen was het duidelijk dat Sarah Jensen in gevaar was, dat er immens grote financiële fraude gepleegd werd en dat er tegelijkertijd een nog griezeliger samenzwering dichter bij huis ontrafeld werd, met Sarah Jensen als slachtoffer en de president van de Bank of England en nog een paar andere partijen als aanstichters.

Het enige dat hij kon doen, was beginnen met het voor de hand liggende: zich door de hoeveelheid informatie werken en maar zien wat er gaandeweg de rit gebeurde. Met loodzware tred liep hij zijn kantoor uit op weg naar Christopher Fisch, de advocaat.

Fisch was niet gelukkig. Zijn mond- en ooghoeken wezen naar beneden als uiting van professioneel pessimisme. Stamp stond over hem heen gebogen en las Hiltons kopij op het computerscherm. Het leek wel een slagveld. Hele zinnen waren rood gemarkeerd om achteraf te beargumenteren en eventueel te laten vervallen en daaronder stonden in vette letters de voorgestelde aanpassingen van Fisch. Stamp wist dat Scudd de aanpassingen op zijn eigen computerscherm zag, elk punt zou bestrijden en dat bericht dan weer naar Fisch stuurde.

Stamp ging terug naar zijn kantoor en Scudd en Fisch vervolgden hun nijdige correspondentie. Er gingen bestellingen naar de kantine, voedsel werd verslonden en eindeloze aantallen koppen koffie gedronken terwijl hun zenuwen zwaar op de proef werden gesteld.

Om acht uur die avond was er een compromis bereikt. Alle drie zaten ze in Stamps kantoor de uiteindelijke versie op het scherm te lezen. Stamp voerde de krantekop in.

'MILJARDENFRAUDE BINNEN DE G7
Er wordt beweerd dat een hooggeplaatste bankier binnen de groep van zeven industriële landen door zijn maîtresse gechanteerd wordt en details van geheime financiële G7-activiteiten doorspeelt. De beschuldigingen luiden dat deze informatie gebruikt wordt door medewerkers van de maîtresse om ermee te handelen op de valutamarkt. Dit zou handelen met voorkennis op het hoogste niveau betekenen. Het is geen garantie voor winst, maar het schakelt een aanzienlijk deel van de gevaren uit. Met deze voorkennis en een bedrag van $ 250 000 zou het mogelijk zijn een illegale winst te maken die kan oplopen tot tientallen miljoenen per jaar.
Onze bronnen suggereren dat er met veel grotere bedragen gehandeld is en dat de illegale opbrengsten meer dan $100 miljoen zouden kunnen bedragen.'

Daarna werd er in het artikel een aantal voorbeelden van overtredingen in de valutahandel en andere financiële markten genoemd. Het verhaal was vijfhonderd woorden groot en bedoeld voor de linkeronderhoek van de voorpagina. Het meldde zoveel als wettelijk mogelijk en tactisch gezien wijs was. Het was een voorbereiding op het grotere werk.

Stamp dacht aan de stortvloed van telefoontjes die dit artikel over de hele wereld teweeg zou brengen; Scotland Yard, de fraudebestrijdingsinstituten, het departement van handel en industrie, de nationale reserve en... de Bank of England, die deze bewijzen de hele tijd al had maar er tot nu toe niets mee had gedaan, niets zichtbaars in ieder geval. De weerslag zou enorm zijn; Sarah Jensen zou een hoge prijs betalen. Als dit gedrukt werd, zou ze er niet ongeschonden vanaf komen. Stamp staarde lange tijd naar de tekst. Om een aantal redenen zou het veel beter zijn als dit nooit in de krant kwam.

Hij glimlachte naar de vermoeide gezichten, pakte zijn kantooragenda en pakte de fax met Giancarlo Catania's telefoonnummer. Negen uur in Italië. Stamp toetste het nummer in.

Catania was voor een etentje te gast bij Dottore Nicolo Callabria, zijn directe ondergeschikte bij de Banca d'Italia. Callabria haatte zijn baas. Hij achtte zichzelf veel geschikter voor het presidentschap. Al drie jaar leed hij in stilte en zijn geduld begon op te raken. Het was mateloos irritant om te moeten socialiseren met omhooggevallen personen, maar het was goed voor zijn imago, dus nodigde hij Catania eens in de drie maanden uit. Catania's vrouw was de enige verzachtende omstandigheid. Hij richtte zijn aandacht weer op haar. In de afgesloten eetkamer hoorde niemand de telefoon rinkelen.

In haar slaapkamer pakte Dottore Callabria's twaalfjarige dochter Nicoletta de telefoon op. Ze vond het heerlijk om de etentjes van haar ouders te verstoren. Ze rende haar slaapkamer uit, door de hal naar de eetkamer. Twaalf paar ogen staarden haar aan.

'Papa, er is telefoon voor Governatore Catania. Het is een redacteur van de *Times* in Londen.'

Catania werd geamuseerd gadegeslagen.

'Alora, wat heb je nu weer gedaan, Giancarlo?'

Catania glimlachte en excuseerde zich. Zijn maag trok zich verkrampt samen, maar hij bleef glimlachen terwijl hij zich omdraaide en Nicoletta volgde naar de hal. Het meisje gebaarde naar de telefoon op een bijzettafeltje. Catania negeerde het gebaar en keek om zich heen.

'In de studeerkamer misschien?'

Daar werd hij tenminste niet afgeluisterd. Nicoletta wees naar een deur aan het einde van de gang en zag Catania erachter verdwijnen.

Een glanzende zwartc telefoon met meerdere toegangslijnen stond op een tafel in de hoek van de kamer. Catania keek er woedend naar. Hij zette zich schrap en pakte de hoorn op.

'Pronto.'

Verstijfd zat hij in stilte te luisteren. Hij omklemde de hoorn. Hij ontkende of bevestigde niets, hij luisterde alleen maar. Hij wist welke bewijzen ze hadden. Hij had ze eerder gezien en had toen meteen stappen moeten ondernemen. Hij had zich dus vergist. Woede en spijt raasden door zijn hoofd zodat hij niet helder na kon denken.

Het moest Sarah Jensen zijn. Maar waarom? Waarom de pers en niet de politie? Hij had tijd nodig om na te denken voor hij antwoord wilde geven. Hij vroeg om een paar uur. Hij kreeg er één. Hij ging terug naar de eetkamer en zei dat er dringende zaken geregeld moesten worden bij de bank, of ze hem wilden excuseren. Ze keken hem meelevend aan en zeiden dat hij natuurlijk weg mocht.

Callabria stond op en vroeg of hij misschien ergens mee kon helpen. Catania gaf hem een strakke glimlach, zei met moeite: 'Nee, dank je' en verdween.

Hij reed de auto uit het kleine zijstraatje en draaide Via Salaria op die wel een racebaan leek. Hij had zijn chauffeur een vrije avond gegeven. Hij vond het heerlijk om zelf in een goede auto te rijden, maar de regels van het werk stonden hem deze luxe bijna nooit toe, dus hij greep elk excuus aan. Ondanks alles vond hij het zelfs vanavond leuk.

Vijftien minuten later was hij bij de Banca d'Italia. Hij knikte de nachtportiers toe en liep door de stille gang naar de lift die hem naar de dertiende verdieping bracht, naar vijftien jaar vertrouwdheid. Was dit hoe het zou eindigen? Wat een verdomde verspilling. Wat een verdomd vreselijke verspilling. Hij deed de deur van zijn kantoor van het slot en ging met zijn hoofd in zijn handen achter zijn bureau zitten.

Het was niet logisch. Carla won niets en had veel te verliezen door hem hieraan bloot te stellen. Het moest Sarah Jensen zijn. Maar hoe was ze aan die video's gekomen en waarom was ze naar de krant gestapt? Wat viel er voor haar te winnen? Hij zou haar een onwaarschijnlijk hoog bedrag hebben betaald en de prijs op haar hoofd hebben verwijderd als ze naar hem toe gekomen was.

Hij zat in stilte in het donker door het raam te staren terwijl hij voor zich zag hoe zijn leven in elkaar stortte, hoe de stille mannen hem op een dag zouden komen halen en hoe het bloed uit hem zou pompen nadat hij met kogels doorzeefd was. En Donatella en de kinderen. Zouden zij het overleven?

Plotseling sprong hij overeind. Er schoot hem een idee, een uitweg te binnen; een kleine maar realistische kans. Hij moest het proberen, hij had niets te verliezen. Hij pakte het verkreukelde papiertje uit zijn borstzak en belde het nummer dat erop stond, het rechtstreekse nummer van Clement Stamp.

'U verdoet uw tijd, meneer Stamp. U zult dat artikel niet plaatsen. Het zijn allemaal leugens, dat weet u heel goed.' Hij pauzeerde even. 'En trouwens, alles overwegend lijkt het me beter voor uw vriendin dat het niet afgedrukt wordt, denkt u niet?'

Clement Stamp lachte ongelovig.

'Probeert u me te chanteren?'

Er klonk een klik en de verbinding was verbroken. Stamp keek kwaad naar de hoorn die hij in zijn hand geklemd hield. Catania was schuldig; schuldig aan fraude en schuldig aan moord. Hij pakte de foto die de politie had gestuurd van Dante Scarpirato's afgebrande huis. Scudd en Fisch staarden hem aan. Het duurde een hele tijd voor hij iets zei.

'Hij is schuldig. Zo schuldig als wat. Niet dat hij iets toegaf. Hij zei dat het allemaal leugens waren en hij suggereerde dat onze "vriendin" beter af was als we het artikel niet plaatsten.'

'Je bedoelt dat hij haar vermoordt als we dat wel doen?' vroeg Scudd.

'Ja, en vermoedelijk laat hij haar met rust als we het laten rusten.'

Sarah had bijna alles gedaan wat ze kon bedenken om de tijd te verdrijven. Om tien uur hield ze het niet meer uit. Ze belde Hilton thuis en kreeg het antwoordapparaat. Ze belde hem bij de *Times* en wachtte. Na een eindeloze tijd nam hij eindelijk op.

'En?' Steeds banger wordend hoorde ze hem aan. 'Hoe bedoel je, jullie gaan het verhaal niet plaatsen?'

Hilton hield de hoorn een flink stuk van zijn oor vandaan, totdat het na een paar seconden stil werd. 'Luister, Sarah, Clement staat hier en hij wil met je praten.'

Stamp kwam aan de telefoon. 'Hallo Sarah. Ik ben bang dat het allemaal nogal smerig is. In het kort is het zo dat Catania laat doorschemeren dat hij je zal vermoorden als we het artikel plaatsen.'

'Dus in ruil voor mijn stilzwijgen blijf ik in leven?'

'Ja, zoiets.'

Sarah was een tijdje stil. 'Ik zou me verder geen zorgen maken over Catania, Clement. Hij krijgt zijn trekken nog wel thuis.'

Hij lachte. 'Ik wou dat ik daar zo zeker van kon zijn.'

'Dat komt nog wel.'

'Hoe bedoel je?'

'Ik bedoel zoiets als: zo gaat het in het leven.'

Ze hing op voor hij de kans kreeg nog meer vragen te stellen.

Sarah wendde zich tot Jack en Jacob. Ze glimlachte zwakjes.

'Jullie hebben het waarschijnlijk al geraden. Mijn problemen zijn voorbij. Clement heeft met Catania gesproken. Geen kranteartikel in ruil voor mijn leven. Ik ben weer veilig.' Ze glimlachte naar Jacob. 'En belangrijker is dat jij weer veilig bent.' Ze keek Jack aan. 'En jij ook. Jullie hebben allebei enorme risico's genomen om mij te helpen...'

Beide mannen stonden op om haar te omhelzen. Ze drukte haar hoofd tegen hun borst, de tranen stroomden over haar gezicht.

Voor de eerste keer die dag lachte Christopher Fisch, ternauwernood ontsnapt aan het zoveelste gerechtelijk bevel. Stamp haalde de Catania-banden uit de envelop, gooide de envelop weg en deed de banden in een nieuwe envelop. Hij vroeg Hilton om Sarahs brief en de floppy waarop hij zijn artikel had opgeslagen. Hij stak deze bij de banden in de envelop en stopte hem in zijn koffertje. Morgen zou hij de spullen naar een kluisje brengen dat geregistreerd stond op nummer en niet op naam. Hij gaf Hilton en Fisch de opdracht om het Cambridge-dossier van hun harde schijf te wissen en keek toe toen ze dat deden.

Alle bewijzen van het verhaal zouden achter slot en grendel worden opgeborgen. Maar hij wist dat het uiteindelijk niet zou lukken om het deksel op de doos van Pandora te houden.

Hij wierp een blik op zijn horloge. Het was halftien. Tijd om ter perse te gaan. Hij belde Brian Smart, zijn plaatsvervangend redacteur. Hij moest de lege plek op de voorpagina maar zien op te vullen, hij had er zelf geen zin meer in. Hij wenste Scudd en Fisch welterusten en vertrok naar de Garrick.

Giancarlo Catania zat in zijn kantoor na te genieten van zijn overwinning. Hij was uit de klauwen van de ondergang ontsnapt... Fieri zou trots op hem zijn geweest als hij het hem had kunnen vertellen. Hij keek op zijn horloge. Halfelf. Hij kon nog net op tijd voor de koffie bij Callabria terug zijn. Maar eerst moest hij Christine bellen.

De opdracht verviel en ze kreeg 300 000 dollar ter compensatie voor de tijd die ze eraan had besteed. Christine verborg haar verbazing, bedankte Catania en hing op. Ze was opgelucht. Ze had deze opdracht nooit gewild, ze hield er niet van om vrouwen te moeten vermoorden. Ze maakte haar kluis open, haalde Sarahs foto te voorschijn en staarde er lange tijd naar. Het was een verontrustend gezicht, knap maar behoedzaam. De ogen die op de camera waren gericht, zagen er intelligent en verstandig uit, maar onder de zelfverzekerdheid was een vage verontrusting te zien.

Christine was benieuwd waarom de opdracht afgeblazen was. Wat voor compromis was er gesloten? Ik zou Sarah Jensen graag willen ontmoeten, dacht ze.

27

Sarah werd de volgende ochtend vastbesloten wakker. Ze keek uit haar raam naar de prachtige heuvels en voelde niets anders dan rusteloosheid. De kalmerende troost die ze de afgelopen week in Ouirjane gevonden had, was verdwenen. Ze wilde weg, naar huis in Londen om Barrington te confronteren en de ontbrekende stukjes van de puzzel te vinden.

Het was nu veilig. Ze zou het Jack en Jacob aan het ontbijt vertellen en zo snel mogelijk vertrekken.

Zoals ze al had verwacht, wilden ze niet dat ze al ging, maar ze hield voet bij stuk. Ze legde hun de redenen waarom ze weg wilde uit, in ieder geval de meeste. Omdat ze hen niet wilde beledigen, vertelde ze niet dat het voor haar onmogelijk was om van de pijn te herstellen onder hun beschermende toezicht.

Ze vroeg of Jacob wilde blijven. Ze zei dat het haar plezier zou doen als hij hier bleef totdat alles uitgezocht was. Hij vond het vreselijk om haar alleen weg te laten gaan, maar hij kende haar goed genoeg om haar drang naar zelfstandigheid te begrijpen. Hij wist ook dat ze zich zorgen maakte over zijn rol in het geheel. Barrington wist dat ze vanuit zijn huis gevlucht was. De conclusie kon onmogelijk anders luiden dan dat Jacob haar bij haar vlucht had geholpen en dat hij de redenen ervoor waarschijnlijk ook kende. Het kon Jacob weinig schelen, maar hij begreep dat Barrington hem misschien zou gebruiken om iets van Sarah gedaan te krijgen. Hij zou dan de zwakke schakel zijn.

Noch Jacob noch Sarah zei veel uit angst de ander te beledigen, maar hun angsten hingen onuitgesproken in de lucht. Als hij Sarah een plezier deed door hier bij Jack te blijven, zou hij dat doen. Hij kon toch weinig voor haar doen in Londen en daarom besloot hij in Marokko te blijven.

Voordat ze naar het vliegveld vertrokken, nam Sarah Jack even apart.

'Ik heb kopieën gemaakt van al het bewijs dat ik heb en ik neem een set met me mee. De rest laat ik hier bij jou en Jacob. Ik weet dat ik veel van je vraag, maar als er iets met me gebeurt, je weet wel... zou jij er dan voor willen zorgen dat het openbaar gemaakt wordt? Met hulp van Hilton of iemand anders die jij geschikt acht.' Ze glimlachte. 'Ik wil niet melodramatisch doen, ik denk niet echt dat er iets gebeurt. Het is gewoon mijn verzekeringspakketje dat zijn waarde eerder heeft bewezen en nog een keer van pas zou kunnen komen.'

Jack glimlachte en gaf snel antwoord voor Jacob achterdochtig zou worden. Het was geen gesprek dat ze hem wilden laten horen. Het zou te pijnlijk voor hem zijn.

'Als het nodig mocht zijn, grijp ik in. We weten allebei dat je nu veilig bent, maar het is goed om die spullen te hebben.'

Toen verscheen Jacob, die wilde weten wat al dat gefluister te betekenen had. Sarah lachte. 'Wat ben je toch achterdochtig. Ik bedankte Jack voor zijn hulp. Daar is toch niets verkeerds aan, hè?'

Jacob gaf een kneepje in haar hand. 'Nee, natuurlijk niet. Het is een gevaarlijk mannetje, maar zijn hart zit op de juiste plaats.'

Jack klopte hem zachtjes op zijn schouder en gaf toen een teken dat ze op moesten schieten. 'Kom op. Genoeg hierover, anders mist ze haar vliegtuig.'

De twee mannen brachten haar naar het vliegveld. Onhandig en stijfjes namen ze afscheid van Sarah. Ze omhelsde hen en maakte hun gezichten nat met tranen en afscheidszoenen. Ze zagen haar in de terminal verdwijnen, waar ze dit keer met een lijnvlucht vertrok, draaiden zich toen langzaam om en reden naar huis.

Kaarsrecht en vastberaden zat Sarah in het vliegtuig dat haar naar Londen zou brengen. Een paar uur lang voelde ze niets, totdat ze boven het Kanaal weer tot leven kwam. Gedachten die ze al die tijd ver van zich af had gehouden, stroomden ineens als een waterval door haar hoofd.

Ze werd ondergedompeld in pijn, liefde, onmogelijke verlangens en wanhoop. Ze dacht aan Dantes gezicht, zijn ogen op haar gericht. In zijn ogen was altijd al iets van de dood te zien geweest, maar toch kon ze zich niet voorstellen dat ze nu voor altijd gesloten zouden blijven. En Mosami, voor wie ze op veel manieren veel meer had gevoeld. Het stille, glimlachende gezicht met zijn wijsheid en vastbesloten opstandigheid was nu verdwenen. Ze haalde moeizaam adem.

Met een schok landde het vliegtuig op Heathrow. Met een grote tas stevig in haar hand geklemd, liep Sarah naar de aankomsthal. Er zaten lippenstiften, een haarborstel, parfums en het gebruikelijke assortiment vrouwelijke benodigdheden in, maar ook video's en cassettes; kopieën van haar bewijs tegen Barrington en Catania en zijn clubje.

Ze ging door de paspoortcontrole, verzamelde haar bagage – een koffer die ze van Jack had geleend – en wandelde van daaruit door de douane het gewone leven in. Tussen de drommen mensen door liep ze naar de metro. Op het perron keek ze om zich heen naar alle bruine gezichten die er moe uitzagen na de lange terugreis van hun vakanties. Ze dacht eraan dat al die artsen, secretaresses, ambtenaren, winkelbediendes en bankiers weer aan het werk moesten. Zij zou nooit meer teruggaan naar ICB. Nooit meer een gewone baan.

Het was te snel om alle gevoelens te analyseren en alle komende veranderingen te overdenken, maar er waren een paar conclusies die vaststonden als een blok beton in drijfzand en dit was er een van. Vroeger had ze zich gedragen als een brave werknemer, maar zelfs als ze dat nog zou kunnen opbrengen, had ze daar geen zin meer in. Het normale leven was wat haar betreft afgelopen.

De medewerker van de paspoortcontrole handelde snel. De beschrijving van de lange knappe brunette zat al dagen in zijn hoofd gegrift en toen hij haar verdrietig en weemoedig kijkend in de rij op zich af zag komen, wist hij zeker dat ze het was. Met kloppend hart wachtte hij haar op. Hij wist niet waarvan ze verdacht werd, maar het moest iets spectaculairs geweest zijn. Ze stond met een geheime toevoeging geregistreerd onder de code 'opsporing en aanhouding'; die toevoeging wordt normaal gesproken alleen gebruikt voor terroristen en grote criminelen.

Toch schrok hij nog toen ze voor hem stond en hem met een aarzelend glimlachje haar paspoort overhandigde. Opgewonden sloeg hij het open. Ze was het inderdaad, Sarah Jensen. Ze zag er niet uit als een terrorist of een crimineel, maar aan de andere kant was het aan de besten nooit te zien. Hij glimlachte, gaf haar paspoort terug en drukte op een knop onder de balie. Een paar seconden later werd hij afgelost. Hij snelde naar het kantoor en belde het CNC. Vanaf dat moment ging er een rilling door het netwerk dat op zoek was naar Sarah Jensen.

Met een schok van verrassing hoorde Bartrop het nieuws. Dus Sarah Jensen was eindelijk weer verschenen en als een terugkerende toerist uit het vliegtuig gestapt. Kennelijk zag ze er moe uit, maar niet somber of angstig.

Haar gedrag en nonchalante terugkeer waren verwarrend en suggereerden onder andere dat ze niet langer voor haar leven vreesde. Met een beetje geluk en doorzettingsvermogen lukte het het CNC misschien om haar al vanaf de luchthaven te volgen. De rest van de waarnemers kon meteen aan het werk worden gezet. Bartrop had zich goed voorbereid; hij had zijn plan klaar voor het geval ze weer zou opdagen. Binnenkort zou hij zijn antwoorden krijgen. Nieuwsgierig wachtte hij tot de informatie hem zou bereiken.

Toen de metro aan kwam rijden, schrok Sarah op uit haar gedachten. Ze stapte in en stond schouder aan schouder in het laatste treinstel geperst.

Het was onmogelijk om ergens aan te denken met al die zwetende lijven om haar heen. Langzaam begon het zweet over haar rug te druppelen en haar haren werden vochtig. Toch was deze oncomfortabele positie niet onwelkom.

Ze stapte op South Kensington uit en vocht zich een weg door de drukte. Vanuit het station wandelde ze de hitte in die nog eens versterkt werd door het asfalt en de ramen van alle gebouwen.

Het was een van die zeldzame julidagen dat Londen zich koesterde in een mediterrane hitte. De straten zinderden in de warmte en sommige delen van de bestrating vertoonden scheuren.

Met glibberige handen droeg ze haar koffer door de straten, af en toe stoppend om hem van de ene in de andere hand over te pakken. Ze kwam langs allerlei plekken waar ze persoonlijke herinneringen aan had: Onslow Square, een vriendje van vroeger, vroege ochtenden waarin ze in de kleren van de vorige avond naar huis sloop; Sydney Street, waar Catherine Walkers Chelsea Designstudio zat waar je avondkleding kon huren; Chelsea Farmer's Market, langdurige lunches waar ze zat te roddelen met andere spijbelende collega's; en King's Road met zijn vergane glorie maar toch nog steeds onweerstaanbare aantrekkingskracht. Bij elke stap voelde ze zich sterker worden.

Opgelucht liep Sarah het groene Carlyle Square op. Zonder acht te slaan op de hitte liepen er dames in panty's en op hoge hakken op weg naar lunchafspraken. Kleine hondjes hapten naar vliegen. De warme lucht bleef trillend boven het plein hangen. Het was moeilijk om je voor te stellen dat er gewelddadige dingen konden gebeuren achter de ingangen van deze liefelijke huizen. Als ze was gebleven, als ze dat weekend niet in Genève was geweest, als ze daarna niet rechtstreeks naar Dantes huis was gegaan... wat zou er dan zijn gebeurd? Zou ze hier vermoord zijn, op Carlyle Square, in haar eigen huis?

Terugdenkend aan de angst die haar toen bijna verlamde en het verdriet toen ze van de moord op haar twee vrienden had gehoord, morrelde ze met haar sleutel in het slot. De sleutel draaide. Met korte stootjes ademhalend duwde ze de deur open en stapte met spiedende ogen de hal binnen. De gang was leeg, het huis leek te slapen in de zon, er heerste totale stilte.

In de hoek lag een stapeltje post dat daar door de deur heen was geveegd. Vreemd, ze had het gewicht van de post niet gevoeld toen ze de deur openduwde. Een ongerust gevoel bekroop haar. Ze liet haar koffer in de gang staan en liep de trap op naar de woonkamer.

Verlaten. Het hele huis was verlaten. Kamer voor kamer liep ze door het huis. Zonlicht viel door alle ramen. Het was stil. Ze liep terug naar de woonkamer, ging in een stoel zitten, sloeg haar armen om haar tegen haar borst getrokken knieën en huilde. Zo zat ze een paar minuten zonder zich te bewegen tot de telefoon ging. Langzaam stond ze op en nam op. Het was een paar seconden stil en toen hoorde ze hoe er opgehangen werd. Ze legde neer en liep terug naar haar stoel. Na een half uur keek ze om zich heen, liep de trap af, pakte haar sleutels en ging naar buiten op zoek naar lawaai en levendigheid.

Ze keek in alle etalages van King's Road. Haar hoofd begon te bonzen en ze stapte een drogisterij binnen om een doosje Nerofen te kopen. Er kwam een vrouw achter haar in de rij voor de kassa staan. Ze begon zachtjes tegen Sarah te praten. Ze had een diepe stem en een vaag Amerikaans accent.

'Mijn naam is Christine Villiers. Ik moet met je praten.'

Sarah draaide zich abrupt om en bestudeerde de vrouw. Ze was ongeveer een meter vijfenzestig lang, ze had een krachtig lichaam en zag er knap uit. Ze had een vrij breed, scherp getekend gezicht met een krachtige kaak, een enigszins Romaanse neus, hoge jukbeenderen en grote, wijd uit elkaar staande blauwe ogen. Haar volle lippen waren felrood. Haar opvallende gelaatstrekken werden gecompenseerd door een sobere haardracht. Haar lange blonde haar zat in een hoge paardestaart. Een vreemde combinatie; Noordeuropese gelaatskleur en Italiaanse trekken. Ze was een jaar of dertig. Ze droeg een crèmekleurige, korte, mouwloze jurk, met daaronder blote benen en schoenen met hoge hakken. Aanstekelijk lachte ze breeduit en onwillekeurig glimlachte Sarah terug. De vrouw praatte verder.

'Gedraag je alsjeblieft gewoon. Doe maar net of ik een vriendin ben. Als we een stukje verderop in een café gaan zitten, zal ik je alles uitleggen.'

Sarah rekende de Nerofen af. 'Vertel me eens waarom ik dat zou willen doen?'

'Om reden van Dante Scarpirato en Mosami Matsumoto.'

Sarah verstijfde, maar vreemd genoeg was ze niet bang. Instinctief voelde ze aan dat deze vrouw gevaarlijk was, maar voor haar geen bedreiging vormde. Ze was alleen maar benieuwd.

'Goed dan, zeg maar waar je heen wilt.'

De twee vrouwen stapten samen de straat op. Christine babbelde over het weer en de inhoud van de etalages die ze passeerden. Alles leek erop te wijzen dat zij en Sarah al jarenlang met elkaar bevriend waren.

Ze kwamen bij Café Rouge op World's End, waar ze een tafeltje in het midden van het rumoerige en bijna volle café vonden. Christine keek schijnbaar terloops een paar keer om zich heen. Ze bestelden allebei een cappuccino. Sarah dronk met kleine slokjes van haar koffie en wachtte tot Christine begon te praten.

Christine keek met emotieloze ogen over de tafel naar Sarah.

'Ik heb Dante Scarpirato vermoord.'

'Dat vermoedde ik al.'

'Het zou vroeg of laat toch gebeurd zijn.'

'Waarschijnlijk wel.'

'Het spijt me.'

'Jij was de kogel. Iemand anders had het pistool vast.'

'Ik had jou ook moeten vermoorden, maar de opdracht is sinds gisteravond vervallen.'

'Wat doe je dan nu hier?'

'Ik nam aan dat je naar huis zou komen nu er geen prijs meer op je hoofd stond. Ik wilde met je praten. Ik was benieuwd. De man die de opdrachten gaf, verandert niet van gedachten zonder heel goede redenen.' Ze kneep haar ogen samen en de vriendelijke lach verdween. 'Ik wil weten waarom de opdracht afgeblazen is.'

Sarah dronk van haar cappuccino en dacht na.

'Stel dat ik het weet, waarom zou ik het jou dan willen vertellen?'

'Omdat ik je misschien kan helpen. En laten we eerlijk zijn, je kunt wel wat vrienden gebruiken.'

Sarah zweeg en bestudeerde het gladde, vriendelijke gezicht tegenover zich. Wat bedoelde ze? De opdracht was vervallen. Wat voor vijanden had ze nog meer? Ze keek Christine vragend aan.

Ze leunde naar achteren, vouwde haar armen over elkaar, trok een wenkbrauw op en wachtte op uitleg.

Christine lachte. 'Oké, ik zal je wat informatie geven als teken van goede wil. Jij en je huis worden vierentwintig uur per dag in de gaten gehouden. Een jong stel dat eruitziet als toeristen dat boterhammen eet op het bankje tegenover je huis, een technisch specialist in een busje, een oude man met een hoed in het park die een boek leest. In een week heb ik tien van dat soort mensen gezien. Het zijn professionele mensen, maar als je weet waarnaar je moet kijken, zijn ze makkelijk te herkennen.'

Christine viel even stil zodat Sarah het kon verwerken. 'En je huis wordt afgeluisterd.'

Sarah staarde haar doodsbang aan.

'Ik weet het natuurlijk niet zeker, maar ik heb ze zien inbreken. Ze hebben je slot heel handig opengemaakt. Niemand zal gedacht hebben dat het een inbraak was.' Ze haalde haar schouders op. 'Nou ja, het lijkt me logisch dat ze je afluisteren. Elke zichzelf respecterende bewakingsorganisatie zou afluisterapparatuur plaatsen in je huis.'

Sarah herinnerde zich de stapel post tegen de muur. Ze begon bang en kwaad te worden.

Christine vroeg: 'Wie kan het zijn, denk je?'

Sarah schokschouderde. Ze was niet van plan Christine over haar relatie met Barrington te vertellen, of van haar vermoedens over MI5. 'De politie waarschijnlijk. Mijn collega en beste vriendin worden vermoord en meteen daarna ben ik verdwenen. Het lijkt me logisch dat ze overmatig in me geïnteresseerd zijn, denk je niet?'

Christine knikte voorzichtig. 'Ja. Maar goed, wat vind je ervan?'

Sarah bestudeerde de vrouw. Er begon zich een plannetje in haar hoofd te vormen.

'Waarom zou ik iets met jou te maken willen hebben?'

'Ik zou veel voor je kunnen betekenen.'

'Waarom ben je er zo zeker van dat ik het niet in mijn eentje afkan?'

Christine leunde achterover en keek Sarah aan. Ze was een paar seconden stil, en vroeg toen zachtjes en langzaam: 'Ben je er zelf wel zeker van?'

Sarah gaf geen antwoord. Ze glimlachte alleen maar.

Na een tijdje boog Christine weer over de tafel naar Sarah toe.

'Misschien heb je gelijk, maar dat verandert niets aan de zaak.'
'Hoe bedoel je?'
'Samen zouden we veel verder komen.'
'Waarschijnlijk wel.'

Tien minuten later hadden ze een overeenkomst gesloten en namen ze afscheid. Ze kusten elkaar op de wang en hun parfums vermengden zich.

Sarah zag Christine in de menigte verdwijnen. Zelf wandelde ze rustig naar huis en onderdrukte de neiging om achterom te kijken om te zien of ze werd gevolgd. Ze stapte haar huis binnen en keek om zich heen. Ze vroeg zich af of degene die zat te luisteren haar kon horen rondlopen. Toen liep ze naar de badkamer, liet haar kleren op de grond vallen en stapte onder de douche. Langzaam boog ze haar lichaam alle kanten op om de pulserende stroom water alle gespannen plekken te laten raken. Afwisselend zette ze de warme en koude kraan harder zodat haar huid begon te tintelen.

Ze dacht aan Christine. Het was een intrigerende en tegelijkertijd afstotende vrouw. Sarah was benieuwd hoe ze moordenares was geworden. Ze had het haar niet gevraagd. In plaats daarvan probeerde ze zich in te leven in Christine. Ze dacht aan haar ogen; vastberaden en emotieloos, morele overwegingen waren er al lang geleden uit verdwenen. In die koele blauwe ogen was geen greintje twijfel of schuld te zien. Ze verontschuldigde zich niet voor haar bloederige baan. Ze leek het jammer te vinden voor de mensen die haar slachtoffers na stonden, maar niet voor de slachtoffers zelf; die behandelde ze met minachting, alsof ze kregen wat ze verdienden. Was Christine een psychopaat, of werd ze gedreven door een verborgen doel of gevoel dat haar daden rechtvaardigde?

Ze had een weerzinwekkend beroep, maar vreemd genoeg straalde de vrouw iets aantrekkelijks uit; een krachtige persoonlijkheid die je helemaal voor zich innam. Sarah was er niet immuun voor. Naakt op de bank zittend, nog nadruppend van de douche en denkend aan Dante en Mosami, merkte ze dat ze zat te wachten.

Een half uur nadat Sarah thuis was gekomen, ontving Bartrop zijn eerste inleidende verslag. Een van de medewerkers van CNC was haar vanaf het vliegveld gevolgd. Hij rapporteerde dat ze de metro had genomen en er afwezig uitzag, maar niet ongemakkelijk, laat staan angstig. Hij was haar tot aan haar huis gevolgd en van daaruit hadden de andere waarnemers het overgenomen.

Die waarnemers meldden dat ze een half uur na thuiskomst naar buiten was gegaan, als eerste naar de drogist. Daar had ze iemand ontmoet die ze leek te kennen. Een knappe blondine. Ze gaven een uitgebreide beschrijving van de vrouw. De twee vrouwen waren naar een café gegaan en na een half uur vertrokken. Sarah Jensen was naar huis gegaan en de blonde vrouw waren ze kwijtgeraakt. Ze waren met te weinig mensen om zowel haar als Jensen te volgen. Een van de mannen had het wel geprobeerd, maar het was hem niet gelukt. Bartrop vloekte geërgerd. Een toevallige ontmoeting nadat ze pas een half uur thuis was? Hoogst onwaarschijnlijk. Aan de hand van de beschrijving van de blonde vrouw werd geprobeerd haar identiteit te achterhalen, zonder succes. Tot dusver bleef ze onbekend.

Vanaf het moment dat Sarah thuis was gekomen, had ze niemand gesproken. Er zaten twee microfoontjes in haar huis; een in de woonkamer en een in de telefoon. Vanaf haar terugkeer hadden ze niets doorgegeven.

Christine schoot via voor- en achteringangen winkels in en uit, koos smalle straatjes en schudde op die manier de achtervolger af van wie ze wist dat hij er was. Toen ze zeker wist dat ze hem kwijt was, ging ze naar huis. Ze had niet veel tijd om dingen te regelen. Het was maar goed dat Sarah dichtbij woonde. Ze opende haar deur en rende de trap op naar haar werkkamer.

Sarahs onthulling tikte als een tijdbom in haar hoofd. Stil zittend probeerde Christine orde en logica te scheppen in de wirwar van gedachten en mogelijkheden die vermengd met woede door haar hoofd schoten. Opwinding, angst, hoopvolle verwachting en het stille, zwaar verslavende genot van een nieuwe actie stroomden als een verdovend middel door haar heen. Genietend van deze sensatie zat ze te rekenen, uitkomsten te voorspellen en de balans tussen leven en dood op te maken totdat ze haar besluit nam. Wie zou ze verraden? Wie zou ze steunen? Welke stappen zou ze nemen? Waar lagen haar eigen belangen? Ze was geen onpartijdige buitenstaander; de consequenties van haar gehaaste berekeningen en de weg die ze in de komende minuten in ging slaan, zou fataal kunnen zijn voor haarzelf en Sarah Jensen. En toch waren die consequenties onmogelijk te voorspellen voordat ze zich voor de volle honderd procent voor haar taak had ingezet en het was nu te laat om van gedachten te veranderen. Dus ze zou haar beslissing zoals altijd baseren op de combinatie van logica en instinct die haar tot een van de gevaarlijkste en meest toegewijde huurmoordenaars van de wereld had gemaakt.

Ze glimlachte toen haar besluit vaststond en pakte toen de telefoon. Ze belde Antonio Fieri, hopend dat hij thuis was en dat ze haar plan niet zonder zijn zegen uit hoefde te voeren.

Na vijf keer rinkelen nam hij op.

Christine verontschuldigde zich uitgebreid voor het feit dat ze hem stoorde, maar legde uit dat het erg dringend was. Ze vertelde hem van Catania en het Londense komplot. Ze vertelde hem ook van de opdrachten die Catania aan haar had gegeven en die ze had uitgevoerd. Op dat punt werd Fieri woedend en vroeg waarom ze hem dat toen niet direct had gemeld.

Ze antwoordde rustig en op vastberaden toon. 'Er was toen geen enkele reden om je in te lichten omdat ik geen idee had dat je ermee te maken had. Maar de zaken liggen nu anders, ik heb meer informatie gekregen. Ik heb het sterke vermoeden dat Catania je in een zeer compromitterende positie kan brengen.'

Fieri bleef even stil en vroeg toen wat ze voorstelde daaraan te doen.

'Dat hangt af van wat je wilt. Maar ik heb toevallig vanavond een mogelijkheid... Ik zou de zaken hier zeer gemakkelijk kunnen afronden.'

Opnieuw bleef het een tijdje stil. Rustig wachtte Christine zijn antwoord af.

Na een lange pauze zei hij: 'Ik heb in de verte wel wat horen rommelen. Je zegt dat je bewijzen hebt...'

'Onomstotelijk bewijs.'

'Hoe kom je daar aan?'

Christine had deze vraag al voorzien en gaf hem haar voorbereide antwoord. 'Van een zeer betrouwbare, hooggeplaatste bron die er belang bij heeft om ons de waarheid te verschaffen.'

'Betrouwbaar?'

'Absoluut. Daar steek ik mijn hand voor in het vuur.'

'En je denkt dat het gevaar groot is dat Catania me in moeilijkheden zal brengen?'

'Daar is hij al mee bezig.'

'Goed. Jij handelt het af. Je krijgt het gebruikelijke tarief. Bel me als het gebeurd is.'

28

Om zeven uur trok Sarah een spijkerbroek, een wit T-shirt en haar oude lievelingsbergschoenen aan. De spijkerbroek die strak hoorde te zitten, hing los om haar heupen. Ze haalde een gevlochten leren riem door de lusjes en snoerde hem strak aan.

Buiten trilde de lucht nog steeds van de hitte. Ook binnen prikte de warmte op haar huid. Ze liep naar de keuken, de schoenzolen piepten op de marmeren tegels. Ze vulde een tumbler met ijsblokjes en schonk het glas toen vol met whisky. In drie slokken goot ze de drank naar binnen. Toen schonk ze nog een tweede glas in en keek toe hoe het ijs begon te smelten.

Om kwart over zeven rinkelde de telefoon drie keer. Sarah trok haar uitgestoken hand terug en het antwoordapparaat trad in werking. Er klonk een zachte stem met scherpe randjes en een vaag Amerikaans accent: de stem van Christine. Een metaalachtige klik op de achtergrond gaf aan dat het telefoontje vanuit een telefooncel kwam. 'Ik was blij dat ik je vandaag tegenkwam en ik hoop dat we elkaar snel weer zullen ontmoeten. Misschien kunnen we ergens iets gaan drinken.' Het afgespoken seintje. Ze hing op.

Sarah spoelde het bandje terug en wiste het bericht. Het bandje liep nog een paar seconden door en liet een gedeelte van een oud bericht horen.

Sarah deinsde terug toen ze een bekende stem tegen haar hoorde spreken. Het was een oud bericht van Dante waarin hij haar vroeg hem terug te bellen en zei dat hij haar miste en haar snel wilde zien. Haar maag keerde zich om en ze proefde de terugkomende whiskysmaak in haar mond. Ze gaf een harde dreun op de STOP-knop, waardoor ze het antwoordapparaat bijna vernielde. Met een trillende vinger spoelde ze het bandje nog een keer terug om een laatste keer naar zijn stem te luisteren. Pijn en schuldgevoel staken als dolken in haar hart. Toen wiste ze zijn bericht en haar schuldgevoel.

Ze greep haar jack en honkbalpet van de kapstok in de hal en liep terug naar de kamer om de radio af te zetten. Er werd net een nummer van INXS gedraaid: 'Suicide Blonde'. Haar harde lach weerkaatste op de muren van het lege huis. Ze zette de radio uit en liep de deur uit.

Een paar honderd meter verder stapte Christine een telefooncel uit om daarna gehaast over straat te lopen. Onopvallend glipte ze door de menigte op King's Road. Als mensen al de moeite namen om naar haar te kijken was het slechts kort. Ze zagen niets bijzonders: een vrouw met een honkbalpet ver over haar voorhoofd getrokken zodat haar gezicht niet te zien was. Ze zorgde ervoor dat ze geen aandacht trok. Ze liep doelbewust maar onopvallend. Ze keek recht voor zich uit zonder te vragen om bewonderende blikken; ze liep niet in het oog, mensen waren haar zo weer vergeten en ze wandelde ongehinderd door. Precies zoals ze het 't liefst had. Ze sloeg een hoek om en liep op een wit busje af.

Het stond geparkeerd in een zijstraat van Chelsea Green, ongeveer tien minuten lopen van haar huis. Het was een Ford Transit, het soort busje dat loodgieters gebruiken. Het smeekte om een vinger die 'ik wil gewassen worden' in de dikke stoflaag schreef. Afgezien van de getinte ramen was het een doodgewoon busje. Gewoon een van de witte Transits die met honderden per dag over de weg reden.

Daniel Corda had hem zes maanden geleden op bestelling gestolen. Hij had hem overgespoten, de nummerplaten verwisseld met die van een ander busje en hem aan Christine verkocht; hij had het een auto voor onvoorziene gebeurtenissen genoemd.

Chistine was er al die tijd niet bij in de buurt geweest, behalve om af en toe van een afstandje te controleren of hij er nog stond. Ze had hem bewaard voor een opdracht als deze. Ze stak de autosleutel in het slot, trok de deur open en sprong naar binnen. Ze had een klein zwart rugzakje bij zich dat ze in het handschoenenkastje stopte, en een plastic tas met daarin een spijkerbroek, een zwart T-shirt en sportschoenen; exact dezelfde kleren die ze nu aan had. Ze gooide de tas op de passagiersstoel, deed haar riem om en draaide toen na een schietgebedje het contactsleuteltje om. De motor sloeg direct aan. Ze keek goed in haar spiegeltje – het laatste wat ze nu kon gebruiken was een ongeluk – en reed voorzichtig weg.

Ze reed door Chelsea, over de drukke straten van Earl's Court en Cromwell Road die blauw zag van de uitlaatgassen naar de M4. Ze kwam langs Heathrow waar een heleboel vliegtuigen in de lucht wachtten om te kunnen landen. Na twintig minuten maakten de fabrieken en grote supermarkten plaats voor een landelijk gebied vol boerderijen en met heggen omzoomde weilanden. In stilte reed ze geconcentreerd over de weg die voor haar lag.

Bij knooppunt 14 verliet ze de snelweg om een smal weggetje op te draaien. De heuvels van Upper Lambourn doemden voor haar op. In de weilanden stonden gepensioneerde renpaarden met hun staarten naar de vliegen te zwiepen en er galoppeerden kinderen op pony's over de heuvels. De geur van drogend gras steeg op van de weilanden. Het was al de tweede keer dat er dit jaar hooi kwam van de vruchtbare weilanden.

Ze draaide een naamloos klein weggetje op. Het busje slingerde over een hobbelig pad, stenen spatten alle kanten op van onder de banden. Zo reed ze vijf minuten door tot ze afsloeg naar een stoffig en verlaten paadje van Staatsbosbeheer.

Voorzichtig stuurde ze de auto naar een stukje ruw terrein waar dennebomen omheen stonden. Een zwerm duiven vloog verstoord op.

Ze pakte de rugzak uit het handschoenenkastje, opende de deur en stapte zachtjes op de met dennenaalden bedekte, verende grond. Ze bleef doodstil staan en keek een paar minuten luisterend om zich heen. Afgezien van de vogels die langzaam maar zeker hun plekje weer opzochten, was ze alleen. Tevredengesteld sloot ze het busje af en ging ze op pad door het bos.

Met grote passen stapte ze over de oneffen grond. De duiven keken haar na. Een jonge wandelaar die een uitstapje maakte in de avond.

De ondergaande zon kleurde alle dennebomen oranje en scheen tussen de bomen door telkens in Christines gezicht. Het steeds dikker wordende bos nam haar in zich op en na een half uur had ze het gevoel dat ze onzichtbaar was.

Dieper het bos in werd het licht scherper. Christine keek op haar horloge. In minder dan een uur zou het donker zijn. Ze versnelde haar pas. Ze had niet veel tijd. Het licht werd zwakker en ze kwam aan de rand van het bos.

De bomen weken uiteen voor een klein dal. In het midden ervan - ongeveer een halve kilometer verder - stond een groot stenen huis. De enige andere tekens van leven kwamen van twee Mercedessen, een zwarte sedan en een rode cabriolet, die voor het huis op de cirkelvormige oprit geparkeerd stonden.

Christine lachte in zichzelf en wandelde de heuvel af naar het huis.

Karl Heinz Kessler zat in de bibliotheek van zijn buitenhuis geld te tellen. Er lagen grote stapels bankbiljetten in plastic mapjes voor hem. In elk mapje zat tienduizend dollar. Hij telde vijftig stapeltjes uit op tafel en hij keek erbij alsof het een vervelende maar noodzakelijke opgave was. Hij vond het vreselijk hinderlijk dat hij hier als de een of andere bankemployé geld zat te tellen in afwachting van Catania's loopjongen die hem van het geld kwam verlossen.

Catania had hem niet mis te verstane instructies gegeven: niemand anders dan hij mocht de koerier zien. Zijn vrouw bracht een lang weekend door bij haar ouders in Frankfurt, dus dat was geen probleem, maar hij had het voltallige personeel de deur uit moeten werken voor een etentje op zijn kosten in Lambourn. Vreselijk vervelend, maar onder deze omstandigheden onvermijdelijk. Catania had uitgelegd dat een vriend hen geholpen had met het 'Jensen-probleem' en daar een kleine blijk van dank voor kreeg; om te beginnen een miljoen dollar. Dat kon Kessler toch wel regelen? De rest van de betaling zou Catania vanuit Rome verzorgen. Het was toch niet meer dan redelijk dat Kessler ook een gedeelte van de verantwoordelijkheid op zich nam?

Kessler had toegestemd, maar pas nadat hij had besloten dat Matthew Arnott ook een deel zou betalen. Hij wendde zich tot Arnott die zenuwachtig naast hem stond te kijken hoe hij het geld uittelde.

'Nu is het jouw beurt.'

Arnott pakte het koffertje dat bij zijn voeten stond en legde het voor Kessler op het bureau. Kessler maakte het open en glimlachte. Het zat vol stapeltjes geld die in papieren bandjes gewikkeld waren; tienduizend dollar per pakketje. Kessler begon te tellen, haalde vijftig stapeltjes uit het koffertje, sloot het deksel en gaf de koffer aan Arnott.

'Kijk niet zo sip. Welbeschouwd kom je er nog aardig vanaf.'

'Sip? Hoe moet ik dan kijken?' zei Arnott. 'Je doet net of er niets aan de hand is. Nou, dat is niet zo. Het lijkt verdomme wel een nachtmerrie. En hoe kom je erbij dat alles nu in orde is? De politie is al vijf keer bij me geweest en stelt me telkens dezelfde vragen.'

Kessler draaide zijn stoel rond en keek Arnott strak aan. Matthew maakte een handgebaar.

'Maak je geen zorgen. Ik heb me bij het verhaal gehouden en een prachtig toneelstukje opgevoerd. Maar ik kan er niet meer tegen. Ik slaap niet meer, ik krijg nauwelijks een hap naar binnen... Ik denk erover om terug te gaan naar Amerika.'

'Jij achterlijke idioot,' schreeuwde Kessler. 'Dat is precies wat ze nodig hebben.' Hij keek Arnott kwaad aan. 'Je blijft gewoon bij ICB werken en gedraagt je als de verdrietige collega. Je zorgt maar dat je Carla in toom houdt en dat je rustig aan doet met je geld. Als je over twee jaar, als alles gewoon een vervelende herinnering is, terug wilt gaan, vind ik dat best. Maar voorlopig blijf je zitten waar je zit en hou in godsnaam op met dat gezeur.'

Kessler stond op en ging op de rand van het bureau zitten. Met een strak gezicht, maar op een iets rustiger toon, ging hij verder.

'Wat had je dan verwacht? Vanaf het moment dat Jensen ons ontdekte, was dit onvermijdelijk. Door haar was dit alles noodzakelijk en Catania heeft dat ingezien. En ik sta achter hem. Het is nu te laat om kieskeurig te gaan doen. Hoeveel heb je verdiend, Matthew? Dertig miljoen dollar. Met weinig risico een groot rendement, de droom van iedere bankier. En kijk me niet aan alsof ik een monster ben. Ik ben vijfenvijftig, en president van een van de meest prestigieuze banken van de City. Ik heb alles wat ik me kan wensen. Denk je dat ik dat van me zou laten afpakken door Sarah Jensen, Scarpirato of Matsumoto?' Hij hield zijn gezicht vlak voor dat van Arnott. 'We hadden geen keus, ze moesten opgeruimd worden. Catania heeft het geregeld, erg handig voor ons. Maar ik zou niet geaarzeld hebben om het zelf te doen.'

Arnott staarde hem vol afgrijzen aan. Een tijdlang zei hij niets. Hij wendde zich af en ging in een fauteuil naast Kesslers bureau zitten.

'Maar Sarah Jensen leeft nog steeds, of niet soms? Ze kan ons nog steeds verraden en dan worden wij opgepakt voor moord.'

Kessler snoof. 'Jensen houdt d'r mond wel. Ik zal je de details besparen, maar ze heeft een deal gesloten met Catania.'

Arnott staarde hem niet begrijpend aan. Kessler lachte. 'Geloof me nou maar, Jensen levert geen problemen meer op. Die gaat wel ergens heen waar ze rustig overspannen kan worden en daar horen we nooit meer iets van.'

Kessler keek op zijn horloge. 'Je moet gaan. De koerier kan hier elk moment zijn.'

Arnott stond op.

'Matthew, houd je in vredesnaam een beetje taai. Het ligt nu allemaal in onze handen. Als we ons koest houden, komen er verder geen problemen meer.'

Arnott knikte en vertrok. Hij stapte in zijn rode Mercedes en reed weg. Hij zag de vrouw die tien meter verderop achter een grote rododendron gehurkt zat niet zitten.

Kessler pakte de stapels bankbiljetten en gooide ze in een plastic tas. Hij deed de deur van de bibliotheek achter zich dicht en liep door de lange gang. Zijn schoenen tikten op de houten vloer. Hij bleef even staan voor een spiegel. De vloer achter hem kraakte en zijn glimlach bevroor op zijn gezicht.

Ongerust draaide hij zich om. Er stond een gespierde, blonde vrouw in een strak zwart T-shirt in de gang. Haar gezicht lag in de schaduw van de klep van een honkbalpet. Als ze een andere uitdrukking op haar gezicht had gehad, zou ze knap geweest zijn, maar haar mondhoeken wezen spottend naar beneden en haar ogen stonden kil en vastberaden. Ze leek zich nergens iets van aan te trekken, ze lette alleen op hem. Ze keek hem zo intens aan dat haar hele lichaam een wapen leek dat op hem gericht was. Maar haar mond verontrustte hem het meest. Hij snapte niets van de glimlach die tegelijkertijd bitter en medelijdend was. Hij was niet vaak bang, maar nu wel. Zoals altijd nam hij zijn toevlucht tot agressie en veel bombarie.

'Wie denk je wel dat je bent om hier binnen te stappen en hoe ben je trouwens binnengekomen?' Zijn brullende stem echode door de hal. Christine bleef glimlachen.

'Gewoon door de voordeur. Hij stond open, erg aardig van je,' zei ze op lage en neerbuigende toon. De hatelijkheid droop ervan af.

Kessler zei niets. Hij voelde zich steeds onbehaaglijker. Zijn arrogantie liet hem in de steek en hij begon te transpireren. Er verschenen donkere plekken op zijn roze overhemd. Er was iets onheilspellends rond deze vrouw. Hij keek op zijn horloge. Catania's loopjongen kon elk moment opdagen en niemand mocht hen samen zien. Hij raakte in paniek en voelde zich belachelijk. Hij werd kwaad op zichzelf. Waar moest hij bang voor zijn? Hij deed een stap in de richting van de vrouw.

Christine snauwde: 'Blijf daar staan, ik ben nog niet klaar.' De toon van haar stem deed hem onzeker stilstaan.

'Dat kleine contract tussen jou en Catania is nog niet helemaal afgerond, is het wel?'

Kessler hield zijn hoofd schuin, plotseling begreep hij het. 'Jij bent de koerier?'

Christine lachte hardop. 'De koerier?' Ze nam aan dat dat een grapje van Catania was. 'Koerier, boodschappenjongen... wat je wilt.'

Opgelucht ontspande Kessler zich. 'Waarom zei je dat niet meteen. Ik heb het geld hier.' Hij hield de plastic tas omhoog. 'Pak het maar van me aan.' Nu hij de zaak weer onder controle had, werd hij weer arrogant.

'Ja, dat zal ik zo doen. Maar ik moet eerst nog een boodschap doorgeven.'

Kessler keek haar vragend aan.

'Zoals ik al zei, is de afspraak niet helemaal nagekomen. Sarah Jensen leeft nog steeds.'

Kessler werd nu ongeduldig. 'Ja, dat weet ik. Maar ik heb begrepen dat dat geen probleem meer oplevert.'

Christine lachte toegeeflijk. 'Nee, integendeel. Ze is zeer behulpzaam geweest,' zei ze doodkalm. De glimlach was nu verdwenen.

'De prijs die op haar hoofd stond, staat nu op dat van jou.' Ze deed een stap naar voren en zag hoe het zweet over zijn van angst verkrampte gezicht stroomde.

'Laten we dit bespreken. Je hebt het vast verkeerd begrepen.'

Ze lachte bitter. 'Nee, Karl Heinz. Jij hebt 't verkeerd begrepen. Je dacht slim te zijn, hè? Catania en jij hadden het plannetje helemaal uitgewerkt. Het spijt me voor je, maar Sarah Jensen is toch net een tikje slimmer dan jullie. Dacht je nou echt dat ze jullie ongestraft haar collega en beste vriendin liet vermoorden en zelf bang ging rondlopen?'

'Ik heb hen niet vermoord.'

'Nee, dat klopt. Dat werkje heb ik opgeknapt. Maar het komt op hetzelfde neer. Jij en Catania wilden hen dood hebben en hebben daar dus opdracht toe gegeven. Als ik het niet had gedaan, was er wel iemand anders geweest. Op de manier waarop Jensen het bekijkt, hebben jullie de trekker overgehaald.'

Christine haalde het pistool achter haar rug vandaan en richtte op Kesslers voorhoofd. Hij stak zijn handen op en opende zijn mond in stil protest. Ze klemde beide handen om het koude metaal en vuurde. De kogel schoot in Kesslers voorhoofd. De spiegel achter hem kleurde rood. Hij viel op de grond. Binnen een seconde was er een leven beëindigd.

Christine liep naar het lekkende lijk en keek erop neer. Zoveel bloed. Er was altijd zoveel bloed. En elke keer die ouderwetse, schokkende geur. Haar nekharen stonden recht overeind.

De plastic tas lag aan de voeten van het lijk. Er lagen wat stapeltjes bankbiljetten naast. Er liep een rood stroompje naartoe.

Met haar handschoenen aan pakte Christine de spullen op. Ze deed haar rugzak af en stopte het pistool onderin met daar bovenop het geld. Met bonzend hart liep ze door de hal en stapte ze de voordeur uit.

Ze moest zichzelf bedwingen om niet over de oprit naar het hek te rennen. Met een klein sprongetje over de houten afrastering begon ze aan haar tocht door de kleine wei naar het bos.

De dichte bosrand strekte zich voor haar uit. Van deze afstand leek het een onneembare vesting. Het begon donker te worden, het zou moeilijk zijn om de weg terug te vinden. Ze versnelde het tempo en begon te joggen. De takken sloegen in haar gezicht. Ze struikelde twee keer over boomstronken en stenen, maar ze voelde de pijn van haar kapotte knieën niet.

Ze was drijfnat van het zweet toen ze bij de open plek kwam waar het busje stond geparkeerd. Ze bleef tussen de bomen staan en probeerde haar zware ademhaling onder controle te krijgen. Er was niets te zien, er was niemand bij de auto. Ze rende ernaartoe, deed de rugzak af, haalde het contactsleuteltje te voorschijn en opende de achterdeuren. Ze zette de rugzak neer, pakte het geld en telde vierhonderdduizend dollar uit. Dat geld stopte ze in een andere tas die ze samen met haar rugzak onder een stapel kranten verborg. Ze deed de deur weer op slot, rende naar voren, stapte in en reed weg.

Ze vloekte hard toen ze neerkeek op haar gescheurde spijkerbroek en bebloede knieën. Deze kleren moesten verbrand worden, maar aan het spoor van stukjes denim en bloedspatjes in het bos kon ze niets doen. Misschien ging het wel regenen en zou alles wegspoelen. Christine keek fronsend naar de lucht.

Van Lambourn reed ze rechtstreeks naar een afgelegen boerderij in West-Sussex. De boerderij was eigendom van Daniel Corda. Hij hoorde de autobanden op het grind kraken toen ze het busje voor de deur parkeerde en kwam meteen naar buiten. Hij trok zijn wenkbrauwen vragend op. Christine knikte.

'Tot nu toe gaat alles goed.' Ze pakte haar rugzak, haalde de Browning en de Ruger die ze voor Dante had gebruikt eruit, stopte ze in een plastic tas en gaf die aan Corda.

'Wil jij zorgen dat dit verdwijnt?'

Hij pakte de tas aan en knikte. Ze stak een hand onder de kranten en pakte de tas met vierhonderdduizend dollar.

'Jouw deel.'

Hij glimlachte, bedankte beleefd, bracht het geld en de pistolen naar binnen en stopte alles in de kluis. Even later kwam hij weer naar buiten, reed het busje de garage in en deed hem op slot.

Binnen deed Christine de extra kleren aan die ze bij zich had. Ze stopte haar gescheurde kleren en de oude sportschoenen in de plastic tas en gaf die aan Daniel toen hij terugkwam.

'Wil je deze voor me verbranden?' Hij knikte en nam de tas mee naar een klein fornuis in een van de bijgebouwtjes. Het fornuis brandde al. Christine was hem gevolgd en stond achter hem toen hij de deurtjes opende. Ze voelde de hitte en zag de roodgloeiende vlammen. Ze keek toe hoe hij haar kleren en schoenen stuk voor stuk in het vuur stopte. Toen alles erin zat, sloot hij het deurtje en nam hij Christine mee naar een ander schuurtje waar een rode Ford Mondeo geparkeerd stond. Hij gaf haar de sleutels en keek haar na toen ze in het donker verdween.

Morgen zou hij het busje naar de autosloperij van een vriend van hem brengen, waar het samengeperst werd tot een metalen pakje van een halve vierkante meter. Een niet bestaande aanwijzing voor deze moord.

Vlak voor tienen kwam Sarah thuis. Genietend van de avondlucht slenterde ze over Carlyle Square. Ze was gek op warme zomeravonden, het schemerige licht, de geurende bloemen, het stof en de bijna verslavende uitlaatgassen. Ze bleef voor haar huis staan toen Mickey, de kater van de buren, uit de tuinen kwam en om haar aandacht vroeg. Hij rolde op zijn rug en veroorzaakte een klein stoffig wervelwindje. Sarah lachte en hurkte neer om hem te aaien. Hij sprong op en draaide met een hoge rug rond haar benen. Na vijf minuten maakte ze zich los, wenste hem welterusten en stapte haar huis binnen. Uit een ooghoek zag ze het profiel van een man die op de hoek van het plein in een geparkeerde auto zat.

Ze had het haar achtervolgers makkelijk gemaakt vanavond. Nadat ze een ijsje had gehaald, was ze tussen de joggers, cricketspelers, wandelaars en jeu de boulesspelers gaan wandelen in Battersea Park. Daarna was ze teruggelopen naar King's Road om bij de Europakiosk op de hoek van Old Church Road een stapel tijdschriften te kopen. Daarvandaan ging ze naar Café Rouge voor een eenzame maaltijd samen met *Vogue*, *Vanity Fair*, de *Economist* en haar achtervolgers; het waren twee jonge vrouwen van haar leeftijd, die kletsten en lachten maar niet bepaald zorgeloos keken. Ze stonden in de rij te wachten op een tafeltje. Sarah keek in haar tijdschrift toen ze na een discrete maar voorspelbare woordenwisseling met de ober naar een plekje drie tafels van haar vandaan liepen.

De ober verscheen zwaaiend met een menu. Sarah nam uitgebreid de tijd om iets uit te zoeken, gaf haar bestelling op, veranderde hem twee keer en genoot toen rustig van een heerlijke vissoep, gevolgd door gegrillde entrecôte en Franse frietjes met daarbij een glas champagne en een halve fles rode huiswijn.

Terwijl ze aan tafel zat te eten en deed alsof ze las, dreven haar gedachten nog steeds chaotisch en ongecontroleerd alle kanten op. Ze zat lang aan Eddie en Alex te denken, die een hele tijd uit haar gedachten waren geweest; hoe moest ze hun uitleggen wat er gebeurd was, hoeveel moest ze vertellen? Niets. Ze wilde hen in een ander gedeelte van haar leven houden. Het was nu nog te vroeg om aan hen te denken, het raakte verward met al het andere dat in haar hoofd omging.

Ze dacht aan Christine. Had ze er goed aan gedaan door met haar te praten? Kon ze haar vertrouwen? Haar gezonde verstand zei nee. Haar intuïtie zei ja.

Christine had gelijk. Ze had vrienden nodig, hoe onconventioneel ze ook waren, Christine kon haar helpen. Sarah vroeg zich af wat de andere vrouw op dit moment aan het doen was, welke toverkunstjes ze uithaalde met haar informatie. Ze was absoluut waardevol, maar zou het resultaat opleveren? En zo ja, voor wie?

Ze was de katalyserende factor geweest, nu kon ze niets anders doen dan wachten. En wat het vertrouwen in Christine betreft, ze had nog steeds haar verzekeringspakketje dat in handen was van Jack en Jacob. Als het logisch was om Kessler en Catania te vermoorden, was het ook logisch om haar in leven te houden.

Maar ze moest nog even geduld hebben voor ze zekerheid had. En bewijs. Dat zou het hoe dan ook zijn. Ze zuchtte diep en rilde. Ze walgde ervan, maar het was de enige mogelijkheid. Als haar verwachting klopte, zorgde er deze keer in ieder geval iemand anders voor dat het recht zou zegevieren. Was het daardoor beter of slechter? Ze wist het niet. Maar een ding wist ze wel: ze had het deze keer niet zelf kunnen doen, een keer was genoeg. Ze had te veel bloed gezien en deed haar uiterste best het te vergeten.

Ze schudde het van zich af en vroeg om de rekening, zo hard dat de waarnemers het ook konden horen. Ze nam de tijd om af te rekenen zodat zij ook klaar waren voor vertrek, gaf een grote fooi en zei de obers vriendelijk gedag. In tegenstelling tot Christine zou niemand die Sarahs pad die avond had gekruist haar vergeten, daar had ze wel voor gezorgd. Als ze ze nodig mocht hebben, had ze stapels alibi's.

De ouderwetse klok in de gang sloeg tien keer op het moment dat ze haar huis binnenkwam. Ze liep naar haar slaapkamer, zette de tv aan en ging op bed liggen kijken naar het nieuws van tien uur. Ze hoorde het einde van het openingsdeuntje en was bezig de kussens goed in haar rug te leggen toen ze ineens verstijfde. Geschokt luisterde ze.

'Er is vanavond een aanslag gepleegd op Giancarlo Catania, de president van de Banca d'Italia. De berichten komen nog steeds binnen, maar alles lijkt erop te wijzen dat Catania samen met zijn vrouw en twee vrienden een restaurant in Rome verliet, toen er plotseling een motor met twee passagiers optrok waarvan de achterop zittende man het vuur opende. Catania is meerdere malen geraakt en waarschijnlijk op slag gedood. Zijn lijfwachten hebben echter teruggeschoten en daarbij de gewapende man gedood en de bestuurder van de motor ernstig verwond. De lijfwachten hebben de gewonde man gearresteerd en onder politiebewaking naar het ziekenhuis gebracht. Zoals gewoonlijk wordt er gesproken over mogelijke betrokkenheid van de mafia, maar tot dusver is er geen enkele aanwijzing waarom president Catania is vermoord...'

De rest van het nieuws ging geheel aan Sarah voorbij. Ze zat rechtop in bed en werd overspoeld door tegenstrijdige emoties: angst, afgrijzen, misselijkheid en opluchting. Had zij dit met een paar goedgekozen woorden in gang gezet? Was dit haar werk of was het gewoon toeval? Ze had geen idee. Maar als haar verwachting en vermoeden klopte, zou de moord op Catania niet de enige zijn.

Het was bijna twaalf uur toen Christine uitgeput en triomfantelijk thuiskwam. Ze belde Fieri. Vanaf het moment dat hij opnam, wist ze dat er iets fout zat. Hij was kortaf en praatte in raadseltjes. Hij zei dat ze de kranten moest lezen en adviseerde haar om een lange vakantie te nemen. Ze meldde hem dat alles wat haar betreft in orde was en vroeg zich af wat er aan zijn kant in vredesnaam fout was gegaan. Hij zei 'goed zo' maar klonk alsof het hem weinig kon schelen en zei toen dat hij op moest hangen omdat hij midden in een bespreking zat. Vlak voor hij ophing, voegde hij er nog aan toe dat ze goed werk geleverd had en dat de gebruikelijke regeling getroffen zou worden.

Christine zette de tv aan en zapte wild van zender naar zender. Om twaalf uur hoorde ze het nieuws op CNN. Catania was vermoord. Degene die de aanslag had gepleegd, was dood en de medeplichtige in hechtenis genomen. Christine raakte in paniek. Zou hij doorslaan? Ze kon het risico niet nemen. Snel en systematisch begon ze haar koffer te pakken.

Vier jaar geleden had ze een toevluchtsoord in Rio gekocht voor het geval zich een situatie als deze zou voordoen. Toen ze klaar was met inpakken, nam ze een lange, hete douche. Ze kleedde zich aan en schonk een groot glas brandy in. In stilte werkte ze in haar donkere werkkamer een plan uit. Ze zou morgenavond de eerstkomende vlucht naar Rio nemen. Wachtend en luisterend naar alle nieuwsuitzendingen bleef ze de hele nacht op.

De gevangenneming van de motorrijder was een ramp. Zijn naam - Cesare Romagna - was bekendgemaakt. Het was een oude kracht van Fieri die bij talloze aanslagen was ingezet, waarbij hij eenmaal met Christine had samengewerkt. Als hij begon te praten - en die kans zat erin - was het afgelopen met haar en Fieri. Ze kon alleen maar bidden dat hij zijn mond zou houden, of dat Fieri op tijd bij hem was. Het was een poging waard, hij had niets te verliezen. Waarschijnlijk was dat waar deze late bespreking over ging.

Christine vroeg zich af of Sarah het nieuws gehoord had en hoe ze zou reageren. Er was geen enkele manier waarop ze daarachter kon komen. Elke vorm van contact was onmogelijk en bezwarend. Maar Jensen vormde een groot risico. Ze was erg meegaand in gevaarlijke spelletjes. Tot nu toe was het haar goed uitgekomen om mee te werken. Toen ze hun afspraak maakten, leek die in Christines voordeel te werken. Jensen had informatie uitgewisseld, waarvoor? Voor een vage belofte van hulp als ze die nodig mocht hebben. Die informatie en de gebeurtenissen die er het gevolg van waren geweest, waren een paar uur lang miljoenen waard geweest voor Christine maar zoals de zaken nu lagen, zou Fieri misschien nooit betalen en zou ze misschien nooit in vrijheid van het geld kunnen genieten. Hoge beloningen kreeg je alleen voor grote risico's, dat wist ze en accepteerde ze. Maar nu zag het er voor haar uit als een bijzonder slechte overeenkomst en voor Sarah Jensen als een fantastische.

Jensen had gezorgd voor de ondergang van de twee mannen op

wie ze zich wilde wreken, zonder dat ze zelf enig gevaar liep. Goed, op het moment dat ze de informatie gaf, had ze geen idee dat er zo snel iets mee gedaan zou worden, noch kon ze zeker weten dat Christine haar niet zou vermoorden nadat ze het hele verhaal had gehoord. Ze had een ingecalculeerd risico genomen en wat haar betreft leverde het heel wat op. Maar de zaken lagen nu anders. Waar lagen Jensens belangen nu?

Christine vroeg zich even af of ze haar had moeten vermoorden toen ze de kans had...

Het was nu te laat, en trouwens, ze dacht niet dat Sarah groot gevaar opleverde. Ze hadden nog steeds hetzelfde belang: geheimhouding, voorzichtigheid en leugens indien nodig. Ze had in Sarah een woeste, instinctmatige drang tot zelfbehoud gezien. Dat was de beste garantie voor loyaliteit.

Christine hoorde een zwak geluid buiten het raam. Ze zette haar glas neer en luisterde scherp. Toen het geluid harder werd, begon ze te grijnzen: het regende, het stortregende. Het bloed en de stukjes denimstof zouden wegspoelen.

29

Om twee uur 's nachts zat Bartop net het zojuist gehoorde nieuws over Catania te verwerken toen de telefoon opnieuw rinkelde. Het waren zijn mensen van CNC om te zeggen dat Karl Heinz Kessler dood was. Geschokt luisterde Bartrop naar alle details en vroeg of ze hem op de hoogte wilden houden.

Hij liep door zijn stille huis naar de keuken om thee te zetten. Terug in zijn werkkamer dronk hij met kleine slokjes uit het kopje. Catania en Kessler allebei dood en Sarah Jensen liep thuis zelfverzekerd en onbevreesd rond. Hij begreep nu dat hij haar onderschat had en vroeg zich af waartoe ze in staat was. Als zijn vermoedens juist waren, had ze hem geholpen. De moorden wezen in de richting van Fieri en als de motorrijder meewerkte, maakten ze een behoorlijke kans om dat te bewijzen. Maar wat was Sarahs rol in het geheel? Ze wist iets en had daar iets mee gedaan, ze had een soort overeenkomst gesloten. Maar hoe en met wie? De verhouding binnen hun onzichtbare relatie was veranderd; het was nu duidelijk dat ze meer wist dan hij en dat ze hem een stap voor was: een onhoudbare positie.

Zaterdagochtend. Sarah werd om zes uur wakker. Een tijdlang lag ze met haar ogen dicht te luisteren naar de vogels en de beginnende verkeersdrukte. Ze liet het langzaam over zich heen spoelen; de geluiden, de geuren en het wakker worden in haar eigen bed. Ze deed haar ogen open, ging op haar zij liggen en keek naar de witte muur, de dunne gordijnen die wapperden in het briesje en de open ramen die zicht gaven op een dakterras vol bloemen. De lucht was koel en vochtig en voorspelde opnieuw een warme dag. De regen van gisteravond had de verstikkende hitte tijdelijk weggespoeld.

Ze ging met opgetrokken knieën rechtop zitten. Voor de eerste keer in weken, maanden, voelde ze zich uiterst kalm. Haar energie begon ook terug te komen en ineens rammelde ze van de honger. Ze sprong het bed uit, schoot de kleren van gisteravond aan, pakte haar sleutels en fiets uit de hal en fietste de straat uit.

Een van de weinige winkels die om deze tijd open was, was gevestigd op Gloucester Road. De Seven Eleven deed zijn naam geen recht, want hij was juist vierentwintig uur per dag geopend. Sarah fietste door de straten die afgezien van een enkele jogger en vuilnisman nog verlaten waren.

Ook in de winkel was niemand. Sarah laadde haar mandje vol met alles wat ze nodig had voor haar lievelingsontbijt: eieren, melk, boter, brood, jus d'orange en kranten. Ze stopte de boodschappen in haar groene fietstassen en fietste met een kleine omweg naar huis, genietend van de ochtendzon, de rust en de soepele bewegingen.

Terug in de keuken ging ze aan het werk. Tussen het breken van de eieren door zette ze een cd van k.d. lang op; rustige, ontspannen en troostende muziek. Ze zette de muziek niet te hard zodat de buren niet wakker zouden worden van het geluid dat door de open ramen kwam. Met kleverige handen van de eieren gooide ze ook de bloem en een beetje zout in de kom voordat ze alles op de hoogste snelheid mixte. Vijf minuten later stond er een verse pot koffie te pruttelen en lagen de pannekoekjes te bakken in de pan. Het duurde even voordat ze het rood, zwart en goudkleurige blikje met stroop in de voorraadkast vond. Ze draaide het blikje rond in haar handen en bekeek de afbeelding van een leeuw met bijen in zijn dode buik. Ze las de slogan: 'Uit de kracht kwam zoetigheid voort'. Er kwamen herinneringen naar boven. Haar moeder bakte altijd pannekoeken met donkere stroop voor haar als troost of om haar op te peppen voor proefwerken. Soms voegde ze er zelfs een scheutje rum aan toe; Sarah dronk het al vanaf haar vierde. En elke keer liet haar moeder haar het prachtige blikje zien en dan las ze altijd de slogan hardop.

Kracht en zoetigheid, het was zo lang geleden. En nu, al die nieuwe gebeurtenissen... Hoe lang zou het duren voordat ze die verwerkt had? Ze schudde de gedachte van zich af, stapelde de pannekoekjes op een bord en zette het op het blad bij de koffie en de jus d'orange dat ze meenam naar de woonkamer. Half op de bank hangend en kranten lezend begon ze te eten. De stroop druppelde uit de pannekoeken en liep over haar vingers. Ze likte het weg.

Een hele tijd later, toen ze net onder de douche vandaan stapte, ging de telefoon. Druppend liep ze naar haar slaapkamer en pakte hem aarzelend en nieuwsgierig op. Barrington, iets eerder dan ze had verwacht. Deze keer waren er geen formaliteiten en doorzichtige praatjes.

'Ik denk dat we maar eens moeten babbelen, vind je niet?'

Sarah antwoordde op dezelfde toon. Hij was degene die haar uitleg verschuldigd was en niet andersom. 'Ja, dat denk ik inderdaad.'

'Over een half uur komt er iemand naar je toe. Goed?'

'Nee, dat is niet goed. Ik doe mijn deur niet zomaar open voor iemand die hier aanbelt. En als er al iemand hiernaar toe komt, kunt u het beter zelf zijn. O, en nu we het er toch over hebben, waarom brengt u uw baas niet mee, of wie het dan ook mag zijn die aan uw marionettetouwtjes trekt. Misschien krijg ik dan eindelijk eens een paar eerlijke antwoorden. Of is dat nog steeds te veel gevraagd?'

Er viel een lange stilte aan de andere kant van de lijn. Sarah stelde zich voor hoe Barrington diep adem zat te halen om te voorkomen dat hij een vinnige opmerking zou maken en zijn best deed zich niet op stang te laten jagen. Toen hij eindelijk antwoord gaf, klonk hij geduldig en afgemat als een tegendraads kind. Sarah moest zich inhouden om niet in lachen uit te barsten.

'Zoals ik zei, komt er later op de ochtend iemand naar je toe. Ik heb het druk, jij hebt het druk, we hebben het allemaal druk...'

'Ja, ik kan me voorstellen dat het erg vervelend is als je weekend in de war gegooid wordt, en u moet de boel natuurlijk een beetje uitstellen, hè president? Natuurlijk kunt u uw baas - of is het een bazin - er niet op vastpinnen zonder overleg, dus waarom belt u me straks niet terug om te vertellen wat u hebt kunnen regelen?'

'Luister Sarah. Ik begrijp best dat je boos bent...'

Sarah viel hem in de rede. 'Begrijpen? Nee, ik denk niet dat u er ook maar het kleinste beetje van begrijpt.' Met trillende handen van kwaadheid hing ze op en ging zitten wachten.

Barrington belde Bartrop.

'Ze is kwaad. Ze wil je ontmoeten.'

Verbaasd zei Bartrop: 'Hoe bedoel je, ze wil me ontmoeten?'

'Nou ja, ze had het niet over jou.' Ongemakkelijk schoof hij heen en weer op zijn stoel. 'Ze had het over degene die aan mijn marionettetouwtjes trekt.'

Bartrop liet een bulderende lach horen. 'Sorry, Barrington. Ik kan me voorstellen dat ze zoiets zegt. Dus ze is kwaad, hè?'

'Ja en niet zo'n klein beetje ook, dus ik zou maar niet te hard lachen als ik jou was. Maar ze was ook erg bot en dat was geen komedie, alsof het spel wat haar betreft is afgelopen.'

Bartrop grinnikte zachtjes. 'Denkt ze dat?'
'Luister Bartrop, ik kan haar gedachten ook niet lezen. Je hebt me gevraagd haar te bellen en dat heb ik gedaan, en als je het niet erg vindt, wil ik het hier verder bij laten.'
'Nee, dat is niet erg. Misschien maar beter ook. We hoeven deze dansles niet allebei te volgen.'
'Ga je naar haar toe?'
'Ja, het wordt tijd, denk je niet?'
Aan de andere kant van de lijn zei Barrington grijnzend: 'Nou, ik wens je veel succes.'
'Wil jij haar nog een keer voor me bellen om te zeggen dat er iemand komt?'
'Bel zelf maar. Ik ben je boodschappenjongen niet.'

Vijf minuten later zat Bartrop in de auto met Munro achter het stuur, onderweg naar Carlyle Square.
Even voor tienen stond hij voor de deur. Hij gaf Munro opdracht op hem te wachten, stapte uit en liep naar Sarah Jensens voordeur. Hij bestudeerde de gevel. Hij wist dat ze thuis was; de waarnemers hielden hem met grote regelmaat op de hoogte van haar doen en laten. Het duurde een paar seconden voor hij op de bel drukte.
Hij was razend nieuwsgierig en wilde de eerste indruk goed tot zich door laten dringen. Hij wist hoe ze eruitzag - hij had de foto's en video's gezien die zijn medewerkers van haar hadden gemaakt - maar belangrijker was dat hij haar nog nooit in levenden lijve had gezien en niet wist hoe ze zich in werkelijkheid gedroeg.
Ze stelde hem nog steeds voor een raadsel. Hij was uren bezig geweest met het analyseren van haar karakter. Hij was erachter gekomen dat ze diverse sterke punten had die ieder voor zich een afzonderlijk karakter hadden kunnen vormen. Bij haar kwam alles samen en vormde het een ingewikkelde combinatie. Ze ging in zoveel opzichten tot het uiterste dat het geen wonder was dat ze innerlijk zo verscheurd was. Tegelijkertijd leek het alsof deze extreme kwaliteiten haar in balans hielden. Geen wonder dat ze geborgenheid en stabiliteit zocht bij Jacob Goldsmith, haar broer en haar vriend. Alsof ze wist dat als ze aan de ene kant van haar leven uit balans raakte, ze dan aan de andere kant een heleboel goed te maken had. Als zijn goed onderbouwde theorie klopte, vroegen uitzonderlijke gebeurtenissen in haar leven om uitzonderlijke reacties. Dat was wat haar zo gevaarlijk en tegelijkertijd

zo waardevol maakte, die combinatie van zelfvernietigingsdrang en het gevecht voor zelfbehoud. Maar bovenal was ze onvoorspelbaar. Bartrop belde aan.

Sarah hoorde de bel en keek naar buiten. Ze zag een zwarte Rover met iemand achter het stuur geparkeerd staan en een andere man op de stoep voor haar huis. Ze zagen er officieel uit. De veiligheidspolitie, de inlichtingendienst? Zou Jacobs vermoeden dan toch kloppen? Ze bestudeerde de man voor de deur. Hij was lang, stond zelfverzekerd rechtop en had donker achterovergekamd haar. Hij zag er voornaam en indrukwekkend uit. Ze kon zijn gezicht niet zien omdat hij te dicht bij de deur stond; het enige dat ze zag, was de bovenkant van zijn hoofd. Net als de man die ze stond te bekijken, was ook zij razend benieuwd. Als hij alsjeblieft maar niet op Barrington leek en niet net zo slap, ontwijkend en zwak was. Hopelijk was hij standvastig en onwrikbaar. Ze liep naar beneden om de deur open te doen.

De man stak zijn hand uit. 'James Bartrop. Ik ben een vriend van Anthony Barrington.'

Sarah beantwoordde zijn stevige handdruk. 'Kom binnen.' Ze deed een stap opzij om hem voor te laten gaan.

Hij bleef staan. 'Als je het niet erg vindt, praat ik liever met je in de auto.' Het was een opdracht die niet eens als vraag werd aangekleed.

Sarah keek naar de auto en toen weer naar hem.

'Goed. Ik pak even mijn tas.'

Ze rende naar boven en pakte het kleine cassetterecordertje. Ze zette het aan en stopte het in haar schoudertas. Beneden pakte ze haar sleutels en deed de deur achter zich op slot. Samen met Bartrop liep ze naar de auto. Ze wilde net instappen toen mevrouw Jardine te voorschijn kwam.

'Hé Sarah, je bent weer terug.'

'Ja. Trouwens, deze man hier zegt dat hij Bartrop heet, James Bartrop. Hij zegt dat hij makelaar is en hij neemt me mee om naar een huis te gaan kijken. Dus zorg ervoor dat u zijn naam en gezicht onthoudt voor het geval ik niet terugkom, goed?' zei ze luchthartig met een glimlach op haar gezicht.

Mevrouw Jardine grinnikte. 'Een nieuw huis... ik ben blij dat het tenminste met iemand goed gaat.' Ze knikte Bartrop toe en liep weg.

Bartrop hield het achterportier voor Sarah open en ging toen naast haar zitten. Er zat een glazen afscheiding tussen de chauffeur en de achterbank.

'Rijd maar een tijdje rond, Munro.' Bartrop deed het glas omhoog en wendde zich tot Sarah.

'Ik was niet van plan je te ontvoeren.'

'Nou ja, voor het geval je van gedachten verandert.'

Hij glimlachte. Zijn mensen gebruikten mevrouw Jardines huis als thuisbasis. De vrouw en haar echtgenoot - een gepensioneerde legerofficier - werden goed betaald voor het ongemak. Het was duidelijk waar hun loyaliteit lag. Maar toch, goed bedacht van Jensen. Ze was kennelijk nog steeds achterdochtig, maar hij kon haar geen ongelijk geven.

'Goed, ik dacht dat we maar eens moesten babbelen.'

Ze keek hem aan. 'Volgens mij had dat al lang moeten gebeuren. Maar misschien kun je me eerst eens vertellen voor wie je werkt en wat jouw rol in dit geheel is.'

Na die opmerking staarde ze naar buiten. Ze zag wandelaars op King's Road en ving glimpen op van gekleurde etalages, maar het drong niet echt tot haar door. Ze concentreerde zich op de uitstraling van de man die naast haar zat en probeerde hem te doorgronden zoals hij dat waarschijnlijk ook bij haar probeerde. Ze voelde zijn weerstand en vastbeslotenheid. Dit zou niet gemakkelijk worden.

'Daar komen we zo op. Er zijn een paar dingen waar ik het eerst even over wil hebben.'

Sarah draaide haar hoofd naar hem toe, keek hem recht in zijn ogen en wachtte tot hij verderging. Een tijdlang heerste er een gespannen stilte.

'Het eerste dat ik me afvraag, is waarom je plotseling teruggekomen bent nadat je een hele tijd onvindbaar bent geweest. Achteraf lijkt het namelijk niet zo veilig, tenslotte zijn Giancarlo Catania en Karl Heinz Kessler vermoord.'

'Wat?' Het kwam er oprecht verbaasd uit. Dat van Catania wist ze, maar Kessler... Deze informatie verjoeg al haar twijfels. Haar woorden tegen Christine hadden hun werk gedaan. Ze zorgde ervoor dat ze de geschokte uitdrukking op haar gezicht hield.

Bartrop nam haar op. Of ze was een verdomd goede actrice, òf ze wist echt nergens van en had dit niet verwacht. Ze zei niets.

'Waarom ben je uit je schuilplaats gekomen, Sarah? Heb je een overeenkomst gesloten? Heb je een deal met de mafia gemaakt?'

Sarah keek een paar seconden recht voor zich uit en draaide haar hoofd toen langzaam naar hem om.

'Hoe durf je,' zei ze met een lage stem waar de woede van afdroop. 'Hoe durf je me zo verwaand en zonder berouw te beschuldigen. Twee onschuldige mensen zijn vermoord omdat jij me deze opdracht hebt laten uitvoeren. Ik neem tenminste aan dat jij het was. Of ben jij de zoveelste marionet?'

Met een strak gezicht zei hij: 'Nee, ik ben geen "marionet" zoals jij het noemt.'

'Nou, dan ligt de verantwoordelijkheid helemaal bij jezelf.' Ze haalde diep adem en probeerde te kalmeren. 'Twee mensen dood en nog veel meer levens verwoest. En waarom? En achter wie zat je nou de hele tijd aan? Ik heb je, of die kruiperige Barrington van je, alle mogelijke informatie gegeven en je hebt er niets mee gedaan. Er is niemand gearresteerd, er heeft zich zelfs niemand stilletjes teruggetrokken. Zonder reden is er geen enkel recht gedaan. Helemaal niets.' Ineens kwam ze op een idee. 'Tenzij je me gaat vertellen dat jij Catania en Kessler hebt laten vermoorden.'

Bartrop lachte. 'Volgens mij past dat meer in jouw straatje. Wraak.'

Ze kneep haar lippen op elkaar en keek hem strak aan.

'Jij hebt die vrachtwagenchauffeur vermoord, hè? Degene die op je ouders is ingereden.'

Ze staarden elkaar aan. Sarah vertrok geen spier, er was niets te zien in haar ogen. Het was alsof ze zichzelf volledig had afgesloten. Bartrop ging door.

'Koelbloedige wraak, zonder een spatje medelijden.'

Onvoorbereid hoorde hij haar reactie aan. De woorden spoten als vuur uit haar mond.

'Medelijden. Praat me niet van medelijden. Ik stik ervan.' Ze stopte nog net op tijd. Ze had het hem bijna uitgelegd, de woorden rolden bijna uit haar mond: Zie je het dan niet? Dat is precies wat overal achter zit. Wraak en medelijden, dat zijn de enige dingen die me bijeenhouden. Ik heb het een keer voor mijn ouders gedaan en nu voor Dante en Mosami. En ik geef toe, ook voor mezelf. Het is de enige manier waarop ik nog om kan kijken en er vrede mee kan hebben. Weet je hoe het is om levenloze lichamen te zien? Om je voor te stellen hoe dat gebeurd is? Als ik eraan denk... Een tijdlang onderdrukte ze haar snikken en ging toen verder met haar zwijgende monoloog. Wraak is de enige manier waarop ik ermee om kan gaan. Het is drastisch en onvolmaakt en ik houd er helemaal niet van – God weet wat het met me doet – maar het is een oplossing, het is een vorm van gerechtigheid. Snap je dat dan niet? Ze keek hem aan. Aan zijn gezicht was niets af te lezen.

Hij bekeek haar in stilte en kon alleen maar raden naar het conflict dat haar gedachten en haar verkrampte lichaam zo in zijn greep hield. Ze was zo gespannen dat het leek alsof ze een aanval moest afweren. Hij besloot het anders aan te pakken.

'Je begrijpt dat ik zeer dringende redenen had om dit onderzoek te starten.'

'Dat mag ik hopen, ja.' Ze klonk kil, ze had haar stem weer onder controle.

'Wat zou je ervan zeggen als ik je vertelde dat het gericht was op een van de kopstukken van de mafia, die de import van enorme hoeveelheden heroïne en cocaïne in Groot-Brittannië beheerst?'

'Ik zou zeggen dat je me dat in het begin had moeten vertellen, of dat je iemand had moeten inzetten die de gevaren kende en niet zoals ik onbewust levens van onschuldige mensen op het spel had gezet.'

'Ik neem aan dat we je onderschat hebben.'

'Goedkope complimentjes onder het mom van eerlijkheid. Waarom zeg je niet gewoon wat je van me wilt?'

'Goed, dat zal ik doen. Ik wil dat je me helpt deze persoon te pakken. Dat is alles. Jouw bemoeienissen bij alles wat er gebeurd is, zijn dan verder wat mij betreft niet relevant meer.'

'Het kan me geen barst schelen wat je wel of niet relevant vindt. Waarom vraag je niet gewoon om mijn hulp? Nu zit je onduidelijke dreigementen te uiten. Vermoedens. Dat is alles wat je hebt. En denk je nou echt dat ik na alles wat er gebeurd is zo makkelijk over te halen ben?' Ze plofte van nijd. 'Laat de auto stoppen.'

Bartrop schoof de glazen scheidingswand naar beneden en vroeg Munro te stoppen. De auto minderde vaart. Sarah deed de deur open en zat klaar om uit te stappen, maar eerst draaide ze zich nog een keer om naar Bartrop.

'Je hebt mijn hulp helemaal niet nodig. Heb je ooit van de dominotheorie gehoord?'

Hij knikte nieuwsgierig.

'Je hoeft alleen maar toe te kijken hoe ze vallen. Ze doen het helemaal zelf.'

Ze stapte uit en gooide het portier met een klap achter zich dicht. Munro keek zijn baas vragend aan.

'Laten we maar terugrijden,' zei hij.

Bartrop zat thuis achter zijn bureau naar buiten te staren toen Miles Forshaw, zijn naaste medewerker, hem belde.

'En, was het de moeite waard?'

'Ik geloof het wel. Op een rare manier.'

'Waar ben je achter gekomen?'

'Dat ik geduld moet hebben.'

Aan de andere kant van de lijn trok Forshaw rimpels in zijn voorhoofd. 'Wat doen we nu?'

Bartrop glimlachte. 'Niets. We doen helemaal niets. We kijken toe en wachten af.'

'Wat doen we met Jensen?'

'Nou, ze lijkt besloten te hebben dat haar aandeel in het geheel volbracht is.'

'En is dat zo?'

'Natuurlijk niet.'

30

De volgende middag lummelden Jacob en Jack geërgerd en chagrijnig door Sarahs afwezigheid rond in het huis in Marokko. Ze wisten dat ze geen contact met hen zou zoeken. Ze had hen gewaarschuwd dat ze niet zou bellen of schrijven. Ze wilde namelijk geen enkel spoor naar hen laten leiden voor het geval haar overeenkomst met Catania niet goed zou uitpakken. Daarnaast was ze ongerust geweest over Barrington en de onbekende waarmee hij werkte. Sarah wilde Jack en Jacob er niet bij betrekken. Dit wisten ze en op het moment dat ze was vertrokken, hadden ze dat geaccepteerd, maar nu, drie dagen later, konden ze er niet meer tegen.

Als afleiding gingen ze in Jacks bibliotheek naar het middagnieuws op CNN kijken. Op die manier hoefden ze een heel uur niets tegen elkaar te zeggen. Jack zette de tv aan met de afstandsbediening. Naast elkaar zaten ze op de bank te kijken naar de nieuwslezer. Nadat hij het laatste nieuws gemeld had, herhaalde hij het nieuws van de vorige avond. De rustige, afgemeten woorden sloegen in als een bom bij Jack en Jacob. Giancarlo Catania was in Rome vermoord. Verstijfd hoorden ze hem daarna zeggen dat er nog een topbankier om het leven gebracht was: Karl Heinz Kessler in Londen.

In paniek keken de beide mannen elkaar aan.

'Ik ga terug naar Londen,' zei Jacob.

'Ik ga met je mee,' antwoordde Jack.

Ze boekten de eerstvolgende vlucht vanaf Marrakech de volgende ochtend.

Christine liep door de grote hal van terminal drie op Heathrow naar de balie van VARIG. Ze sprak de vrouw in het blauwe uniform glimlachend in vloeiend Portugees aan.

'Ik heb een plaats gereserveerd op de vlucht naar Rio van vanavond. Julia Rodriguez.'

De vrouw glimlachte beleefd. 'Goed. Ik zal het even opzoeken.' Met vingervlugge bewegingen typte ze de naam in op haar computer.

'Ja hoor, in orde. Een ticket eersteklas, te betalen met Visa. Zou ik uw creditcard en uw paspoort even mogen zien?'

Christine pakte de gouden Visacard en het paspoort op naam van Julia Rodriguez. De dame achter de balie – op haar naamplaatje stond dat ze mevrouw Hernandez heette – wierp een korte blik op het paspoort en op Christine, daarna ging ze aan het werk met de creditcard. Ze haalde hem door een apparaat waar even later een factuur uitrolde. Christine zette haar handtekening eronder en nam het paspoort en de creditcard weer aan. De dame overhandigde haar het ticket.

'Uitgang negenenveertig. Ik wens u een prettige vlucht.'

Christine glimlachte terug. 'Dank u, dat zal wel lukken.' Ze draaide zich om en liep met korte pasjes de trap op naar de vertrekhal; een aantrekkelijke, typisch Braziliaanse vrouw van gemiddelde lengte met korte zwarte haren, gebruinde huid en donkerbruine ogen. Christine glimlachte naar haar spiegelbeeld in een van de glazen scheidingswanden. Ze was die ochtend twee uur bezig geweest met het perfectioneren van de vrouw Julia Rodriguez; het knippen en verven van haar haren, het aanbrengen van de donkere kleur op haar gezicht, de bruine contactlenzen, het valse paspoort, en het allermoeilijkste: de drukke en gehaaste uitstraling. Ze maakte korte pasjes, trok haar buikspieren aan en droeg te kleine schoenen. Christine Villiers was in geen velden of wegen te bekennen.

Het vliegtuig vertrok een uur later. Na het opstijgen maakte het een grote, langzame bocht en begon toen aan zijn tocht. Met een glas champagne in haar hand maakte Christine haar veiligheidsriem los. Ze staarde de duisternis in die het Engelse platteland ver beneden haar bedekte. Ze wist niet of ze het landschap ooit nog zou zien, maar ze was er niet bedroefd om. Op dit moment was ze dolblij. Ze genoot van haar zojuist verkregen vrijheid als een hagedis die zijn staart net is kwijtgeraakt.

Op het moment dat de VARIG 747 hoog boven de Atlantische Oceaan vloog, sloeg de motorrijder door en begon stukje bij beetje alles te vertellen over iedereen die hij kende. Hij had geen keus. Onder druk van de politie vertelde zijn advocaat hem dat de Don hem niet langer vertrouwde en hem probeerde te laten vermoorden. Het *Witness Protection Scheme* was zijn enige kans om in leven te blijven. Hij was tweeënveertig. Hij had geen familie. Met hulp en bescherming van bovenaf kon hij gemakkelijk verdwijnen en ergens anders, misschien in Amerika, een nieuw leven beginnen. Of hij kon wachten op de kogel tussen zijn ogen of het mes in zijn rug die hem onvermijdelijk voor altijd het zwijgen op zouden leggen.

De politie in Rome begon het verhaal samen te vatten. Rond middernacht werden de arrestatiebevelen uitgevaardigd; een van de namen op de lijst was die van Antonio Fieri.

Bartrop zat alleen thuis in Chelsea Square. De dominostenen begonnen te vallen. Waar zouden ze stoppen? Hoe had ze het voor elkaar gekregen? Wat had ze precies gedaan? Ze wilde het hem niet vertellen, dat was duidelijk. Sarah Jensen haatte hem. Hij had gekregen wat hij wilde. Niet omdat zij zo goed meewerkte, maar omdat haar bezigheden de zijne grotendeels overlapten. Ze dacht dat ze ongevoelig was voor zijn bedreigingen, dat bleek ook wel uit haar gedrag. Maar desondanks was ze niet onkwetsbaar. Hij kende haar achilleshiel: Jacob Goldsmith. Hij had haar verborgen. Op zich was dat geen misdrijf, maar het was een oude man die genoot van een rustig, eenvoudig leventje. Dat was nu overhoop gehaald, maar al die tijd was hij er niet direct bij betrokken geweest, hij bleef de beschermer en niet het doel. Als daar nu eens verandering in kwam – met alles wat hij wist over Sarah Jensen – dan zou ze dat vast en zeker onverdraaglijk vinden en wel willen praten.

Goed, hij had gekregen wat hij wilde: Fieri en een vrijwel zekere veroordeling. Maar één pratende verdachte was niet genoeg. Een leven stelde niet veel voor. Bartrop en de Italianen hadden meer bewijzen nodig om de zaak kracht bij te zetten, om zekerheid in te bouwen. Bartrop had Sarah Jensen nodig en alles wat ze wist. Hij was vast van plan om erachter te komen. Hij ging naar bed en droomde van Sarah.

De volgende ochtend ontving hij de aanzet tot zijn plan. Een medewerker van CNC belde hem om elf uur vanaf Heathrow. Jacob Goldsmith was zojuist weer in het land gearriveerd. Bartrop reageerde verheugd. Alle stukjes begonnen op hun plaats te vallen.

Jacob en Jack reden met de taxi rechtstreeks naar Carlyle Square. Ze rekenden nerveus af met de chauffeur en stonden toen stilletjes op de stoep voor Sarahs deur. Ze belden aan, wachtten, hoorden een geluid boven hun hoofden, keken op en zagen Sarah toen uit het raam hangen.

'Jacob! Jack!' riep ze opgetogen. 'Ik kom eraan.'

De twee mannen grijnsden naar elkaar. 'Ik wist wel dat alles in orde was,' zei Jacob.

Sarah kwam naar beneden. Ze omhelsde en zoende hen en veegde voorzichtig een traan van Jacobs wang. Ze lieten hun koffers in de gang staan. Ze keek hen lachend aan en hield toen een vinger tegen haar lippen.

'Zullen we een stukje gaan wandelen?' vroeg ze kordaat. Lichtelijk perplex knikten ze. Ze liepen het plein op, de zon in. Sarah opende het hek naar de tuinen en nam hen mee naar binnen. Met z'n drieën zakten ze neer op een bankje. Verderop waren een paar kinderen aan het spelen en er stond een vrouw bij om op te passen, maar ze waren niet dichtbij genoeg om iets te kunnen horen.

Sarah zat tussen Jacob en Jack in.

'Jullie weten niet half hoe blij ik ben jullie te zien.' Eventjes praatten en lachten ze allemaal door elkaar. Toen stierf het gelach weg en kwamen de vragen.

'Mijn huis wordt afgeluisterd,' zei Sarah. Gedreven door bezorgdheid, de wil om haar te begrijpen en te beschermen beet Jacob zich zoals gewoonlijk als een terriër vast in de vragen.

Normaal gesproken werd ze gek van al zijn vragen, maar vandaag was het een opluchting om hem weer hier in Londen te zien, om de vragen te beantwoorden en het hele verhaal kwijt te kunnen. Er was niemand anders aan wie ze het kon vertellen. Behalve Jack. Ze was blij dat ze het ook aan hem kon vertellen; hij verdiende het en het ontlastte Jacob een beetje.

'Wat heb je gedaan? Wat is er gebeurd? Heb jij iets te maken met Catania en Kessler?' vroeg Jacob.

Jack keek geschokt toen hij de vraag hoorde. Hij verwachtte een blik vol ongeloof op Sarahs gezicht en een ironische grijns op dat van Jacob, maar die gezichtsuitdrukkingen waren er bij geen van beiden. Sarah antwoordde moeizaam maar onaangedaan. Maar wat hem het meest verraste was de blik die ze wisselden: herkennend en samenzweerderig.

'Ik heb niet veel gedaan. Ik heb me tamelijk rustig gehouden. Ik heb een persoon iets verteld en een ander niets. Waarschijnlijk had ik de eerste persoon niets moeten vertellen en de tweede alles. Maar dat heb ik niet gedaan en daar ben ik blij om. En als antwoord op je laatste vraag: ik weet het niet, het is mogelijk.'

Jacob keek geërgerd, Jack verbijsterd. Jacob zei: 'Zou je ons dat nog een keer willen vertellen, maar dan zonder de raadseltjes?'

De daaropvolgende tien minuten vertelde ze haar verhaal. Een paar minuten lang verwerkten de twee mannen het in stilte.

'En die Christine Villiers, waar is die nu?' vroeg Jacob.

'Ik neem aan dat ze zich ergens schuilhoudt. Ze heeft geen contact meer met me gezocht. Als ze mijn informatie inderdaad aan Fieri heeft doorgegeven en Kessler voor hem vermoord heeft, dan zal ze hier niet blijven rondhangen, denk je wel?'

'Denk je dat zij het gedaan heeft?'

Sarah zuchtte diep. 'God, Jacob, ik weet het echt niet. Het lijkt me hoogst waarschijnlijk, lijkt je niet?'

'En hoe zit het met James Bartrop?'

Sarah fronste haar wenkbrauwen. 'Hij vroeg of ik een deal met de mafia had gesloten. Dat is toch niet te geloven?'

'Nou ja, zo zit het toch?'

Sarah keek Jacob kwaad aan. 'Nee, zo zit het niet. Ik heb Christine Villiers over Catania verteld. En ja, ik hoopte inderdaad dat ze die informatie zou gebruiken om hem in diskrediet te brengen, of hem misschien zelfs zou vermoorden. Ik vermoedde dat Catania iets met de mafia te maken had, en als dat zo was, zouden ze het vast niet leuk vinden om te horen dat hij door buitenstaanders gechanteerd werd en daarom een aantal mensen heeft laten vermoorden. Wat ze ermee zouden doen, was hun zaak. En Christine Villiers... Hoe moet ik nou weten of ze iets met de mafia te maken heeft? Ze is huurmoordenaar en ze woont in Italië. Ik heb gewoon een paar dingen bij elkaar opgeteld en het leek me logisch haar iets te vertellen. Dus dat heb ik gedaan en nu zijn Kessler en Catania dood. Had zij er iets mee te maken? Hoe moet ik dat weten? Maar ze zijn dood, de een of andere mafiabaas zit in de gevangenis en het hele gedoe is afgelopen. Dante en Mosami komen nooit meer terug, maar dit was het beste waar ik op kon hopen. Een zekere mate van gerechtigheid. Matthew Arnott en Carla Vitale lopen nog steeds vrij rond, maar die stellen ook niet zoveel voor. En wat betreft Barrington en James Bartrop... ja, die haat ik. Ik veracht hen. Zij zijn verantwoordelijk voor de dood van Dante en Mosami. En Barrington nog niet eens zo zeer, dat is gewoon een zwakkeling, maar vooral Bartrop. Hij is de echte boosdoener. Hij schijnt te denken dat hij alles wat er gebeurd is kan verantwoorden, dat het zeer spijtig is, dat hij me onderschat heeft en dat dat zijn enige fout was. En nu bedreigt hij me en probeert hij me te chanteren.' Sarah keek naar de spelende kinderen. 'Ik zal hem nooit iets vertellen.'

Op vriendelijke toon zei Jacob: 'Maar hij zal je niet met rust laten Sarah, als hij denkt dat je iets weet dat je hem niet hebt verteld.'

Sarah grijnsde. 'Nee, dat zal inderdaad wel. Maar als hij me vragen komt stellen, ben ik er niet meer.'

Beide mannen schoten geschokt overeind en vroegen tegelijk: 'Waar ga je dan naartoe?'

Sarah glimlachte. 'Ik ga naar Katmandu, naar Eddie en Alex. Ik heb hun reisschema bekeken. Ze zijn nu in Katmandu om spullen in te slaan. Perfecte timing. Ik heb ze al een telegram gestuurd om te zeggen dat ze me op het vliegveld moeten afhalen en ik heb al een ticket. Ik vertrek vanavond vanaf Gatwick met ROYAL NEPAL AIRLINES.'

In stilte keken Jack en Jacob elkaar en Sarah aan. Daarna staarden ze voor zich uit, alsof ze Katmandu probeerden te zien. Jacob was de eerste die weer iets zei.

'Het lijkt me een goed idee. Ik zal je missen. Als ik niet zo oud was, ging ik met je mee.' Hij lachte en keek naar Jack. 'En ik mis mijn huis. Het wordt tijd dat ik terugga, Ruby ophaal en wat ga doen aan de tuin. De bloemen hebben waarschijnlijk allemaal het loodje gelegd,' zei hij treurig.

Sarah gaf hem een kneepje in zijn arm.

'Ik kom weer terug, hoor Jacob. Het zal waarschijnlijk wel even duren. Afgezien van jou en Jack heb ik weinig hier. En ik heb het gevoel dat ik maar beter zo lang mogelijk weg kan blijven.' Ze lachte vrolijk. 'Het volgende gedeelte van Alex' en Eddies reis gaat door tamelijk afgelegen gebieden; Bhutan en Ladakh. Daar kom je niet makkelijk en je vindt er ook niet snel iemand. Het is daar zo verschrikkelijk mooi. Ik heb daar al zo lang naartoe gewild.'

'Dan kunnen we je zeker maar beter naar het vliegveld brengen, hè?' zei Jack.

'Zouden jullie dat willen doen? Maar we moeten denk ik wel een omweg nemen en wat afleidingsmanoeuvres inbouwen. Ik heb niet zo'n zin om Bartrop wakker te schudden.'

Jack zei opgewekt: 'Geen enkel probleem. Ik heb 't in geen jaren gedaan, maar het is net als fietsen, je verleert het nooit.'

Jacob antwoordde sceptisch: 'Dat zullen we nog wel eens zien.'

Laat in de middag vertrokken ze. Jack kon het nog steeds. Hij reed via een omweg naar Gatwick door allerlei achterafstraatjes van Zuid-Londen. Toen Sarah op het vliegveld aankwam, wist ze zeker dat niemand hen gevolgd was. Ze omhelsde de beide mannen opnieuw. Deze keer huilden ze alle drie. Uiteindelijk maakte ze zich los en liep naar de terminal om daarvandaan nog een laatste keer te zwaaien. Ze had geluk gehad. Ze waren niet gevolgd naar het vliegveld. De mensen die haar huis in de gaten hielden, wisten niet beter dan dat ze met Jack en Jacob thuis zat.

Ze had ook geluk dat Bartrop niet verwacht had dat ze het land al zo snel weer zou verlaten. Niemand keek op het vliegveld naar haar uit en ze liep ongestoord weg. Een uur later was ze onderweg. Toen het vliegtuig opgestegen was, voelde ze de last van haar schouders vallen. Tranen van opluchting rolden over haar wangen toen ze in haar eentje in haar stoel zat. Over een paar uur zou ze bij haar vriend en haar broer zijn en zou de rest geschiedenis zijn.

Vijftien uur later, maandagochtend in Katmandu, zette het vliegtuig de scherpe daling naar de luchthaven in. Sarah zag de bergtoppen in de verte: groot, indrukwekkend en anders dan ze ooit gezien had. Toen leek het ineens alsof ze met tegenzin plaats maakten voor het dalende vliegtuig, alsof ze terrein moesten afstaan na een fel gevecht. De schoonheid van het landschap liet haar hart zo snel kloppen dat het leek alsof ze in gedachten al bergen aan het beklimmen was. Het vliegtuig kwam op de baan neer en kwam schokkend tot stilstand op de korte landingsbaan.

Sarah maakte haar riem los en stond enthousiast op om van boord te gaan. Ze snelde de trap af en rende naar de terminal. Met kloppend hart stond ze in de rijen van de paspoortcontrole, de band met bagage en de douane. Eindelijk was ze erdoor. Ze liep naar de aankomsthal en speurde de menigte af.

Ze stonden een beetje achteraan, afgezonderd van de rest. Alex en Eddie; lang, bruin en vrolijk lachend. Openhartige gezichten. Sarah beantwoordde hun lach en liep alles achter zich latend op hen af.

Epiloog

'Zoals ik net al zei: ik weet niet waar ze is. En je kunt me bedreigen wat je wilt. Dat kan me niets schelen. Ik zou me alleen maar zorgen maken als Sarah dat deed, en dat doet ze niet. Ze is weg en precies om hetgeen er nu gebeurt, wilde ze me niet zeggen waar ze naartoe ging. Je hebt helemaal niets aan me. En vergeet niet dat ik alles van je vuile spelletjes weet. Het zou een prachtig verhaal zijn...'

Bartrop leunde naar voren op zijn stoel. 'Ook jij moet elke dag de straat oversteken.'

Jacob boog naar hem toe en lachte hem in zijn gezicht uit.

'Ik ben drieënzeventig. Denk je dat ik me druk maak over dat soort dreigementen?'

'Vroeg of laat komt ze terug, misschien vind ik haar in de tussentijd.'

'Reken daar maar niet op. Ze blijft weg zo lang het nodig is. Tegen de tijd dat ze terugkomt, is deze zaak al lang afgehandeld en kun je niets meer doen. Misschien ben je er niet eens meer tegen die tijd. Vergeet haar nou maar, Bartrop. Je hebt genoeg schade aangericht. Je hebt wat je wilde. Dankzij haar heb je Fieri. Laat haar met rust.'

'En wat gebeurt er als ik niet luister naar je vriendelijke advies?'

Jacob lachte. 'Ik heb genoeg informatie om je ten val te kunnen brengen. Ik zal zorgen dat het op de een of andere manier allemaal boven water komt, denk maar niet dat je dat tegen kunt houden met een *D-notice*. Zulke dingen komen toch naar buiten, mensen krijgen ze toch te horen. Misschien komt het niet in de krant, maar er is altijd ergens wel iemand die het opvangt. En een man als jij heeft waarschijnlijk ladingen vijanden, binnen en buiten het parlement. Je wilt toch niet dat ik ze dit soort dingen in handen speel, of wel?' Jacob grijnsde.

Bartrop grijnsde terug. 'Nou, we moeten maar zien. Als ze weg is, is ze weg. Er is inderdaad nogal wat gebeurd. Misschien moeten we het hier maar bij laten.'

'Dus je laat haar met rust?'

Bartrop knikte en stond op. 'Ik laat haar mct rust.' Voorlopig, voegde hij er in stilte aan toe.

Dankbetuiging

Bij het schrijven en publiceren van dit boek, heb ik - zowel op zakelijk als op privé-gebied - het geluk gehad, te worden gesteund door een aantal fantastische mensen. Ik ben mijn familie en vrienden zeer dankbaar voor hun enorme steun en aanmoediging. Toby Eady is de beste, meest bezielende agent die er is, en mijn dank is onuitsprekelijk. Ik dank Miles Morland uit het diepst van mijn hart voor het feit dat hij mij aan hem heeft voorgesteld. Mijn uitgever, Orion, is niet alleen zeer professioneel, maar tevens plezierig om mee te werken. Rosie Cheetham is een voortreffelijke redacteur, Katie Pope heeft een vindingrijkheid die Pinkertons naar de kroon steekt en Anthony Cheetham, Nick McDowell en Susan Lamb waren onophoudelijk vriendelijk en bemoedigend. Lesley Baxter en Peter Lucas zijn zeer behulpzaam geweest, ik heb veel plezier met ze gehad en ik wil Peter met name bedanken voor zijn hulp op het technische vlak.

De praktische adviezen en commentaren van Yvonne Thomas en John Cutts hebben me telkens opnieuw aangemoedigd. Chris Fagg deed er net als Rosie Collins, Kate Carr en Andrew Neil veel aan om mijn zelfvertrouwen te verbeteren. Eric Kohns makelaarsdiensten zijn ongeëvenaard.

Rupert Allason en Andrew Hyslop waren lichtbakens in de duistere wereld van de geheime dienst.

Andy Fisch heeft me veel waardevolle informatie verschaft over de termijnmarkt van de pannekoek. Contraspion heeft me technische uitleg gegeven over afluisterapparatuur, waarvoor ik hem hartelijk dank; mogelijke fouten die ik met betrekking tot dit of enig ander onderwerp heb gemaakt, zijn niet te wijten aan de aan mij verschafte informatie, maar aan mijn verkeerde interpretatie ervan.